afgeschreven

GUNNAR STAALESEN

Het uur
van de wolf

Manteau
THRILLER

Oorspronkelijke titel I *mørket er alle ulver grå*
Vertaling Annemarie Smit

© 1983 Gyldendal Norsk Forlag
© 2009 Nederlandse vertaling Uitgeverij Manteau/
Standaard Uitgeverij nv en Annemarie Smit,
Standaard Uitgeverij nv, Mechelsesteenweg 203, B-2018 Antwerpen
www.manteau.be
info@manteau.be

Omslagontwerp Wil Immink
Foto omslag: © Andy & Michelle Kerry / Trevillion images

ISBN 978 90 2232 421 9
D/2009/0034/491
NUR 330

Hoofdpersoon in Gunnar Staalesens detectives is Varg Veum, privédetective uit Bergen, Noorwegen. Na zijn echtscheiding en nadat zijn carrière als maatschappelijk werker bij de kinderbescherming is stukgelopen, is Veum voor zichzelf begonnen. In zijn kantoor in het centrum van Bergen, met uitzicht over de haven, de vismarkt en de berg Fløien, wacht hij met een fles aquavit in zijn bureaula op klanten. Dat zijn meestal gewone mensen, die hem vragen een verdwenen familielid voor hen op te sporen of behulpzaam te zijn bij het terugvinden van eigendommen. Als hij echter eenmaal aan een opdracht begint, ontdekt Veum vaak het ene lijk na het andere, tot groot ongenoegen van de plaatselijke politie.

De naam Varg Veum – spreek uit: Warg Wé-uum – is afgeleid van de Oudnoorse uitdrukking 'varg i veum', wat persona non grata of ongewenste vreemdeling betekent: een grapje van zijn vader, die hevig geïnteresseerd was in de Scandinavische mythologie. Varg is ook een verouderd woord voor 'wolf'. Met zo'n naam is het niet verwonderlijk dat men enigszins vreemd opkijkt wanneer Veum zich voorstelt.

Het is 1982 en Varg Veum raakt betrokken bij een zaak die hem terugvoert naar het verleden en die zijn oorsprong heeft in de Tweede Wereldoorlog. Noorwegen werd in april 1940 ingenomen door Duitse troepen, die het met name op de lange kustlijn en de grens met de Sovjet-Unie hadden gemunt. Tijdens de bezetting werd een pro-Duitse regering gevormd, onder leiding van Vidkun Quisling, de partijleider van de fascistische Nasjonal Samling. In oktober 1944 werden delen van Noord-Noorwegen bevrijd door de Russen, terwijl het zuiden tot de Duitse capitulatie op 8 mei 1945 moest wachten.

ANNEMARIE SMIT

1

Ik ontmoette Hjalmar Nymark in het café waar ik regelmatig kwam, sinds Solveig me die winter had verlaten.

Hij was me al eerder opgevallen. Hij had een markant gezicht met een opvallende kromme neus, levendige donkere ogen die diep in hun oogkassen lagen en een energieke kin. Ik schatte hem een jaar of zeventig. Zijn haar was bijna wit en steil achterover gekamd, waardoor zijn voorhoofd diepe inhammen vertoonde. Normaal gesproken had hij een opgerolde krant in zijn hand. Ik zag hem er zelden in lezen, maar hij gebruikte de krant om zijn argumenten kracht bij te zetten door ermee op het tafelblad te slaan.

Hij was stevig gebouwd, waardoor hij een gedrongen postuur leek te hebben, hoewel hij zeker een meter tachtig lang was. Hij had de buik van een oude krachtpatser: geen lubberend vet, maar uitsluitend uitgezakte spieren. Hij zat doorgaans een of twee tafeltjes van me verwijderd. Meestal was hij alleen, maar af en toe had hij gezelschap. Soms kwamen we elkaar in de deur tegen en na een tijdje zag ik dat hij me begon te herkennen. Hij had een vrolijke twinkeling in zijn ogen en op een dag, toen ik naar binnen ging en hij net naar buiten kwam, zei hij en passant: 'Op naar de drenkplaats?' Hij was weg voor ik had kunnen antwoorden.

Het café was drie blokken van mijn kantoor verwijderd en ik ging er meestal zo'n drie, vier keer per week aan het eind van de middag even naartoe. Al bij de ingang viel de typische sfeer van het café op, want op welk tijdstip van de dag je er ook kwam, er ging altijd net iemand naar buiten, en diegene die naar buiten kwam stond zelden erg stevig op zijn benen. De portier was de hulpvaardigheid zelve: hij wees welke richting je uit moest of ondersteunde je tot de taxi kwam. De meesten hadden een taxi nodig.

Pal achter de deur was iets wat het lokaal een bijna internationaal karakter gaf: een glazen loket voerde naar de tabakswinkel ernaast, alsof de plaatselijke bookmaker daar was gevestigd. Maar het enige wat je er op dat gebied kon doen, was 's woensdags tegen vijven je totoformulier inleveren, zonder dat je haar nat werd van de regen.

De lucht van bier en tabaksrook gaf de plek een uitgesproken masculiene sfeer. De meeste mensen dronken bier, vaak in enorme hoeveelheden. De gezichten rondom waren zwaarmoedig, door hun leeftijd, maar meer nog door de alcoholconsumptie. Hier kwamen oude stucadoors bijeen om over vroeger te praten, toen bijna al het werk in de haven nog met de hand werd gedaan. Na sluitingstijd van de markt kwamen de vishandelaren binnen, met het vissenbloed nog in de groeven van hun grote, rode knuisten. Gepensioneerde industriearbeiders in effen werkhemden die tot boven toe waren dichtgeknoopt, hoestten lelijk en hard boven het schuim van hun bier, dronken hun glazen leeg, sloegen op tafel en verlangden meer. Een kleine kantoorbediende, met dun haar, wit overhemd en een bloedeloze stropdas, vouwde voorzichtig de avondkrant open, dook ineen achter zijn halve liter en stelde de thuiskomst bij moeder de vrouw nog een halfuurtje uit. Jonge, spraakzame kerels van het boerenland, die vroeg in de middag al zo ver heen waren dat ze ergens anders niet meer werden binnengelaten, werden naar een gastvrije tafel geloodst, strooiden hun laatste bankbiljetten om zich heen en hieven hun glazen naar hun blozende gezichten, tot ze een paar uur later op handen en voeten naar buiten kropen, geholpen door de portier en, als ze te erg tekeergingen, een paar kelners. Enkele vrouwen, vaak al ver over de vijftig, vonden meestal wel ergens een plaatsje en een bekend gezicht. Ze dronken bier uit kleinere glazen en hielden hun mantels aan, tot het zo laat op de avond werd dat ze hun jas openknoopten en met hun zware borsten pronkten in de blauwe mohairtruitjes die twintig jaar geleden in de mode waren geweest.

Door de nicotinegele vitrage die voor de ramen op het noorden hing, lekte het namiddaglicht naar binnen en tussen de vensters in hingen bruine, keramische reliëfs tegen een groene ondergrond. Helemaal achterin de zaak, bij de toog, toonde een grote wandschildering in verschoten blauw tegen een vergeeld gipsen decor de bedrijvigheid in de haven, opdat het merendeel van de gasten zich thuis zou voelen. Sterke vuisten die zware vaten ophieven naar donkere scheepswanden.

De tafelkleedjes hadden allerlei kleuren en bij binnenkomst leek het alsof ze in een bepaald patroon waren neergelegd; maar wanneer je er een poosje had gezeten, zag je dat ze, zodra er te veel bier of as op was gemorst, volgens de grillen van het lot werden vervangen. De kelners gleden in bordeauxrode jasjes tussen de tafels door, verdeelden grote glazen onder de uitverkorenen en vervingen de tafelkleden met een effectiviteit die een aflegger geïmponeerd zou hebben.

Het eten dat ze serveerden was eenvoudig en rechttoe rechtaan, met als enig raffinement een toefje peterselie en een verlept blaadje sla, maar het was goede stevige kost, waar je zat van kon worden zonder bankroet te raken. Soms at ik er, maar meestal dronk ik alleen een paar glazen bier.

Ik haalde gewoonlijk een paar avondkranten bij het tabaks-winkeltje ernaast, zocht een tafeltje ergens langs de wand en zat daar dan alleen.

Zo gingen de middagen voorbij, drie, vier dagen per week, als riemslagen in stil water. De minuten drupten op het wateroppervlak en af en toe liet ik de roeispanen rusten, alleen om te zien hoe de tijd verstreek. Net als de koppen in de krant voor me: nieuws van gisteren dat alweer bezig was geschiedenis te worden.

Na een paar maanden waren verscheidene stamgasten me gaan groeten en eind april raakte ik op een dag in gesprek met Hjalmar Nymark.

2

De middag dat we aan de praat raakten, was het koud, guur regenweer met sporadisch wat grauwe vlokjes natte sneeuw. Het was dit jaar eind maart even lente geweest. Nu wandelden we weer terug door de jaargetijden en deed het weer eerder aan november denken dan aan april.

Ik had de dag doorgebracht met het schrijven van ansichtkaarten aan vrienden en bekenden. Eén kaart was voldoende gebleken, aan een knul die Veum heette en die ergens tussen Stølen en Skansen woonde. Hij zou vast blij zijn van me te horen. Daarna had ik de automatische telefoonbeantwoorder van de bioscoopcentrale gebeld, om naar een dertig seconden durende beschrijving van een van de films van die dag te luisteren. Ondanks herhaalde pogingen had ik alleen de ingesprektoon gekregen. Meer telefoontjes had ik niet gepleegd. Het was niet verstandig om mijn bankrekening te veel te belasten. De dag tevoren had er een advertentie in de krant gestaan: GEVESTIGD! *Detectivebureau Harry Monsen BV heeft een filiaal in Bergen geopend. Internationaal netwerk, nieuwste elektronische hulpmiddelen, bewakingsdienst, persoonsonderzoek, alle soorten onderzoeksopdrachten. Eersteklas medewerkers, honderd procent discretie.* Ik had de advertentie nauwkeurig bestudeerd en me afgevraagd wat ze bedoelden met 'eersteklas' en 'honderd procent'. Misschien moest ik ze bellen om het te vragen, of in ieder geval om ze succes te wensen. Het telefoonnummer stond in de advertentie. Mobilofoon hadden ze ook. Ik had alleen een sluimerende telefoon en een Morris Mini die ik door gebrek aan geld niet eens kon inruilen, maar die allang rijp was voor de eeuwige asfaltvelden. Er was geen twijfel mogelijk: er braken zware tijden voor me aan.

Het was zo'n dag waarop je wel een borrel kunt gebruiken, en goed en wel buiten in de regen zette ik de kraag van mijn jas op, trok ik mijn regenhoed goed over mijn oren en rende ik het kleine eindje naar het café.

Het café had nóg een bijzonderheid. Als je binnenkwam leek het er altijd vol te zijn, maar als je even om je heen keek, was er altijd wel nog ergens een plaatsje vrij. Deze middag echter leek de regen alle roerend goed van de straat naar binnen te hebben gedreven. Ik kon me nog net aan een minuscuul tafeltje wurmen, waarop witte aardewerken asbakken met reclame voor Italiaanse wijn stonden opgestapeld.

Een kelner zette de asbakken weg en vroeg wat ik wilde hebben. Ik bestelde een halve liter bier en een walvisbiefstuk en keek het lokaal eens rond. Het dampte van natte kleren, shag en doorgerookte pijpen. Brede schouders bogen zich over witte borden, grote vuisten grepen om halfvolle glazen die de bezitters in één teug leegden, om zich vervolgens met hun enorme bovenlichamen om te draaien en naar de kelner uit te kijken, op dezelfde manier waarop mensen die bang zijn dat ze geschaduwd worden, over hun schouder kijken.

Hjalmar Nymark kwam vanuit de regen binnen, streek zijn natte haar naar achteren en schudde het water van zijn jas. Hij keek om zich heen. Er waren geen tafeltjes meer vrij, maar vlak bij het mijne was nog een stoel vrij. Hij kwam rustig naderbij. Toen hij voor me stond, knikte hij vriendelijk en zei: 'Ik zie geen bekenden. Is hier plaats?'

'Als je niet te veel armslag eist wel.' Ik schoof mijn stoel wat dichter naar de zuil waar het tafeltje tegenaan stond. Toen stond ik op en gaf hem een hand. 'Veum. Varg Veum.'

De hand die hij me toestak was niet zo groot en krachtig als ik had verwacht. 'Hjalmar Nymark.'

Hij trok de stoel naar het tafeltje en hing voor hij ging zitten zijn natte jas over de rugleuning. Toen de kelner kwam, bestelde hij een halve liter bier en een bord lapskaus. Hij viste de opgerolde krant uit zijn jaszak en bleef ermee in zijn hand zitten.

'Wat een hondenweer', zei hij.

Ik knikte en was het met hem eens.

'Maar ze hebben immers gezegd dat de zomers in de jaren tachtig kouder zouden worden?'

'Een prettig vooruitzicht', zei ik.

Hij keek me onderzoekend aan, openlijk en zonder dat hij het probeerde te verbergen. 'En, wat doe je voor de kost, Veum? Of wacht, laat me raden. Vroeger kon ik dat heel goed.'

'Wat?'

'Mensen plaatsen.'

'Zoek voor mij maar een plekje achteraan op de onderste plank, daar is mijn plaats.'

'Bij de troostprijzen?' grinnikte hij.

'Ik zou het niet direct een prijs willen noemen', antwoordde ik. Ik glimlachte vaag en haalde een hand door mijn haar. Het grijs erin was nog niet meer dan een zweem, maar als de koude zomers van de jaren tachtig voorbij waren, zou de sneeuw er vast nooit meer uit verdwijnen.

Hij nam me op, van het blonde haar boven mijn voorjaarsbleke janusgezicht, het overhemd van blauwe spijkerstof waar de bovenste knoop van openstond, het enigszins versleten colbertje met de blauwe trui met V-hals eronder, tot de bruine ribbroek. Hij wierp een blik op de jas die over mijn stoel hing. Zijn stem klonk warm en vriendelijk toen hij zei: 'Naar je kleren te oordelen zou ik je een of andere middenfunctie op de universiteit geven. Een wetenschappelijk medewerker misschien, of iets bij een bibliotheek.'

'Ik maak, met andere woorden, een beetje een stoffige indruk?'

'Och, stoffig... Maar niet geweldig goed betaald in elk geval. Niet modebewust ook, maar dat komt waarschijnlijk doordat je het geld er niet voor hebt. En toch... d'r klopt iets niet. Je zou ook een kleine zelfstandige kunnen zijn. Mislukt, natuurlijk.'

'Natuurlijk.'

'Maar dat groene hoedje van je brengt me een beetje in de war. Daardoor heb je ook iets van een buitenmens, een ingenieur of zoiets.'

Ons eten werd gebracht en ik was blij dat we een ogenblik pauze kregen. Ik had even wat indrukken te verwerken.

Hjalmar Nymark brak het dunne flatbrød tussen zijn vingers alsof het hosties waren, maar hij doopte de stukken in de lapskaus en deelde ze niet uit. Tussen de happen door zette hij zijn monoloog voort. 'Ik zie je ook wel op een kantoortje zitten, laten we zeggen bij een groothandel in ijzerwaren. Je kunt ternauwernood een secretaresse betalen en je hebt het, denk ik, ook niet erg druk, maar...'

Ik besloot dat ik genoeg had gehoord en zei ineens: 'Ik ben detective. Privédetective.'

Hij gaapte me een ogenblik met open mond aan. Toen slikte hij zijn mond leeg, greep de krant die opgerold naast hem lag, sloeg zacht tegen de tafelrand en zei: 'De duivel nog aan toe!'

'Dat zou je kunnen zeggen. Hij heeft zijn kantoor hiernaast, maar zelfs hij heeft geen zin om langs te komen.'

Hij maakte een uitnodigend gebaar met zijn armen. 'Nou, maar dan ben jij de expert hier aan tafel. Vertel op, wat doe ik?'

Ik wierp een snelle blik op hem: wit overhemd met brede stropdas, een beetje gevlekt, bruin kostuum, model uit het begin van de jaren zestig, gele nicotinevingers en afgekloven nagels. 'Gepensioneerd', zei ik.

'Ja goed, maar daarvoor?'

Ik wees met mijn vork naar hem. 'Naar je opmerkingsvermogen te oordelen heb je... bij de politie gezeten.'

'Correct.'

'Dus dan zijn we eigenlijk allebei experts.'

'Ja, in zekere zin zijn we zelfs collega's.'

'Behalve dat ik aan lagerwal ben geraakt en jij allang met pensioen bent.'

We aten een poosje zwijgend door. Toen zei ik: 'Hoe lang ben je al met pensioen?'

'Tien jaar. Ik ben in 1971 gestopt met werken.'

'En hoe breng je nu je tijd door?'

Er verscheen een glinstering in zijn ogen en hij keek me met een schalkse trek om zijn mond aan. 'Ik snuffel wat rond, bekijk wat oude zaken die nooit opgehelderd zijn.'

'Was je bij de recherche?'

'Hmm.' Hij knikte en we aten verder.

Meer vertelde hij die dag niet, maar daarna kwam het vaker voor dat we samen aten of een biertje dronken.

3

Ik leidde in die tijd een regelmatig leven. Vijf dagen per week was ik op kantoor. Ik deed een paar klussen voor een verzekeringsmaatschappij, wat genoeg geld opleverde om het hoofd boven water te houden, zolang het tenminste laagwater was. Drie, vier keer per week stapte ik even het café binnen, waar ik meestal met Hjalmar Nymark bleef zitten praten. De andere avonden van de week ging ik hardlopen: lange, regelmatige tochten, over grind en asfalt, in zon en regen en natte sneeuw. De glazen bier die ik in het café dronk, hadden gewoonlijk tot gevolg dat ik nog een paar borrels nam uit de fles aquavit die ik thuis had staan, maar de stevige looptochten brachten de boekhouding weer in balans: als ik al verloederde, dan in elk geval langzaam. Om de veertien dagen kwam Thomas een weekeinde op bezoek. Hij was nu tien jaar, keek me met intelligente, ernstige ogen aan en vertelde me over voetbalwedstrijden die ik niet had gezien, boeken die ik niet had gelezen. Mijn huwelijk met Beate werd allengs net zo'n vage herinnering als de plaats waar ik de zomers van mijn jeugd had doorgebracht. De grootste gebeurtenis van het halfjaar voor ik Hjalmar Nymark leerde kennen, was dat de tandarts die naast mijn kantoor praktijk hield, een nieuwe assistente kreeg. Na een paar weken glimlachte ze naar me als we elkaar in de gang tegenkwamen.

De zomer viel dit jaar begin mei. De plotselinge hitte legde de stad plat en de mensen verlangden met gloeiende
gezichten naar de kou terug. Hun wens ging in vervulling.
Omstreeks 17 mei – de nationale feestdag – was de zomer
voorbij en kwam het grauwe weer terug. Na een paar dagen
was het alsof de zon nooit had geschenen en dat ook nooit
meer zou doen.

Op een van deze dagen, toen de hemel als een grijze, natte wollen deken over de stad lag, belde er een man die zijn
naam niet wilde noemen. 'Neemt u alle soorten opdrachten
aan, Veum?' vroeg hij.

'Niet alle', antwoordde ik.

'Wat voor opdrachten doet u niet?'

Ik voelde me moe en zei: 'Vertel me liever wat u wilt dat ik
voor u doe.'

'Ik denk... ik heb het gevoel... mijn vrouw bedriegt me.'

Ik antwoordde niet. Aan de overkant van de binnenhaven
wemelde het van de toeristen op het oude zeilschip *Statsråd
Lemkuhl*. Het deed me denken aan een opgezette zwaan, vol
ongedierte.

'Ik moet... ik wil het graag zeker weten', ging de stem in
de telefoon verder.

'Wat?' vroeg ik verstrooid.

'Dat ze me bedriegt! Mijn vrouw.'

'Zulke opdrachten doe ik niet.'

Het bleef een ogenblik stil. Toen klonk het heftig: 'Waarom zei u dat verdomme niet meteen?' Hij bedacht zich en
vroeg iets rustiger: 'Is dat een principe... of meent u dat echt?'

Ik moest lachen. 'Laten we zeggen allebei, voor de zekerheid.'

'Dan bel ik dat andere bureau wel!' blafte hij.

'Doe dat. Die hebben daar vast geen last van.'

'Waarvan?'

'Principes.'

'Huh!' beëindigde hij het gesprek en gooide de hoorn op de haak. Ik bleef naar de mijne zitten kijken. Pas toen ik hem neerlegde, drong ineens tot me door dat ik dat dreigement nog niet eerder had gehoord.

Die dag sloot ik mijn kantoor al vroeg en ging ik direct naar het café. Hjalmar Nymark zat er al en toen ik binnenkwam, wenkte hij me naar zijn tafeltje. Hij was alleen.

De drie, vier weken dat we elkaar kenden, waren omgevlogen, en het voelde alsof we al vele jaren bevriend waren. We hadden elkaar veel te vertellen. Zonder direct vertrouwelijk te worden, konden we makkelijk met elkaar praten.

Ons gesprek ging vaak over criminele zaken, opgehelderde en niet-opgehelderde, en daarnaast hadden we de meeste onderwerpen aangeroerd waar twee mannen met een leeftijdsverschil van dertig jaar over kunnen spreken.

Soms kon hij bijzonder ernstig worden. Een keer vroeg hij: 'Wanneer ben jij eigenlijk geboren, Veum?'

'In 1942', antwoordde ik.

'Dan herinner je je dus niets van de oorlog?'

'Niet veel.'

Daarna keek hij een tijd lang somber voor zich uit, zonder iets te zeggen.

Een andere keer zei hij: 'Luister eens, Veum, de naam Pauw, zegt jou die wat?'

Ik schudde langzaam mijn hoofd.

Hij ging verder: 'Pauw Verven BV. De fabriek lag aan de Fjøsangervei. In 1953 heeft er een verschrikkelijke explosie plaatsgevonden. De hele fabriek is afgebrand en er vielen veel doden.'

'Een ongeluk?'

Hij knikte bedachtzaam. 'Dat zeiden ze. Ik was bij het onderzoek betrokken. Een ingewikkelde zaak.'

Wat later die avond zei hij plotseling: 'Sommige zaken houden je bijzonder bezig. Ze zetten zich vast in je geheugen en je raakt ze nooit kwijt. Ze laten je nooit meer los.' Hij sloeg met zijn krant tegen de tafelrand. 'Nooit!'

Ik begreep dat deze dingen bij elkaar hoorden. Alsof hij me een legpuzzel wilde laten zien, waarvan hij zelf niet eens alle stukjes had.

Meestal, als we samen zaten te praten, was er een glinstering in zijn ogen, een humoristische glimp die vertelde dat het natuurlijk tragische zaken waren waar we hier over spraken, maar verdomme, Veum, het was geschiedenis... geschiedenis! De keren dat de glinstering uit zijn ogen verdween en hij buitengewoon ernstig werd, begreep ik dat er iets anders was. Iets wat nog geen geschiedenis was geworden, wat nog steeds leefde – in ieder geval voor hem. Hij probeerde me iets duidelijk te maken, zonder de sprong definitief te wagen.

'Rattengif... zegt die naam je iets, Veum?'

Ik schudde mijn hoofd. 'Rattengif?'

'Zo noemden ze hem. Tijdens de oorlog.'

'Hoor eens... heeft dit iets met Pauw te maken?'

Toen keek hij me met donkere, ondoorgrondelijke ogen aan, zonder te antwoorden. Even later begon hij over iets anders te praten.

Die dag in mei maakte hij een rusteloze indruk. Hij dronk sneller dan anders en ik kon me niet veroorloven hem bij te houden. Hij praatte zenuwachtig over FC Brann, en hoewel er dit jaar wat dat betreft alle reden tot nervositeit was, was het toch merkwaardig.

'O, ik voel me oud, Veum!' barstte hij ineens uit.

'Ach, we hebben allemaal wel eens een dag dat we...'

'Het komt niet af. Ik heb niet veel tijd meer.'

'Je hebt nog ruimschoots de tijd. Je bent gezond en sterk en...'

'Maar de jaren verstrijken, Veum... en de wolf jaagt.'

'De wolf?'

'De tijd, Veum. De tijd sluipt door de straten en laat zijn tanden zien. Op een dag slaat hij toe, op een dag... op een dag springt hij me naar de strot. En dan is het voorbij. Van de agenda geschrapt.'

Ik zei voorzichtig: 'Maar misschien kun je er weer op worden gezet...'

Hij legde de krant neer en sloeg beide handpalmen zo hard op tafel, dat zijn bierglas ertussenin een sprongetje maakte. 'Daar geloof ik niet in', zei hij somber.

Ik keek om me heen. Door de stortregen buiten was het binnen donker en herfstachtig. De verlichting was nooit erg flatteus geweest en de gezichten om ons heen kierden als open wonden. Ogen die vlekkerig waren door gekwelde eenzaamheid, gefrustreerde overmoed – monden die naar glazen kwijlden, kraamden betekenisloze woorden uit, terwijl de tijd verstreek, onverbiddelijk en genadeloos. Het drong tot me door dat hij een treffend, poëtisch beeld had gegeven. Ik zag het voor me: een ruigharige wolf, met scherpe snijtanden, een eenzame jager, dodelijk en onoverwinnelijk. De Fenriswolf, eeuwig op jacht. Hij hoorde hier thuis, in de straten die buiten op ons wachtten. In de bossen en op de hoogvlaktes was de wolf uitgeroeid. Maar in de stad jaagt hij, door de geasfalteerde straten, over de glimmende straatstenen en langs de open rioolputten jaagt hij – de wolf, de tijd. Misschien was het raadzaam om binnen te blijven.

Ik keek naar Hjalmar Nymark. Zijn markante gezicht was gesloten, ontoegankelijk. Zijn donkere ogen waren ver, ver weg. Hij zat rechtop aan tafel, met zijn hoofd iets achterover en zijn blik op iets boven mijn hoofd gevestigd – oneindig ver weg. Zijn ene hand kromde zich om de opgerolde krant, de andere lag naast de voet van zijn bierglas, als een gevelde prooi.

'Vertel me liever,' zei ik, 'vertel me liever over Pauw...'

Hij had er meteen weer zijn aandacht bij. 'Waarom?' vroeg hij achterdochtig.

Ik trok mijn schouders op en hief mijn handen even. 'Het klonk... interessant.'

Hij keek me verbeten aan. Toen ontspande zijn gezicht zich, niet in een glimlach, maar alsof het plotseling openging. Hij zei: 'Sorry. Ik ben vandaag niet helemaal mezelf.' Hij keek om zich heen. 'Deze tent werkt me op de zenuwen. Laten we naar mijn huis gaan. Ik heb nog een fles staan en dan zal ik je vertellen...'

We dronken onze glazen leeg, stonden op en verlieten het café. Buiten dreef de regen als spinrag vanaf zee landinwaarts: lange, kleverige draden die aan je haar, huid en kleren plakten en waar je droevig en neerslachtig van werd. Boven op de berghelling bogen de bomen door, groen en vol, en in de tuinen in de buurt van de Fjellvei hadden de eerste bleke seringen zich als sluimerende, blauwwitte vleermuizen vastgeklauwd. Maar de zware, verzadigde geur van de bloemen bereikte ons niet, toen we in de regen op een verwaaid stukje trottoir langs een verlaten kade stonden. Ik kon het niet nalaten om me heen te speuren... naar de wolf. Ik zag hem nergens, maar als ik mijn hand over mijn gezicht haalde, kon ik voelen waar hij me had gekrabd.

Het was de eerste keer dat Hjalmar Nymark en ik het café samen verlieten.

4

Hjalmar Nymark woonde op de derde etage van een verveloos bakstenen huis aan de Skottegate. Zijn appartement bestond uit twee kamertjes, een keuken en een krappe wc in het trappenhuis. In de keuken was een smalle deur naar een brandtrap en door de grauwwitte vitrage keek je over de lager gelegen huizen op de Puddefjord, waar de veerboot naar Askøy onvermoeibaar en trouw door de regen stampte.

We haalden ieder een glas uit de keuken en gingen toen naar de kamer, waar Hjalmar Nymark uit een aftands, bruingelakt buffet een ongeopende fles Eau de Vie haalde. De ramen hier vingen geen zon en keken uit op het iets hoger gelegen klooster.

Hjalmar Nymark schonk onze glazen vol tot de rand, zonder te vragen of ik er iets doorheen wilde. 'Proost', zei hij.

'Proost', zei ik. De druivenbrandewijn brandde in mijn keel en stroomde langzaam door mijn lichaam, tot zich ergens in mijn buik een roodbruine warmteroos ontvouwde.

Hjalmar Nymark zat in een diepe, bruine fauteuil met lichte, houten armleuningen. Ik zat in een grijsgroene stoel die rondom opgelapt was. Tegen de wand naast de buffetkast stond een keukenstoel en op het tafeltje tussen ons in lag een versleten loper. Op het buffet stonden enkele familieportretten, oud en vergeeld, en er lag een stapeltje pocketboeken, kapotgelezen en met ezelsoren. Naast de zwarte tegelkachel zag ik een stapel kranten en een lege hout-mand. Een lichtgroene deur leidde naar de kamer ernaast. Naast de deur was een televisietoestel en op de vloer stond een zwarte draagbare radio.

'Je kijkt eens goed om je heen?' vroeg Hjalmar Nymark.

'Een oude gewoonte', zei ik met een grijns.

Hij knikte. 'Ik ken dat. Woningen vertellen vaak meer over hun bewoners dan die zouden willen. Een goede recher-cheur neemt de plaats van de misdaad altijd nauwgezet in zich op, niet alleen om eventuele aanwijzingen te vinden, maar ook om zich een beeld van... de betrokkene te vormen.'

Hij nam een slok en zei: 'Ik ben vrijgezel, zoals je ziet. Geen bloemen hier, of manden met breigaren, geen fruitschalen, geen foto's van kleinkinderen aan de wand. Dat daar zijn mijn ouders, al jaren dood. Dit is geen thuis, maar een plaats waar ik overnacht. Waar ik beschutting zoek als het regent. En waar ik wat drink. Proost, Veum.'

Ik hief mijn glas en nam een flinke slok.

Hij aarzelde even. 'Ben jij getrouwd geweest?'

Ik knikte zwijgend.

'Heb je kinderen?'

'Eentje. Een jongen.'

'Dat is misschien het grootste gemis.' Hij had geen lamp aangestoken en in de schemering was zijn gezicht donker-der, stak het bijna zuidelijk af tegen zijn grijswitte haar. Recht van voren gezien leek het vierkant door de markan-te, solide kaak en het brede voorhoofd. Zijn huid spande over zijn massieve gezichtsstructuur en hij boog zich met donkere ogen naar me toe.

Toen ging hij weer rechtop in zijn stoel zitten en zei met nuchtere stem: 'Af en toe, als ik in het Nordnespark wandel en even op een bank zit uit te rusten, komt er zo'n klein op-dondertje naar me toe. Eentje die met z'n moeder aan het wandelen is. Hij kan amper lopen en komt waggelend op zijn korte beentjes naar me toe, hij lacht en hij strekt z'n armpjes uit naar die oude man daar op de bank. Ik til hem op en zet hem op mijn knie en hij trekt aan m'n neus, lacht. Maar dan moet hij weer op de grond gezet, terug naar zijn moeder, omdat die oude man ineens wel heel dichtbij is. En de moeders lachen, zo'n trotse glimlach die alle ouders hebben als hun kinderen niet janken. En dan lopen ze door. Dan begrijp ik wat ik... hoe oud is je zoontje?'

'Tien.'

'Ben je gescheiden?'

Ik knikte weer.

'Soms vraag ik me af wat erger is. Om ooit gelukkig getrouwd te zijn geweest en daarna gescheiden, of om je hele leven alleen te zijn geweest, zonder werkelijk ooit iets met iemand gedeeld te hebben.'

'Dat is vast verschillend', zei ik. 'Als je plotseling weer alleen bent, kan dat zowel een schok als een bevrijding zijn. Maar na de eerste schrik, of als het vrijheidsgevoel is weggeëbd, dan blijft er alleen eenzaamheid over. Maar ik geloof dat ik daar ondertussen wel mee om kan gaan.'

'Maar het leven is hard, Veum. Als je zeventig bent en niet zoveel jaren meer voor de boeg hebt, dan is het wrang om je hele leven alleen te zijn geweest. Het is... negentien jaar geleden dat ik voor het laatst iets met een vrouw heb gehad.' Zijn blik werd afwezig. 'Op een koude hotelkamer... een vrouw van tegen de vijftig in een stijve jurk met zo'n ritselende onderrok die vanzelf op de grond bleef staan. Ik was voor een opdracht in Haugesund en ik ontmoette haar in het restaurant van het hotel, boven een glas bier. Later is ze mee naar boven gegaan, naar mijn kamer voor een drankje, en we...' Hij spreidde gelaten zijn armen. Laconiek voegde hij eraan toe: 'Ik had er wel meer kunnen hebben. Ik had, net

als anderen wel doen, een vrouw kunnen kopen. Maar...'
Zijn mond verstarde tot een harde glimlach. 'Zo moest het
niet zijn. Het moest iets zijn wat je deed omdat je warmte
voelde voor een ander mens, iets om met een ander te delen,
anders had het geen waarde, en nu... nu is het te laat. 1962,
dat is negentien jaar geleden, Veum. In die tijd zijn kleine
jongetjes groot geworden en hebben ze hun eerste avon-
tuurtjes met vrouwen gehad.'

Ik dacht terug. In 1962 was ik twintig en had ik mijn eerste liefdeservaringen allang gehad. Ik had net mijn ene carrière afgesloten en was aan een andere begonnen. Zo rijgt
het leven zijn draden door ons heen en borduurt zijn patroon, onzichtbaar, maar onverbiddelijk.

'Hoe lang geleden heb jij...' Hij maakte zijn vraag niet af.

Ik nipte aan mijn glas en glimlachte weemoedig boven
het roodbruine vocht. 'Een halfjaar geleden, in Stavanger.'

Hij knikte in zijn glas en toen hij vervolgens naar me op
blikte, was er weer iets van de oude, humoristische glinstering in zijn ogen. 'Dan hebben we allebei onze laatste liefdes-
ervaring in Rogaland gehad.' Even later klonk het, als een
overpeinzing: 'Ja, Bergen is een kille stad.'

'Niet killer dan de meeste andere steden,' zei ik, 'maar je
voelt je vaak extra eenzaam in je eigen woonplaats, omdat
het eigenlijk niet zo zou moeten zijn. In andere steden is
het, als het ware, vanzelfsprekend om alleen te zijn. Terwijl
het tegelijkertijd nieuwe jachtvelden opent, een plotselinge vrijheid die je in je eigen stad niet hebt.'

Hjalmar Nymark stond op, liep naar de wand en stak een
schemerlamp aan, die de kamer met een geelachtig, wazig
schijnsel vulde. Buiten spoelde de schemering in krachtige
stromen tegen de ruiten. Binnen zaten twee mannen, een
van zeventig en een van bijna veertig, met twee glazen en een
fles op de tafel tussen hen in, te praten over eenzaamheid.

We dronken een tijdje in stilte.

Ik zei: 'Je zou me toch over Pauw vertellen?'

Hij keek me met een ander soort afwezigheid in zijn blik aan. 'Herinner je je die reclame niet? Een pauw met uitgespreide staartveren. Op affiches in alle mogelijke kleuren. Er was een hele grote op de noordelijke muur geschilderd, die je tegemoet straalde als je over de Fjøsangervei reed.'

Ik schudde mijn hoofd. 'Ik zal wel te klein zijn geweest. Het enige wat ik me nog herinner, is zo'n van gezondheid blakende kerel met een gestreepte trui en een tandpasta-lach, die ons bij wijze van spreken wilde aanbevelen onze tanden te poetsen met witte lak.'

Hij stond op en liep naar de kamer achter de lichtgroene deur. Toen hij terugkwam, had hij een langwerpige, bruine, dichtgebonden kartonnen doos bij zich. Hij zette hem met een dreun op de vloer. 'Hier... alles wat ik over Pauw heb verzameld', zei hij. Hij ging weer zitten, schonk zich een nieuwe borrel in en vulde mijn glas meteen ook bij.

'Dat ziet er gewichtig uit', zei ik. 'Wat is het?'

Hij vouwde zijn zakmes open en sneed het touw dat om de doos zat door. Hij deed er een greep in en haalde een stapeltje papieren tevoorschijn, dat hij me aanreikte. 'Het zijn grotendeels krantenartikelen. En verder heb ik kopieën van alle verhoren en technische onderzoeken die naar aanleiding van de brand zijn uitgevoerd.'

Bovenop de stapel lag een vergeeld krantenknipsel. Aan de opmaak was te zien dat het een artikel uit het begin van de jaren vijftig was. De lay-outafdelingen van de kranten werden toentertijd nog niet beheerst door de losse verkoop en hoewel dit ongetwijfeld een voorpagina-artikel was geweest, bestond het uit rijkelijk veel tekst. De kop luidde: 15 DODEN BIJ EXPLOSIEVE BRAND. In een kleiner lettertype stond er: *Pauw Verven aan de Fjøsangervei gisteren tot de grond toe afgebrand.* Uit de tekst bleek dat de mensen in de omgeving rond 14.25 uur een krachtige knal hadden gehoord. Direct daarna had men ontdekt dat het fabrieksgebouw in brand stond en toen de brandweer om 14.35 uur arriveerde, stond het hele gebouw in lichterlaaie. De productiehal was het ergst getroffen en de vijftien mensen die bij het ongeval waren omgekomen, hadden allen daar gewerkt. De administratieve vleugel had de minste schade. Er was een uitgebreide reddingsoperatie uitgevoerd om eventuele overlevenden in veiligheid te brengen en een aangrijpende foto toonde brandweermannen die tussen guirlandes van gutsend water bezig waren om gewonden uit het brandende gebouw te halen.

Een verwijzing naar een artikel op pagina acht bracht me bij het volgende knipsel. Voor het zwartgeblakerde gebouw stonden twee vrouwen afgebeeld, een jonge met donker, opgestoken haar en een oudere met een bril met een hoornen montuur, een mond als een uilensnavel en een kapsel als een madelief. Het onderschrift luidde: 'Kantoorjuffrouw Elise Blom en secretaresse Alvhilde Pedersen, die het ongeluk beiden overleefden, ongedeerd voor het afgebrande fabrieksgebouw aan de Fjøsangervei.' De foto werd begeleid door interviews, onder andere met de twee op de foto, waarin iedereen het erover eens was dat de explosie volkomen onverwacht en, volgens juffrouw Pedersen, 'als een schok' was gekomen. De fabriekseigenaar, directeur Hagbart Hellebust, was in Oslo toen de explosie plaatsvond en via de telefoon had hij niet anders kunnen zeggen dan dat hij diep gechoqueerd was door het ongeluk en dat hij het grootst mogelijke medeleven had met de nabestaanden van de omgekomenen. Uit het artikel bleek ook dat verscheidene werknemers, voordat de brandweer arriveerde, je reinste heldendaden hadden verricht en dat zonder hun inzet het aantal doden waarschijnlijk nog hoger zou zijn geweest. De brandweercommandant verklaarde dat er op dit moment onmogelijk iets over de oorzaak van de explosie gezegd kon worden.

Ik bladerde verder door de stapel. De meeste andere kranten hadden allemaal min of meer hetzelfde verhaal. De kopieën van de technische onderzoeken waren zo uitvoerig en doordrenkt met vakjargon dat ik onmogelijk een goede indruk van de inhoud kon krijgen door ze slechts vluchtig te bekijken.

Ik keek op naar Hjalmar Nymark, die mij aanschouwde met de uitdrukking van iemand die een unieke verzameling oude foto's laat zien. Ik zei: 'Is de oorzaak van de brand achterhaald?'

Hij knikte. 'Er zat een scheur in een van de productietanks. Het gas dat eruit sijpelde, was uitermate explosief en één vonkje van de elektrische installatie was voldoende om een explosie te veroorzaken. Dat was, concludeerde men, wat er was gebeurd.'

'Juist. Maar?'

Hij keek me aan, alsof hij zich afvroeg in hoeverre hij me kon vertrouwen.

Ik ging verder: 'Want ik neem aan dat er een *maar* is, anders zou je dit materiaal niet allemaal hebben verzameld.'

Hij knikte. 'Het is gek, Veum. Ik ben in 1945 bij de recherche begonnen en sinds die tijd heb ik ik weet niet hoeveel misdrijven onderzocht. Variërend van alledaagse inbraken tot moord, verkrachting en kindermishandeling.' Zijn gezicht was nu verbitterd. 'De ellende die ik heb gezien! Het leven van een politieman... dat is een leven aan de schaduwzijde. Als je meer dan de helft van de dag, overwerk meegerekend, bezig bent met het graven in andermans ellende, dan raak je na verloop van tijd aardig afgestompt. Vrouwen die dertig jaar lang iedere dag bont en blauw worden geslagen, baby's van drie, vier maanden die tegen de muur worden gesmeten, weerzinwekkende vrouwspersonen die hun zachtmoedige echtgenoten jarenlang bedriegen, tot die zachtmoedigheid op een dag plotseling op is en ze met een mes in hun lijf op de grond liggen. Of beschonken zwervers die een flesje bier van een bierauto stelen en corpulente hoeren die een goedgelovige, onbestorven weduwnaar zijn weekloon ontfutselen. Het hele scala, Veum. Verkrachte meisjes van zestien die de hele nacht zitten huilen en misschien nooit meer met genoegen naar een man zullen kijken, een veertienjarige autodief die ergens in Fana een auto tegen een telefoonpaal zet en in het wrak zit vastgeklemd, en zijn onderlichaam nooit meer zal kunnen bewegen. Alles. Maar van alle zaken waar ik aan heb gewerkt, zijn er maar weinig die zo'n indruk op me hebben gemaakt als de brand bij Pauw.'

'Maar waarom?'

'Omdat... omdat ik weet dat we het nooit tot op de bodem hebben kunnen uitzoeken. En niets is een grotere ergernis voor een politieman dan het idee dat een zaak niet is opgehelderd.'

'Maar...'

'En omdat,' onderbrak hij me, 'omdat het er hier zo dik bovenop lag waar het om draaide. Die arme zuipschuit met zijn flesje bier kreeg een half jaar in Jæren. Hagbart Hellebust ging vrijuit.'

'De fabriekseigenaar?'

'Inderdaad.'

'Maar die was toch in Oslo toen de zaak explodeerde?'

'Jawel, maar als er iemand verantwoordelijk was, dan was hij het!'

'Hoe weet je dat?'

Hij keek me moe aan. 'Als ik dat wist, dan had ik die kartonnen doos niet in huis en dan was Hagbart Hellebust niet waar hij nu is. Dat was nog het ergste. Er waren geen bewijzen.'

'Waar is Hagbart Hellebust nu dan?'

'De naam zegt je niets?'

Ik dacht diep na. 'Er rinkelt ergens een belletje, ver weg... maar ik kan het niet thuisbrengen.'

'Hagbart Helle dan... klinkt dat bekender?'

Ik knikte. 'Natuurlijk.'

Hjalmar Nymark schonk nog eens in en bleef met de fles in zijn hand zitten. 'Wat weet je over hem?'

Ik aarzelde even. 'Niet zoveel. Dat hij ergens begin jaren vijftig het land heeft verlaten, dat hij zich in de Caraïbische Oceaan of in die contreien heeft gevestigd en dat hij een voortdurend aangroeiende scheepsvloot bezit, die onder goedkope vlag vaart. Een van de reders die het niet nodig achtten ook maar een schijn van vaderlandse gezindheid te bewaren, en de belasting en de welvaartsstaat lieten voor wat ze waren. Maar ik kan me hem niet voor de geest halen. Als persoon bedoel ik. Hij is een beetje... vaag.'

'Vaag is het juiste woord!' Hjalmar Nymark zwaaide opgewonden met de fles. De inhoud klotste en ik was bang dat hij hem tegen de tafelrand zou slaan, zoals hij altijd met de krant deed. 'Sinds 1954 zijn er geen foto's meer van hem genomen en als hij in Noorwegen is, schuwt hij alles wat openbaarheid heet als de pest.'

'Duidelijk een man die een rustig privéleven weet te waarderen. Is hij getrouwd?'

'O ja. Hij is drieënzeventig en getrouwd met een vrouwtje van nog geen veertig. Een Britse, geloof ik. Hij heeft haar ontmoet op Barbados. Daar woont hij.'

Ik hief mijn glas. 'Dat zou ook wat voor ons zijn, kerel.'

'Om de dooie dood niet!' Hij boog zich over de tafel. 'Ik kan niet tegen de zon. Ik ben nog geen moment uit West-Noorwegen weg geweest, behalve als het echt niet te vermijden was.' Hij keek uit het raam. 'Een lange, regenachtige West-Noorse zomer, dat is het ware geluk.'

'Je moet een gelukkig mens zijn, Nymark, lang niet iedereen wordt zo op zijn wenken bediend.' Ik kreeg een prikkelend gevoel in mijn slapen. Ik begon aangeschoten te raken.

'Ja, Hagbart Helle heeft zijn geluk te danken aan de brand bij Pauw, Veum', ging hij ineens verder.

Ik leunde met mijn glas in de hand achterover in mijn stoel. 'Laat maar horen. *The Story of Hagbart from Norway!*'

'Zo zou je het kunnen noemen, want het is een echt ouderwets succesverhaal.' Hij sliste een beetje. De brandewijn miste ook op hem zijn uitwerking niet. 'Hagbart Hellebust is in 1908 in Bergen geboren. Zijn vader was afkomstig van ergens langs de kust, Bulandet geloof ik, en werkte hier als schilder. Zijn zoon begon in hetzelfde vak, maar ging zogezegd een stapje verder op de kleurenkaart. Hij maakte de overstap naar de verf. Zoals zoveel succesvolle bedrijven was Pauw in het begin zo ongeveer een eenmansbedrijfje, en één ding moet van Hagbart Helle gezegd worden: hij beheerste de kunst om klein te beginnen. Tot tweemaal toe. Pauw werd al snel een bekend merk en het bedrijf groeide. Wat begon in een houten schuurtje aan de Sjøgate, groeide uit tot een groot fabrieksgebouw aan de Fjøsangervei en Hagbart zelf kon zijn bovenwoning aan de Ladegårdsgate verruilen tegen een villa in Hop. Het zat in de familie. Een paar jaar was zijn jongere broer erbij, Yngvar, maar die begon voor zichzelf in de textielbranche en had al snel zelf een bloeiende zaak. Die broer woont trouwens nog steeds in Bergen.'

'Bestaan er foto's van hem?'

'Ik dacht het wel. De enige keer dat Hagbart Helle naar Bergen komt – hij komt één keer per jaar en dan blijft hij hier maar één dag – is op 1 september, als de familie bijeenkomt om de verjaardag van de broer te vieren.'

'En verder verblijft hij in de zon?'

'Inderdaad. De brand aan de Fjøsangervei had natuurlijk een catastrofe voor hem kunnen zijn, maar hij wist er zijn voordeel mee te doen en kreeg de verzekerde som volledig uitbetaald. Het bedrag is nooit openbaar gemaakt, maar neem maar van mij aan dat het een flinke som geld was, gerekend naar de waarde van de kroon in 1953.'

'Je bedoelt dat het vandaag amper de elektriciteitsrekening zou dekken?'

'Nou, Hagbart kocht een aandeel in een schip, een behoorlijk groot aandeel.'

'Hier in Noorwegen?'

'Jazeker. Hier in Noorwegen en geheel volgens alle regeltjes. Hij wedde gewoon op een ander paard. Veranderde in de loop van een dag of twee van fabriekseigenaar in scheepsreder. En ongeveer een jaar later dook hij plotseling op in de Caraïben. Toen had hij zijn aandeel in de rederij hier verkocht – die is een paar jaar later trouwens failliet gegaan – en vestigde hij zich op Barbados, met één spierwit bootje op zak. Bulk. Daar was geld mee te verdienen, toen al en nu nog steeds. En de wereldzeeën zagen voor het eerst het later zo bekende logo van de rederij op de schoorsteen: twee witte H's tegen een blauwe achtergrond. Die dubbele H is hem sindsdien trouw gevolgd. Hij verstond de kunst op het juiste ogenblik toe te slaan, anderhalf jaar voor de Suez-crisis. Daar heeft hij zijn eerste slag geslagen. Net als bij veel andere reders volgt zijn inkomenscurve de crises in het Midden-Oosten: de topjaren zijn 1956, 1968 en 1973.'

'En wanneer heeft hij dat "bust" eraf gehaald?'

'Van zijn naam, bedoel je? Toen hij zich in het buitenland vestigde. Voor buitenlanders was Helle makkelijker uit te spreken dan Hellebust.'

Hij zweeg. We zaten een poosje in stilte. Nipten van onze drankjes, hoorden de regen tegen de ruiten slaan. Ergens in het gebouw zette iemand het geluid van een televisie zachter. Beneden in de straat reden met regelmatige tussenpozen auto's langs, maar het was een stille straat en de tussenpozen waren groot.

Toen Hjalmar Nymark de stilte verbrak, waren zijn ogen weer donker en verbitterd. 'Ik zei dat geen enkele zaak zoveel indruk op me had gemaakt als de brand bij Pauw. Ik zal je vertellen waarom. Ik heb in mijn tijd heel wat lijken gezien. Mensen die dagenlang in hun auto in het water hebben gelegen, verkoolde lijken in afgebrande huizen, oude mensen die in hun bed hebben liggen rotten tot de stank eindelijk de buren bereikt. Maar wat ik bij Pauw heb gezien... Vijftien verkoolde mensen, Veum. In nachtmerries beleef ik nog steeds wat ik toen heb gezien. En ik was heus geen groentje meer. Ik was tweeënveertig en had al van alles meegemaakt, tijdens de oorlog bijvoorbeeld. Maar dat...'

Hij keek de kamer rond, alsof hij een veel grotere ruimte overzag, met een duister perspectief. 'De grote fabriekshal was volledig uitgebrand. Degenen die het dichtst bij de vermoedelijke plaats van de explosie hadden gestaan, waren in stukken gereten en hun verkoolde resten kleefden her en der aan de vloer en de wanden en aan wat er van het dak over was. Van degenen die nog heel waren, hadden er een aantal geprobeerd de uitgang te bereiken. Een van hen had zelfs in het trappenhuis weten te komen. Maar het trappenhuis brandde ook en hij is nooit buiten gekomen. Van de achttien mensen die er werkten, zijn er maar drie uit gekomen.

Een van hen was voor de rest van zijn leven blind en allemaal hadden ze ernstige brandwonden.'

'Maar ze hebben het overleefd?'

'Ze hebben het overleefd, maar dat was niet iets om jaloers op te zijn. Er zijn er nu twee overleden en het armzalige overblijfsel van de derde hangt meestal ergens bij de haven rond. Hij hoort bij de vaste clientèle en hij ziet er gewoonweg afschuwelijk uit, Veum.'

'Hoe heet hij?'

'Olai Osvold. Maar hij wordt gewoonlijk Brandmerk genoemd.'

Ik grijnsde. Ze wisten hun namen wel te kiezen.

'Hebben jullie iets kunnen ontdekken, op de plaats van de brand?'

'Zoals ik daarstraks al zei, was de oorzaak van de brand een explosie in een van de productietanks. Er werd iets gevonden dat een scheurtje in de constructie geweest had kunnen zijn en het gas dat daar eventueel uit gelekt zou zijn, was in hoge mate explosief. Het resultaat van het hele onderzoek werd naar de verzekeringsmaatschappij gestuurd en die heeft niet geprotesteerd. En zoals je zeker weet, betalen die lui geen cent uit als ze kans zien eronderuit te komen. Het ging immers niet alleen om de verzekerde som van de fabriek, maar er speelden ook een aantal levensverzekeringen mee.'

Ik knikte. Ik wist het. Zijn honorarium werd soms betaald door verzekeringsmaatschappijen en dat was nooit makkelijk verdiend geld.

Hij ging verder: 'Het openbaar ministerie heeft het rapport ook beoordeeld. Om te bepalen of er een aanklacht ingediend kon worden wegens verzuim, overtreding van de veiligheidsvoorschriften of iets dergelijks. Maar die stap bleek niet mogelijk op grond van het materiaal dat wij hadden verzameld. De man die er verantwoordelijk voor was dat de voorschriften werden opgevolgd, dat alle machines werden nagekeken en dat eventuele lekkages direct werden gerapporteerd, was de voorman. Ene Holger Karlsen, die zelf ook was omgekomen.'

'Dus...'

'Dus niks. De zaak werd geseponeerd en alle latere pogingen hem weer te heropenen werden afgewezen.'

'Dus er is wel geprobeerd om hem weer op te pakken? Door wie dan?'

'Door mij. Luister... de weduwe van Holger Karlsen kwam bij ons. Ze was nog steeds van slag door wat haar was overkomen: ze bleef alleen achter met een dochtertje van vier. Ze was in de war en praatte onsamenhangend, maar ze beweerde dat haar man gezegd had, toen hij die ochtend naar zijn werk ging, dat hij zeker wist dat er een lek was en dat hij het nogmaals met de leiding zou opnemen.'

'Nogmaals?'

'Inderdaad. Ze had begrepen dat hij het de dag ervoor ook had gemeld, maar dat er verder niet meer over was gesproken, meer wist ze niet. Hagbart Hellebust ontkende categorisch dat Karlsen bij hem was geweest en zijn getuigenis werd gesteund door de mensen van de administratie. Niemand had iets gehoord.'

'Maar zo'n lek, was dat niet makkelijk aan te tonen?'

Hij schudde langzaam zijn hoofd. 'Niet zomaar. Een scheurtje in de constructie kan in het begin zo klein zijn dat er nog geeneens sprake is van lekkage. Maar zo'n scheur kan zich verwijden, en als je geluk heb, ruik je dan een gaslucht. Er bestaan wel instrumenten waar je zoiets mee kunt meten, maar de instrumenten die men destijds gebruikte, waren bij lange na niet zo fijngevoelig als die die we nu hebben en ze vergden een hogere concentratie gas in de lucht voor ze uitsloegen. Zo'n hoge concentratie gas dat er al explosiegevaar zou zijn. Holger Karlsen zat tien, vijftien jaar in het vak en hij moet ervaring genoeg gehad hebben om te weten waar hij het over had. Maar...' Hij maakte een hulpeloos gebaar met zijn armen. 'Wat Holger Karlsen dacht of deed, zullen we nooit weten, want Holger Karlsen hoefde niet eens meer gecremeerd te worden.'

'Maar als zijn vrouw kon vertellen dat...'

'Zijn vrouw! Er was toch zeker niemand die zich erom bekommerde wat een verwarde, gechoqueerde weduwe uitkraamde. Die was er toch alleen maar op uit om de goede naam van haar man te redden. Als zou blijken dat de brand was veroorzaakt door verzuim van zijn kant, zou de levensverzekering weigeren te betalen. Zei men!'

'Dat kon toch niet?'

'*Zei men*, zei ik! Ik heb later, toen ze er weer bovenop was, vaak met haar gesproken en ik heb, zoals ik al zei, geprobeerd de zaak weer op te pakken, maar tevergeefs. Er was namelijk nog iets...'

'Ja?'

'Voor de goede orde moesten alle vijftien lijken worden geïdentificeerd. Eerst moesten de resten van degenen die uit elkaar waren gereten worden verzameld, voor zover dat mogelijk was. Toen zijn eerst de gebitten onderzocht. Daarna, waar nodig, andere kentekenen: resten van ringen, horloges, gespen, zulke dingen. Ik zei je dat we één persoon helemaal in het trappenhuis hebben aangetroffen. Dat was Holger Karlsen.'

'Aha.'

'En toen er obductie op hem werd gepleegd, ontdekten ze dat zijn longen bijna geen rookresten bevatten en dat hij sporen vertoonde van een harde klap op zijn achterhoofd.'

'*Aha*', herhaalde ik met meer nadruk. 'En hoe werd dat verklaard?'

'Dat werd zo verklaard', zei hij zuur, 'dat hij, toen hij op weg was naar buiten, een deel van het instortende dak op zijn hoofd had gekregen, waardoor hij ter plekke werd gedood. Je moet je voorstellen dat het een explosieve brand was, die zich binnen enkele minuten in alle hevigheid ontwikkelde, misschien nog wel sneller... en het *had* heel goed zo kunnen gebeuren. Het enige wat ik opvallend vond, was dat het juist Holger Karlsen was die dit moest overkomen.'

'Inderdaad. Maar zo dacht de rest er niet over?'

Hij schudde zijn hoofd.

'Leidde jij het onderzoek?'

'Nee. Een oudere collega. Die ook niet meer leeft. Het lastige van een zaak als deze is dat veel van de mensen die erbij betrokken waren, nu dood zijn of zo oud dat ze het meeste vergeten zijn. En wij deden alleen het voorwerk. Er werd een openbare onderzoekscommissie benoemd die het ongeluk moest beoordelen.'

'Waarom?'

'Omdat er vijftien man waren omgekomen en er dat najaar parlementsverkiezingen werden gehouden.'

Ik zette mijn glas neer. Het was leeg. Buiten was het helemaal donker geworden. 'Is er nog meer?'

Hij keek me somber aan. 'Dit is het meest zekere wat ik heb. De uitspraken van de weduwe en het lichaam van Holger Karlsen. Het andere... dat is zo onzeker dat het... dat is namelijk in de eerste plaats gebaseerd op een vermoeden dat nooit is bevestigd. En wat je op een vermoeden baseert, is ook alleen maar een vermoeden, nietwaar?'

'Is er... wil je dat ik iets voor je doe?'

Hij schudde vastberaden zijn hoofd. 'Nee, nee. Vergeef een oude man, die in zaken roert die anderen allang zijn vergeten. Ik vertel slechts een *verhaal*, Veum, een verhaaltje voor het slapengaan.'

'Nou, vertel me dat vermoeden dan ook maar.'

Hij keek op zijn horloge. Hij moest het uurwerk vlak voor zijn ogen houden om de wijzers te kunnen zien. Het viel me op dat hij er erg moe uitzag. Zelf voelde ik me ook niet meer zo fit. De aangename roes was verdwenen, de brandewijn lag nu als een zuur blok op mijn maag. Hij zei: 'Dan moet ik je over Rattengif vertellen, en over de oorlog. En dat is ook een lang verhaal. Ik geloof niet dat ik dat nog red. Niet vanavond.' Hij keek van de kartonnen doos naar de deur van de slaapkamer. De fles was leeg en zijn glas bevatte nog maar een bodempje. 'Laten we elkaar liever morgen weer spreken... in het café, dan zal ik het je vertellen.'

Ik stond op. Het was een zware last die ik omhoog moest krijgen en de vloer leek net een moeras onder me. 'Dezelfde tijd?'

'Iets later', mompelde hij. 'Om een uur of zes?'

Ik knikte.

Hij liep om de tafel heen en reikte me zijn hand, gaf me een stevige handdruk. 'Bedankt dat je naar me wilde luisteren. Denk er maar niet meer aan. Het is maar... flauwekul. Ik ben maar een... oude... man.' De woorden kwamen trager en trager en hij liep moeizaam toen hij me naar de deur bracht.

Ik daalde door een donkere schacht in het huis af, stapte door een krakende deur naar buiten, waar de regen in mijn gezicht sloeg: natte, zwarte regen. Van de overkant van de straat werd ik door een donkere winkelruit aangestaard, een leeg oog in een bejaard gezicht. Ik zette de kraag van mijn jas hoog op, boog mijn hoofd tegen de regen en begon te lopen.

5

De volgende dag smaakte mijn koffie zo bitter als een oude zuidwester. Voor de ramen van mijn kantoor kwam de zon zo nu en dan even tevoorschijn, tussen de krachtige regenbuien door. In mijn hoofd was het constant grijs weer.

Hjalmar Nymark kwam zoals afgesproken rond zessen naar het café. Hij kwam snel binnen en keek achterom, alsof iemand hem op de hielen zat. Hij bleef vlak bij de deur staan en liet zijn blik onderzoekend over de aanwezige gezichten gaan, voordat hij naar me toe kwam. Hij groette nors en hij had plotseling iets verslagens en onrustigs over zich, dat er eerder niet was geweest. Hij blikte de hele tijd steels om zich heen en hij nam iedereen die binnenkwam met scherpe ogen op. De opgerolde krant draaide nerveus in zijn hand en hij had maar vijf minuten nodig om zijn eerste halve liter bier te legen.

Toen hij er nog een bestelde, vroeg ik voorzichtig: 'Is er iets?'

Hij keek me schuins aan en beet op zijn onderlip. 'Hebben we gisteren een hele fles brandewijn leeggedronken?'

Ik knikte. 'Ik geloof het wel, ja.'

'Ik voel het in mijn lichaam. Ik word niet ziek, zoals anderen. Geen kater, maar meer... nerveus. Bang. Ik heb het gevoel dat ik achtervolgd word.'

'Achtervolgd?'

'Ja', klonk het stroef. Hij keek in zijn bierglas. Toen hij zijn gezicht weer ophief, keek hij bedachtzaam over mijn linkerschouder. 'Het is misschien beter... het zou misschien beter zijn om geen slapende honden wakker te maken.'

'Wat bedoel je?'

Hij keek me duister aan. 'Het is niet zeker of het loont om achtentwintig jaar oude lijken op te graven. Of nog oudere. Op mijn leeftijd word je sneller moe. Ik heb te veel gezien. Veel te veel ellende en veel te weinig geluk. Er zijn vast grenzen aan wat een enkel mens kan absorberen, denk je ook niet?'

Ik liet mijn vinger langs de beslagen buitenkant van mijn glas glijden. Er bleef een glad spoor achter van de rand tot de bodem. Ik zei: 'Je zei gisteren, dat je me over... Rattengif wilde vertellen.'

Hij keek weer om zich heen. Niet ver van ons af hoorden we flarden van een gesprek. Een luidruchtige kerel met een baard van twee dagen vertelde een magere man iets wat hij op de veerpont tussen Kinsarvik en Kvanndal had meegemaakt: '...en toen zei die Hollander, en je weet hoe Hollanders zijn, ze zeggen een f in plaats van een w als er een v staat... dus hij zei, terwijl hij iets op de kaart aanwees, zei hij: Wij komen zojuist van de beroemde Hardangerfidda. Maar de kaartverkoper keek hem heel rustig aan en vroeg toen: O ja? Die in Kinsarvik of die in Odda? En toen moest hij hem uitleggen dat fidda iets héél anders betekent dan *vidda*!' De man die het verhaal vertelde, schaterde het uit en sloeg met zijn vuist op tafel zodat de glazen omhoogsprongen. Zijn kameraad zag eruit of het huilen hem nader stond dan het lachen.

Hjalmar Nymark richtte zijn blik weer op mij. 'Interesseert het je echt?'

'Absoluut', antwoordde ik.

'Oké dan.' Hij ging wat meer rechtop zitten, alsof hij achter een spreekgestoelte plaatsnam. Maar de vergadering waar hij voor sprak, was niet groot, want hij praatte met gedempte stem, zo zacht dat er nauwelijks een woord bij het buurtafeltje terechtkwam. 'Hoe oud was jij toen de oorlog was afgelopen, Veum?'

'Twee, drie. Ik kan me er zo goed als niets van herinneren.'

'En wat deed je vader tijdens de oorlog?'

'Die? Die hoorde bij de grote meerderheid. Die helemaal niets deed. Hij verkocht kaartjes op de tram, net als voor die tijd. En erna. In zijn vrije tijd las hij over de Oudnoorse mythologie, maar hij was beslist niet fout in de oorlog. Van nature was hij tamelijk zeker sociaal-democraat. Maar hij is gestorven toen ik veertien was, dus...'

'Goed. Ik zal het niet lang hebben over... ik wil ook niet proberen mijn eigen inzet te verheerlijken. Maar ik was nogal actief tijdens de oorlog. Je weet, er wordt veel gesproken over wie het verzet eigenlijk startte, maar hier in West-Noorwegen waren het in elk geval de Arbeiderspartij en de communisten, met Peder Furubotn voorop. Ik kende Furubotn een beetje van vroeger, mijn vader was ook meubelmaker, en zo zat ik al vroeg in het verzet. Maar toen Furubotn een hoofdcentrale in Valdres oprichtte, bleef ik in Bergen achter en verloor ik grotendeels het contact met die groep. In de tussentijd hadden het Hjemmefront en verschillende andere groeperingen zich georganiseerd en nam ik aan een hele reeks dramatische incidenten deel. Op een keer, ergens in de bergen bij Evanger...' Hij onderbrak zichzelf. 'Verveel ik je?'

'Nee, nee, helemaal niet. Ga door.'

'Nou. De leider van de groep waar ik bij hoorde, van 1942 tot 1945, was Konrad Fanebust, die later burgemeester van Bergen werd. Hij is een van de grootste oorlogshelden hier

in het district en het werk dat hij heeft gedaan, is van on-
schatbare waarde. Maar die keer, daar bij Evanger, raakten
we in gevecht met een Duitse skipatrouille. Fanebust, ikzelf, iemand die Jakob Olsen heette en twee kerels uit Voss.
Jakob werd ter plekke gedood en Fanebust kreeg een schot
in zijn schouder. Daardoor raakte hij uit het skispoor, viel
en brak zijn been. Wij schoten terug, terwijl een van die kerels uit Voss Fanebusts been provisorisch spalkte en hem op
een skislede vastbond. Toen gingen we ervandoor. Het was
een hels stormweer, de sneeuw joeg om ons heen, hoewel
het al laat in het voorjaar was en het ijs op de rivier op het
punt van breken stond. Toch lukte het ons de andere oever
te bereiken en de bergen in te trekken. Boven bij Hamlagrø
hadden we een hut en daar konden Fanebusts been en schot-
wond goed worden verzorgd. Hij overleefde het op het nip-
pertje, maar hij was z'n gewicht in goud waard. De volgende vier maanden, toen hij naar Bergen terug was gebracht,
leidde hij de activiteiten vanuit z'n bed, maar de beenbreuk
was echt gecompliceerd en is nooit helemaal goed geheeld.
Ik was een soort veiligheidschef binnen de groep, deed inlichtingenwerk. Voor de oorlog had ik ervaring opgedaan
in m'n werk bij de politie. En tijdens dat inlichtingenwerk
kwam ik Rattengif op het spoor.'
    'Wie of wat was Rattengif?'
    Hij was ver, ver weg. De krant hing slap in zijn hand. Hij
dronk niet van zijn bier. 'Stel je Bergen eens voor, tijdens de
oorlog. Een verduisterde stad. Af en toe hoorde je een explosie, of een Duitse auto die door de straten raasde. Of het
geluid van stampende laarzen van hun patrouilles. Plotseling begon het luchtalarm te huilen en dan moest je als de
weerga zorgen in de dichtstbijzijnde schuilkelder te komen,
in wat je in de haast aan kleren had kunnen aantrekken.
Vrouwen en kinderen, bejaarden en zieken. De bommen be-

gonnen te vallen. Eerst hoorde je het typische fluiten. Dan werd het helemaal stil. Doodstil. En dan kwam de explosie. De aarde beefde onder je voeten, maar het kon ook zo ver weg zijn dat je alleen het geluid hoorde. Dat was net zo beangstigend. Als de luchtaanval over was en het sein kwam dat het veilig was, ging je weer naar huis. Beneden aan de kade was er dan vaak een geweldig lichtschijnsel: een boot die in vlammen stond, huizen op Nordnes die afbrandden, vertwijfelde mensen die hun bezittingen probeerden te redden, gehuil en gescheld, gevloek in het Duits en het Noors, geschreeuw van stervenden of gewonden...'

Zijn gezichtsuitdrukking was nu verbitterd; de nervositeit had plaatsgemaakt voor de verbittering die hij nog steeds voor deze veertig jaar oude herinneringen voelde. 'Maar meestal lagen de straten er donker bij, de huizen waren gesloten, achter neergelaten gordijnen. Daar zagen we elkaar, daar maakten we nieuwe plannen, drukten we illegale kranten en vlugschriften, zaten we voor provisorische radiotoestellen naar Londen te luisteren. En door die donkere straten komt stil een auto aanrollen, stopt bij een stoeprand, volgeladen met mannen met donkere jassen en bleke, smalle gezichten. Op een teken stroomt de wagen leeg. De mannen in de lange jassen lopen snel naar een huis, pistolen in hun hand, lopen stampend een trap op, nemen plaats voor een deur, een snel commando en de deur wordt opengetrapt, een schreeuw, een paar mensen die snel nog wat spullen proberen op te bergen, iemand die naar een schietwapen grijpt, er wordt geschoten, maar het is snel voorbij. Een Noor die dood of gewond op de vloer ligt, de anderen tegen de muur gezet en al snel op weg naar het bureau. Gestapo.'

Hij spuugde het woord bijna uit. 'Gestapo. Kun je een afschuwelijker woord bedenken? Sissend als... als het slangengebroed dat ze waren, Satans zwarte slijmdieren... Ze leken niet eens op gewone Duitsers, maar ze waren klein en verschrompeld, als kleine duiveltjes. Tegenwoordig hoef ik maar aan ze te denken en ik word nog overvallen door angst. We sliepen geen uur rustig, Veum, en het slechtst tegen de ochtend. Want dat was het tijdstip waarop ze kwamen, in de ochtendschemering. Het uur van de wolf, weet je wanneer dat is?'

Ik knikte.

'Het laatste uur voor de dageraad. Het uur waarin de meeste mensen sterven. Dan kwamen ze, alsof ze gezanten van de dood zelf waren. Gestapo.'

Hij hield even in, nam een slok bier, zette het glas hard neer. 'En het ergste was dat de vijand in ons midden was. De Gestapo had zijn helpers en het meest afschuwelijke van alles wat er die donkere jaren is gebeurd, was dat het Noren waren die andere Noren aangaven, Noren wezen met hun vinger naar andere Noren en zeiden dat *hij* en *zij* en *daar* en *ginds!* Zonder dat verraad was de Gestapo nooit zo effectief geworden als nu het geval was.'

Hij keek nors voor zich uit. 'In de donkere straten van Bergen leefde een bijzonder soort riooldieren, erger dan de meest schurftige ratten. Die het licht schuwden, die winst in de oorlog zagen, die er geld aan verdienden, of die profiteerden van de situatie. Moordenaars en lijkenpikkers en profiteurs. En een van de grootste zwijnen van allemaal was de man die in de volksmond bekendstond onder de naam Rattengif.'

'Wie was dat?'

'Rattengif was een schaduw, een geest. Hij was ongrijpbaar en het hoort bij de tragedie van na de oorlog dat nooit is opgehelderd wie Rattengif eigenlijk was.'

'Wil dat zeggen dat...'

'Als ik aan Rattengif denk, zie ik een denkbeeldige figuur

voor me, zoals vroeger de schurken werden afgebeeld op de omslag van *Detektivmagasinet*: een hoed over zijn ogen getrokken, de kraag van zijn jas omhoog en een sluwe blik in een gezicht met bijna demonische trekken.'

Hij slikte en ging verder: 'Niemand kan precies zeggen wanneer hij zijn activiteiten begon, maar de eerste keer dat ik iets vond wat een spoor van hem kon zijn, hield verband met een paar grote gevallen van verraad in het najaar van 1942. Maar het meeste succes had hij tussen 1943 en 1945.'

'Een spoor?'

'Het was net als gewoon inlichtingenwerk, behalve dat het illegaal moest gebeuren, waardoor het zowel minder effectief als moeilijker uitvoerbaar was. Het meeste werd duidelijk door gesprekken met getuigen of met mensen die in de buurt waren geweest. Want Rattengif nam geen genoegen met verlinken alleen. Hij bracht zelf ook mensen om het leven en hij was een uiterst gevaarlijke moordenaar. Een natuurtalent. Hij liet namelijk nooit sporen na. Maar sommige getuigenverklaringen... het had de hoogste prioriteit om Rattengif te grijpen, maar het lukte ons niet, toen niet en later ook niet. En we hebben nochtans absoluut alles op alles gezet om het voor elkaar te krijgen. Verraders opsporen was belangrijk... om ze eventueel te kunnen elimineren.'

'Elimineren?'

'Precies. Bedenk dat het oorlog was, Veum. Het was geen kinderspel waar we mee bezig waren, maar ik heb er alles aan gedaan om ervoor te zorgen dat we zekere bewijzen hadden voor we zo'n stap zouden nemen.'

'Maar wat voor sporen waren dat dan?'

'Het was al vrij snel duidelijk dat Rattengif een opvallend kenmerk had. Hij liep mank, waarschijnlijk met zijn linkerbeen. En hij zocht vaak z'n toevlucht in het gebied ten zuidoosten van Bergen, zo tussen Os en Ulven. Maar veel meer hadden we niet. Dat hinken was belangrijk. Dat was al in 1942 opgemerkt en bij bijna alle latere gevallen was er wel iemand die een mank persoon had gezien, als er überhaupt iets werd opgemerkt. Hij leek vaak onzichtbaar tijdens zijn operaties.'

'Hoe?'

'Door het op een ongeluk te laten lijken. Negen van de tien mensen die, naar we vermoedden, door Rattengif om het leven waren gebracht, stierven wat je een natuurlijke dood kunt noemen. Voor zover je overreden worden, van de trap vallen en je nek breken, verdrinken enzovoorts natuurlijk kunt noemen. Maar er deden zich zodanig veel van dit soort sterfgevallen voor, dat het opviel. In de loop van 1943 kwamen acht mensen, die allemaal een centrale positie in het verzet innamen, op deze manier om het leven en eentje werd rechtstreeks neergeschoten. In 1944 waren er twaalf van dit soort sterfgevallen, plus een die werd doodgeschoten. En een vrouw van in de vijftig, die koerier was, werd gewurgd. In 1945, vlak voor de bevrijding, beroofde hij er nog drie van het leven, twee regelrechte moorden en een zogenaamd ongeluk. We gingen ervan uit dat hij, alles bij elkaar, direct verantwoordelijk was voor de dood van zesentwintig verzetsmensen en indirect, door verraad, voor waarschijnlijk nog eens vijftig.'

'En wat is er na de oorlog gebeurd?'

'We hebben als gekken gewerkt om hem op te sporen. We hebben na de bevrijding meerdere collaborateursbendes opgerold en iedereen die we pakten werd intensief verhoord. Maar het bleek dat ze aan die kant ook niet wisten wie Rattengif was. Een Duitse officier bekende dat hij af en toe als contactpersoon had gefungeerd tussen een verklikker en de Gestapo. Die persoon liep een beetje mank, maar hij had een kous over zijn hoofd gehad. Hij nam aan dat het een man was geweest, ongeveer een meter zeventig lang en vrij stevig gebouwd. De man had een flinke som geld aangenomen en ze hadden elkaar ontmoet op het weggetje langs de oever van Svartediket. De hinkende man kwam uit de stad, terwijl de Duitser juist richting stad liep. Een andere keer had de ontmoeting plaatsgevonden op Sydneshaugen, in een steegje bij de Dragefjell. Een keer op Nordnes, een andere keer op de Sandbrekkevei helemaal in Fana. Altijd in het donker, altijd met een kous over zijn hoofd. We maakten eruit op dat zelfs de Gestapo zijn ware identiteit waarschijnlijk niet had gekend en slechts gebruik had gemaakt van zijn hulp. Die Duitse officier bracht namelijk iedere keer, na afloop, de betaling mee. Hij moet een soort freelancer zijn geweest, een eenzame wolf.'

'Maar...'

'Begrijp je, wat het allemaal zo onuitstaanbaar maakte, was in de eerste plaats dat niemand hem ooit had gezien, behalve dan misschien de lui die hij ombracht, en in de tweede plaats dat er geen stellige bewijzen waren dat die ongelukken echt moorden *waren*. Het *hadden* ongelukken kunnen zijn, als het op zichzelf staande gevallen waren en er geen patroon in te ontdekken was geweest.'

'Maar...'

'*Maar*,' zei hij nors, 'ik verdacht wel iemand. Een zeer sterke verdenking.'

'En dat was...'

Weer dwaalde zijn blik door het lokaal. De magere man met het treurige uiterlijk had het tafeltje naast ons verlaten. De luidruchtige man zat nu voorovergebogen zijn grappige verhalen tegen zijn bierglas te vertellen. Met regelmatige tussenpozen verspreidde zich een vochtige grijns over zijn gezicht, maar zijn lach was geluidloos, onhoorbaar.

Hjalmar Nymark zei: 'Er was een man die Harald Wolff

heette. Ja... Wolff, met dubbele f. Hij kwam ergens uit de buurt van Ulven, was daar in 1914 op een klein boerderijtje geboren en werkte voor de oorlog als elektricien. Hij werd in 1934 al lid van de Nasjonal Samling. Ik herinner me dat hij een van de nazi's was die in 1936 na het gevecht in de schouwburg op het politiebureau werden afgeleverd. Toen ze tegen het toneelstuk *Maar morgen...!* van Nordahl Grieg demonstreerden. Officieel is hij nooit meer dan een kleine nazi geweest. In 1946 werd hij wegens landverraad veroordeeld, hij kreeg een gevangenisstraf, maar werd drie jaar later al voorwaardelijk vrijgelaten. Bij enkele van de ongelukken die ik heb onderzocht, waren er een paar mensen die *dachten* dat ze Harald Wolff *misschien* in de buurt hadden gezien. Mensen die hem kenden van de schermutselingen van voor de oorlog. Maar niemand wist het honderd procent zeker. Hij viel namelijk wel op, want hij liep mank.'

'Aha!'

'Op zijn veertiende had hij een ongeluk gehad en sindsdien liep hij mank, met zijn linkerbeen. We verhoorden hem zo uitvoerig als in '45 maar mogelijk was. Konrad Fanebust, die jurist was, en ikzelf leidden de verhoren, maar het was alsof je water uit een zwerfkci probeerde te persen. Geen woord, geen enkele bekentenis... We hadden nóg een spoor: de moorden die met een pistool waren begaan. Van drie ervan vonden we de kogels. Ze waren allemaal gepleegd met eenzelfde pistool van hetzelfde kaliber, een Luger 505. Een Duits pistool dus. Toen we Wolff in 1945 arresteerden, woonde hij in een haveloos pension ergens op Nordnes, maar op zijn kamer vonden we niets. Zijn ouders waren dood en verder had hij geen familie. De boerderij in Ulven was door anderen overgenomen, maar werd door ons zo grondig doorzocht, dat we bijna steen voor steen en plank voor plank van elkaar haalden. Maar geen pistool. Tot op de dag van vandaag is het niet gevonden. Waarschijnlijk ligt het op de bodem van de haven, of ergens in een meertje. En Rattengif hebben we nooit te pakken gekregen.'

'En dat was het einde?'

'Ik heb gezworen het nooit op te geven. Overal waar over Rattengif werd gesproken, noteerde ik wat er werd gezegd. Hoewel de zaak allang was geseponeerd, zette ik het onderzoek, soms met een onderbreking van jaren, op eigen houtje voort. Tot in 1971.'

'1971? Wat gebeurde er toen?'

'In januari 1971 werd op het uiterste puntje van Nordnes het lijk van een man gevonden. Zijn gezicht was afschuwelijk verminkt, maar desondanks kon hij worden geïdentificeerd. Het was Harald Wolff.'

'Heb je hem zelf gezien?'

'Ik kon het niet met zekerheid zeggen. Dezelfde lichaamsbouw, alleen jaren ouder, hetzelfde mankement aan zijn been, maar zijn gezicht: het was walgelijk.'

'Wie heeft hem geïdentificeerd?'

'De vrouw met wie hij samenwoonde.'

'Is die zaak ooit opgehelderd?'

'De dader? Nee. Maar ik zal je zeggen... ik geloof ook niet, dat er veel is gedaan om het op te helderen. Ikzelf ben twee maanden later met pensioen gegaan, in maart, en toen was de zaak al terzijde gelegd. Dat betekent feitelijk dat er niets meer mee gebeurt, tenzij er iets opzienbarends opduikt. De meesten gingen ervan uit, dat het oude verzetsmensen waren die het recht in eigen hand hadden genomen, en ik geloof niet dat er veel mensen waren die dat onbillijk vonden. Er zijn veel mensen die vandaag de dag nog de gevolgen ondervinden van wat er destijds is gebeurd.'

'Dus Rattengif heeft uiteindelijk zijn straf gekregen. Als hij het inderdaad was.'

Hjalmar Nymark knikte. Zijn krachtige gezicht was rood-gevlekt en zijn ogen zochten nog steeds rusteloos door het lokaal, alsof hij het niet kon laten te zoeken naar de man die Rattengif werd genoemd, of zijn geestesverschijning.

'Maar hoor eens,' zei ik, 'wat heeft dit allemaal met de brand bij Pauw te maken?'

Hij keek me een tijdje aan voor hij antwoordde. Ten slotte boog hij zich naar me toe en zei: 'In 1953 werkte Harald Wolff als kantoorbediende bij Pauw.'

'Als kantoorbediende?'

'Voor mensen als hij was het niet makkelijk om werk te vinden toen ze vrijkwamen. Hij werd via het arbeidsbureau in dienst genomen.'

'Maar bedoel je dat hij... zou hij iets met de brand te maken hebben gehad?'

'Het was in elk geval opvallend, vind je niet? En de brand werd gedefinieerd als een ongeluk. Als het echt het werk van Harald Wolff was, en als Harald Wolff inderdaad Rattengif was, dan was het, als je dat woord kunt gebruiken, een meesterwerk. Vijftien verkoolde lijken.'

'Maar wat werd hij er beter van?'

Hjalmar Nymark haalde zijn schouders op. 'Misschien was het wraak... jegens de samenleving, jegens andere mensen, die aan de goede kant hadden gestaan. Of gewoon winstbejag.'

'Je bedoelt dat iemand hem ervoor zou hebben betaald?'

'Bijvoorbeeld.' Hij staarde me verbeten aan. 'Harald Wolff was destijds een van de helden. Een van de mensen die de vlammenzee weer in waren gegaan om slachtoffers te redden. Hij kwam er met wat lichte brandwonden vanaf en in het onderzoeksrapport werd hij geprezen. Hij leek niet veel op de gladde aal die Fanebust en ik in 1945 hadden verhoord.'

'Dus dat bedoelde je gisteren, toen je zei dat je een idee had, of was het een vermoeden?'

'Het vermoeden was dat Harald Wolff werkelijk Rattengif was, iets wat we nooit hebben kunnen bewijzen. Als *dat* zo was, had hij mogelijk iets met de brand te maken. Maar het waren slechts twee hoogst onzekere en niet aantoonbare vermoedens, en geen enkel openbaar ministerie ter wereld, zeker niet in Noorwegen, zou op grond daarvan een aanklacht indienen. Wolff werd weer verhoord, maar in 1953 was het klimaat anders dan in '45. We moesten omzichtiger te werk gaan en Wolff zelf was agressiever. Beriep zich erop dat hij werd vervolgd, dat hij een fout had begaan en zijn straf had uitgezeten, maar dat hij nu uit oogpunt van rechtvaardigheid ervoor behoed moest worden de rest van zijn leven vervolgd te worden.'

'Hagbart Helle... waar stond hij tijdens de oorlog?'

Hjalmar Nymark keek me sluw aan. 'Hij ging vrijuit, zoals zoveel anderen uit zijn maatschappelijke klasse. De autoriteiten traden voorzichtig op tegenover het bedrijfsleven. Ondanks alles moesten er tijdens de oorlog wel een zeker aantal arbeidsplaatsen in stand worden gehouden. We moesten ook nog leven. En in de moeilijke jaren direct na de oorlog was het zaak om een solide en stabiel bedrijfsleven op te bouwen. Een aantal... samenwerkingsvormen werd door de vingers gezien. Laat ik het zo zeggen: Hagbart Helle was in elk geval niet slechter geworden van de oorlog en in 1945 stond zijn bedrijf er aanmerkelijk sterker voor dan in 1939.'

'Dus er bestond geen aantoonbaar verband tussen hem en Harald Wolff?'

Hij schudde heel beslist zijn hoofd. 'Niet *aantoonbaar*,' zei hij, 'maar als er ook maar iets was geweest, dan hadden we toegeslagen. De gemeentelijke onderzoekscommissie stond onder leiding van Konrad Fanebust, die dat jaar vice-burgemeester was. Er was niemand die er méér op gebrand was om Rattengif in zijn klauwen te krijgen dan hij en ik, en ik

herinner me dat we tot diep in de nacht alle materiaal door-
namen, zowel van de verhoren in 1945-'46 als van de onderzoeken omtrent de brand. Er *was* gewoon niets te vinden...
en dat...'

'Ja?'

'Dat maakte ons, meer dan wat dan ook, nog zekerder van
onze zaak.'

Ik knikte. Ik begreep wat hij bedoelde. 'Want het kenmerk
van de activiteiten van Rattengif...'

'Precies. Het kenmerk van de activiteiten van Rattengif
was, dat er geen sporen waren. Hij had weer toegeslagen,
acht jaar na de oorlog, en daardoor was ik in elk geval zeker
van één ding...'

'En dat was...'

'Dat Harald Wolff werkelijk Rattengif was. Begrijp je nu
waarom de zaak Pauw me nooit heeft losgelaten?'

Ik knikte. 'Wat is er later van hem geworden?'

'Hij vond een nieuwe baan, bij een drukkerij. Later andere baantjes. In 1959 ging hij samenwonen met een vrouw
die hij had leren kennen toen hij bij Pauw werkte. Ze zijn
nooit getrouwd, maar ze hebben tot zijn dood samengewoond. Ik heb je gisteren een foto van haar laten zien, op
een van de krantenknipsels. De jongste kantoorjuffrouw.
Elise Blom. Ze stond als enige onder zijn rouwadvertentie.
Na de brand bij Pauw kreeg ze een baan bij de gemeente en
daar werkt ze nog steeds. Zij heeft hem uiteindelijk geïdentificeerd, in 1971.'

'Heb je een foto van hem?'

'Van Harald Wolff?'

Ik knikte en hij haalde zijn portefeuille uit zijn binnenzak. Het was zo'n oude, versleten, bruinlederen portefeuille, die mensen hun hele leven met zich meedragen en waar
ze hun hele ziel en zaligheid in bewaren. Hij zocht in de ve-

le vakjes en haalde er ten slotte een vergeeld krantenknipseltje uit. Hij reikte het me aan, voorzichtig, alsof hij bang was dat het tussen ons in zou verdampen.

Ik bekeek het knipsel. Het was een niet al te duidelijke foto van de rechtszaak na de oorlog. Vijf mannen die een rechtszaal binnen gingen, en het onderschrift vertelde dat de drie in het midden de aangeklaagden waren, de twee anderen politiemensen in burger. De achterste van de drie mannen was Harald Wolff. Zijn gezicht ging gedeeltelijk verscholen achter de man voor hem en zijn gelaatstrekken waren niet erg goed te zien. Maar zijn hoofd was lang en smal, als van een paard. Zijn neus en het deel boven zijn ogen waren opvallend, staken een beetje uit. Hij had grote oren. Zijn donkere haar was achterover gekamd met een scheiding aan de linkerkant, zodat er aan de rechterkant een lange, donkere lok naar voren viel. Ik herkende geen van de vier anderen op de foto.

Ik bestudeerde Harald Wolff nauwkeurig en gaf het knipsel toen terug. 'Tja...' Ik maakte een wanhopig gebaar met mijn handen.

'Precies, Veum. Tja...' Hij deed mijn beweging na. 'Zo eindigen alle verhalen die iets betekenen. Met een tja...' Weer die karikaturale beweging. 'Zoiets als een happy end bestaat eenvoudigweg niet. Er bestaat misschien niet eens rechtvaardigheid, er bestaan misschien alleen maar oude zeurpieten zoals ik, die het niet kunnen laten te denken dat ze het destijds bij het rechte eind hadden... Wij hadden het bij het rechte eind!'

Hij staarde woedend naar zijn glas. Het was leeg. Alsof hij zeker wilde weten dat er geen druppel meer in zat, hief hij het glas naar zijn mond en hield het ondersteboven. Er gleed alleen wat schuim omlaag, dat was alles. Toen zette hij het glas hard neer en stond op. 'Zo, Veum. Nu weet je alles. Alles wat ik weet, of in elk geval de hoofdlijnen. Nu ga ik naar huis. Ik ben nog niet helemaal in vorm. Tot ziens!'

Ik wilde opstaan, maar hij knikte naar mijn halfvolle glas. 'Blijf maar zitten. Een prettige avond verder.' Hij schonk me een wrange glimlach, trok zijn jas aan en liep met de opgerolde krant in zijn hand naar buiten. De deur zwaaide achter hem dicht.

Luttele seconden later hoorde ik het, door het halfopen raam achter de grauwgele vitrage aan de straatkant: het geluid van een loeiende automotor, piepende remmen, banden die over spekgladde straatstenen slipten, hard metaal dat ergens tegenaan sloeg – en toen: het afgrijselijke, doffe geluid van een menselijk lichaam dat de grond raakt, nadat het door de lucht is geslingerd. De motor trok weer op en ik hoorde de wagen de hoek om schuiven.

Ik stond zó schielijk op, dat de tafel omviel. Iedereen in het café keek naar de ramen, met gezichten die al naargelang de mate van beschonkenheid blijk gaven van verschillende graden van ontzetting. Ik rende langs de portier en stormde naar buiten. Aan het einde van de Strandkai zag ik een donkerblauw bestelbusje de bocht om zwaaien en verdwijnen. Ik rende verder, de hoek om.

Het kleine straatje lag er verlaten bij. Bij de kruising met de Strandgate doken twee mensen met verschrikte uitdrukkingen op hun gezicht op. Het krantenstalletje op de hoek lag omver op de stoep, maar dat was niet belangrijk.

Wel belangrijk was dat midden op straat, met zijn gezicht naar de straatstenen, Hjalmar Nymark lag. De opgerolde krant lag halfopen in de goot, waar de plotselinge wind een paar pagina's deed opwaaien, als vleugelslagen van een stervende vogel. Dat was het enige wat bewoog.

6

Ik knielde naast Hjalmar Nymark neer. Ik durfde hem niet aan te raken, voor het geval hij zijn nek had gebroken, maar met mijn gezicht helemaal tegen de straat aan verzekerde ik me ervan dat niets zijn ademhaling belemmerde. Mijn vingers tastten langs zijn hals. Ik voelde zijn hartslag, maar die was onregelmatig. Uit zijn ene oor stroomde een dun straaltje bloed en zijn neus zag eruit alsof die bij het neerkomen op de grond gebroken was. Het krachtige, onbeweeglijke lichaam van de oude man had iets pathetisch. Een paar minuten geleden was hij nog zo levend geweest: zo levend en zo bang.

De miezerregen bedekte ons met een waas van minuscule druppeltjes en stroomde stilletjes in de goot, waar zijn krant langzaam het water absorbeerde en tot rust kwam.

De portier van het café kwam erbij. 'Ik heb al een ambulance gebeld', zei hij. 'Is hij...'

'Nog niet.' Ik hield mijn hand tegen de zijkant van zijn hals. Zijn hartslag werd zwakker.

Vertwijfeld keek ik om me heen. Het straatje was opvallend verlaten. De twee mensen waren op de hoek van de straat blijven staan, alsof ze duidelijk wilden maken dat ze er niets mee te maken hadden.

Toen kwam de ambulance. De twee dragers stapten snel en bedreven uit. Ik vertelde hun kort wat ze over de situatie moesten weten. Ze ondersteunden zijn nek toen ze hem op de brancard tilden en de auto in schoven. Ik volgde hen.

'Wil je mee?' vroeg een van hen.

'Ik ken hem.'

Hij gebaarde dat ik achter in de wagen plaats moest nemen. Toen greep hij een zuurstofapparaat dat boven ons aan het dak hing.

Ik boog me naar voren naar de bestuurdersplaats. 'Heb je een mobilofoon?'

De chauffeur zette de wagen in beweging en knikte.

'Geef door aan de politie, dat ze moeten uitkijken naar een blauw bestelbusje dat in de richting van Nordnes is verdwenen. Het is ter hoogte van Murhjørne de hoek om gegaan', voegde ik eraan toe.

'Nog meer?'

Ik aarzelde. 'Doe ze de groeten van Veum en zeg maar dat ik in het ziekenhuis blijf tot...' Ik wist niet wat ik moest verwachten. 'Tot alles duidelijk is.'

Zonder verder iets te vragen gaf hij de boodschap door via de mobilofoon, zette de sirene aan en trok met een lichte druk op het gaspedaal op. We staken de eerste kruising over toen het licht van oranje op rood sprong. De huizen schoten langs, alsof we in de bioscoop zaten en er in de projectiekamer iets op hol sloeg. Toch zag ik alles wat we passeerden met verbazingwekkende helderheid: mensen die zich omdraaiden en ons nastaarden, auto's die opzijgingen en automobilisten die op het moment dat we passeerden hun gezicht naar ons toedraaiden.

De andere drager, een knul met kortgeknipt, blond haar en een jongensachtig dons op zijn rode wangen, zat met het zuurstofmasker in de aanslag, vlak voor Hjalmar Nymarks gezicht. Hjalmars brede borst bewoog nauwelijks zichtbaar op en neer, en af en toe klonk er een gorgelend geluid ergens diep uit zijn lichaam. Niemand zei iets.

De wagen reed rechtstreeks naar het Haukeland Ziekenhuis. Toen we op de top van Kalfaret waren, tilde Hjalmar Nymark plotseling zijn hoofd op en keek om zich heen. Zijn blik was verward. Toen vond hij mij. Zijn stem klonk schor, onzeker: 'Ve...Veum?'

Ik knikte en glimlachte: een gespannen, mechanische glimlach.

Hij wilde nog meer zeggen. Hij zocht naar woorden. Ik boog me naar hem toe. De jonge drager sloeg ons nauwlettend gade. De chauffeur bekeek ons in zijn spiegeltje.

Hjalmar Nymark zei: 'Veum... als ik doodga...'

Ik knikte om duidelijk te maken dat ik hem begreep en vervolgens schudde ik mijn hoofd om hem te vertellen dat hij niet doodging.

'Zoek uit... wat er is gebeurd, met Sjouwer-Johan... 1971...'

Toen sloot hij zijn ogen en zakte weg. Op het moment dat we de poort van het ziekenhuis binnenreden, deed hij ineens weer zijn ogen open en zei: '1971. Sjouwer-Johan.' Toen viel hij weer weg.

De twee dragers renden met Hjalmar Nymark op de brancard het gebouw in. Ervaren verpleegkundigen namen het over en ik volgde hen de lift in en naar boven, zonder dat iemand iets zei.

Hjalmar Nymark werd direct naar de operatiekamer gereden. Een vriendelijke mevrouw met zwart haar, een olijfkleurige huid en donkerbruine ogen wees me een klein dagverblijf, met meubels die van de vlooienmarkt van het Leger des Heils konden komen en potplanten die eruitzagen alsof ze de Eerste Wereldoorlog nog hadden meegemaakt.

Onder een van de tafels lag een magere selectie kranten van de vorige dag. Ik vond het wel toepasselijk. Ik voelde mezelf ook net een nieuwsbericht van gisteren.

7

Niemand kwam me storen. Het kleine dagverblijf werd door een dunne wand, waarvan de bovenste helft van glas was, van de gang gescheiden. Door de ramen zag ik haastige, witgeklede mensen langssnellen. Er was niemand die me ook maar met een blik verwaardigde. Zolang ik me niet tot iemand wendde, kon ik rustig blijven zitten. Misschien was dat ook zo als je patiënt was. Als je tegen niemand iets zei, maar gewoon afwachtte waar ze je naartoe brachten en daar stil bleef liggen, werd je door niemand gestoord, tot het ze op een goede dag opviel dat je onder de vliegen zat.

Rechercheur Jakob E. Hamre keek even door het ruitje in de deur, klopte toen aan en kwam binnen. 'Als ik het niet dacht,' zei hij, 'nieuw kantoor gekregen, Veum?'

'Rustiger kan ik het niet krijgen', antwoordde ik. 'Ga zitten. Kan ik je iets aanbieden? Een glaasje nafta? Een dosis valium? Iets voor je hart?'

Hij keek me onderzoekend aan en ging met een halflachje om zijn mond op een lege stoel zitten. 'Nog steeds de oude, Veum? Is er niets dat zijn sporen nalaat?'

'Jawel, maar alleen vanbinnen.'

Jakob E. Hamre was onberispelijk gekleed, in een lichte doublebreasted trenchcoat met daaronder een grijs pak, zwarte schoenen, een lichtblauw overhemd en een donkerblauwe stropdas. Hij was een paar jaar jonger dan ik, maar naar zijn uiterlijk te oordelen konden het er wel tien zijn, en hij was vele jaren knapper. Jakob E. Hamre was zo'n politieman die doet denken aan een padvinder, maar die zo sluw kan zijn als een oude souteneur. Hij was op een enigszins onpersoonlijke manier sympathiek: een vent die voor veel moeders de ideale schoonzoon is, maar met wie slechts weinig dochters tevreden zijn.

'Ik heb je bericht ontvangen', zei hij, 'en ben meteen zelf gekomen. Weet je hier meer van?' Hij keek bijna schuchter naar de punten van zijn schoenen, voor zijn blik omhoog kwam en aan mijn gezicht bleef hangen, beslist en alert.

'Hebben jullie die auto gevonden?' vroeg ik.

Hij knikte. 'Hij stond vlakbij, in de C. Sundtsgate en hij is naar alle waarschijnlijkheid gestolen.'

'Hm. Tja, Hjalmar Nymark en ik waren vrienden, kan ik wel zeggen. Of bekenden. Ik ken hem nog niet zo lang, maar we waren aan de praat geraakt en we hadden aardig wat dingen gemeen.'

'Wat bedoel je?'

'Allebei detectives. Hij sprak veel over oude opsporingszaken.'

Hij kwam geïnteresseerd naar voren. 'Bedoel je dat Nymark tijdens zijn pensioen nog in oude criminele zaken zit te snuffelen?'

Ik knikte langzaam. 'Ik weet niet in hoeverre hij erin *snuffelt*, maar hij is er wel mee bezig... Hoe gaat het met hem? Heb je iets gehoord?'

Hij schudde zijn hoofd. 'Ze zeiden dat ik moest wachten. Hij ligt momenteel op de operatietafel... Over welke zaken had hij het, Veum?'

'Rattengif, een man die Rattengif werd genoemd, zegt jou dat iets?'

Hij schudde ontkennend zijn hoofd.

'En de brand bij Pauw?'

Er lichtte iets op in zijn heldere ogen. 'Vaag.'

'Ja, mij zei het ook niks. Rattengif was een beruchte verklikker in de oorlog, die waarschijnlijk ook een aantal mensen heeft vermoord. Het is nooit duidelijk geworden wie hij
werkelijk was. En Pauw was een verffabriek aan de Fjøsangervei die in 1953 is afgebrand. Daar kwamen vijftien man
bij om en een man die volgens Hjalmar Nymark Rattengif
was, werkte daar als kantoorbediende toen het gebeurde.'

'Hoe heette hij?'

'Harald Wolff.' Hij had een notitieboekje gepakt en schreef
de naam op. Ik voegde eraan toe: 'Maar die is dood.'

'O?' Hij stopte met schrijven en keek voor zich uit. 'Vertel
eens, waar hebben jullie het vandaag over gehad?'

'Over die vent... Rattengif. Hij... hij was een beetje nerveus, alsof er iemand achter hem aan zat. Maar hij zei dat
het door de drank kwam. We hebben gisteren samen een
fles brandewijn soldaat gemaakt, hij en ik.'

'Zo?'

'En toen hij wegging... ik zat bij het raam aan de kant van
de zijstraat toen het gebeurde. Ik hoorde het: een auto die
optrok, de rem die werd ingetrapt en toen... het geluid van
zijn lichaam dat tegen de grond klapte.'

Hij boog zich weer naar voren. 'Dus het kan met andere
woorden geen ongeluk zijn geweest?'

'Om de dooie dood niet! Hij werd aangereden, Hamre, en
wel met opzet.'

'Waarom?'

Ik haalde mijn schouders op en maakte een vertwijfeld
gebaar.

Hij zei: 'Een rechercheur maakt in de loop van zijn leven
wel wat vijanden. Misschien werd Hjalmar Nymark door
zo iemand opgewacht, daar in dat zijstraatje...'

'Op weg hierheen, in de ambulance, zei hij iets.' Ik aarzelde even. '*Als ik doodga*, zei hij.'

'Ja?'

'Dan moest ik proberen uit te zoeken wat er met Sjouwer-Johan is gebeurd, in 1971.'

'Sjouwer-Johan, 1971?' Hij had zijn balpen weer in de aanslag. 'Verder niets?'

'Nee, alleen dat.'

'We zullen...'

Hij werd onderbroken door een wat oudere verpleegster, die vanuit de gang binnenkwam en zich tot hem wendde. 'De dokter vraagt of u binnenkomt, inspecteur', zei ze formeel. Mij keek ze niet eens aan. Ik zat nog niet onder de vliegen.

Hamre knikte even en liet me alleen. Ik bleef zitten, maar hield de gang in de gaten. Daar gleden de mensen stil voorbij, als figuren in een poppentheater voor doven. Alles was stil. Het enige wat ik hoorde, waren de zachte poten van de regen tegen het raam: een fluwelen dier dat naar binnen wilde.

Na een kwartier kwam Hamre terug. Hij zag er opgelucht uit. 'Het gaat goed, Veum. Hij is zwaar gewond, maar hij redt het wel.'

'Hoe zwaar?'

Hij sloeg een bladzij van zijn boekje open en las: 'Schedelfractuur. Zware hersenschudding, gescheurd trommelvlies. Rechterarm gebroken, vlak boven de pols. Eén gebroken rib en vier gekneusde. Letsel aan zijn rechternier. Een breuk in zijn linkerheupbeen en zijn rechterenkel. Inwendige en uitwendige kneuzingen, gebroken neusbeen.' Hij keek op. 'Zijn profiel is enigszins geplet.'

'Is hij bij kennis?'

Hij schudde zijn hoofd. 'Nee. Hij heeft iets gekregen om

te slapen. De arts zei dat hij veel moet slapen, maar dat hij een sterk gestel heeft voor zijn leeftijd en hij was er zeker van dat het goed komt.'

Ik stond op en keek naar de deur. 'Goed...'

Hamre knoopte zijn jas dicht. 'Schiet je verder niets te binnen, Veum? Heeft hij nog gezegd waar hij heen ging, toen hij het café verliet?'

'Alleen dat hij van plan was naar huis te gaan.'

'Zagen jullie elkaar vaak?'

'Twee, misschien drie keer per week.'

'Ben je wel eens bij hem thuis geweest?'

'Eén keer, gisteren. Hij liet me wat oude krantenknipsels zien, van de brand bij Pauw.'

Hij knikte. 'Dat zal ik ook even uitzoeken. Kun je morgen even langskomen, om een uur of elf?'

Ik knikte. Toen zei ik: 'Kende jij Hjalmar Nymark, Hamre?'

'Nee. Niet persoonlijk. Hij is in 1971 met pensioen gegaan en toen was ik nog ergens anders gestationeerd.'

'Waar dan?'

'Waar?' Hij trok ironisch zijn wenkbrauwen op. 'In Stavanger.'

'Dan ken je misschien een politieman die Bertelsen heet?'

Hij keek me spottend aan. 'Ja, die ken ik wel. Ik had niet gedacht dat hij jouw type was, Veum.'

'Dat is hij ook niet.'

We liepen samen de gang in en vonden de weg naar buiten. Voor het gebouw bleven we een ogenblik staan. Hamre wees naar een zwarte Volkswagen. 'Kan ik je naar huis brengen, Veum?'

'Dank je, maar ik geloof dat ik wel een beetje frisse lucht kan gebruiken.'

'Best.' Hij haalde zijn schouders op. 'Dan zie ik je morgen.'

'Afgesproken.'

Hij liep naar de auto. Plotseling herinnerde ik me iets en ik riep hem na: 'Hamre...'

Hij draaide zich om. 'Ja?'

'1971,' zei ik, 'dat is het jaar waarin Harald Wolff is gestorven. In dat jaar is er ook iets gebeurd met iemand die Sjouwer-Johan heette. En Hjalmar Nymark is toen met pensioen gegaan.'

'Zo?' zei Jakob E. Hamre in gedachten, knikte afwezig, ging in de auto zitten en reed weg.

'Een bewogen jaar', zei ik bij mezelf.

8

De volgende dag hingen de mistslierten als geesten in de straten. Grijze vangarmen grepen vanaf de straathoeken naar me en door mijn steeg trok een koude zeewind, een wind die de herfst aankondigde.

Jakob E. Hamre zat aan de telefoon toen ik zijn kamer binnenging. Hij wees naar een oncomfortabele stoel en zette zijn telefoongesprek voort. Tijdens het praten maakte hij aantekeningen op een papiertje. 'Twee liter melk, een yoghurt, een kilo roggemeel... en eieren... Ik kijk wel even... Ja, zoals altijd, hoop ik... mooi. Dag.'

Ik keek om me heen. Hoe lang geleden had ik hier voor het laatst gezeten? Twee, drie jaar, het kantoor was niet veranderd. Het was nog precies zoals ik me herinnerde: een kamer die je vergeten was, zodra je de deur achter je had dichtgetrokken. Onopvallende wanden in een onbestemde kleur, boekenplanken vol mappen en wetboeken, nog steeds hetzelfde uitzicht op hetzelfde oude bankgebouw. Ik had vaak in soortgelijke kantoren gezeten: het waren gewoonlijk kamers waar je graag weer uit vertrokken was.

De knoop van zijn stropdas was een beetje losgegaan, verder zag Jakob E. Hamre er nog even onberispelijk uit. Zijn knappe gezicht staarde me rustig en ondoorgrondelijk aan; zijn donkere, goedgeknipte haar viel geraffineerd over de rechterkant van zijn voorhoofd. Een man met zijn elegantie hoorde eigenlijk aan de overkant van de straat thuis: de vriendelijke bankemployé die met een mistroostig gezicht je kredietaanvraag afwijst.

'Hoe gaat het met hem?' vroeg ik.

'Hij komt er wel bovenop. We kunnen hem misschien vandaag al spreken... straks.'

'Nog iets over die auto?'

Hij schudde spijtig zijn hoofd. 'Niets. We krijgen natuurlijk de gewone getuigenverklaringen binnen, maar weinig concreets. Een oude dame meent dat ze een blauw bestelbusje heeft zien staan, met een man achter het stuur, maar ze heeft er verder niet op gelet en ze is niet in staat ook maar bij benadering een beschrijving te geven. De vingerafdrukken hebben voorlopig ook nog niets opgeleverd. We onderzoeken de auto zelf ook natuurlijk, maar...'

'Van wie was de auto?'

'Een sportwinkel. Hij stond 's middags altijd stil.'

'En hoe zit het met wat ik je heb verteld?'

Hamre leunde achterover, legde zijn handen op de rand van het bureau en staarde er een tijdje naar, alsof hij zich afvroeg of zijn nagels kort genoeg waren. Daarna keek hij peinzend voor zich uit en zei: 'Ik heb wat navraag gedaan... intern. Mensen die Nymark kenden. Het bleek dat... Hjalmar Nymark was in veel opzichten een uitstekend politieman. Maar hij had één essentiële zwakheid. Hij had de neiging zich een aantal zaken waar hij aan werkte, iets te persoonlijk aan te trekken. Dat was niet altijd even geslaagd. En met name aan het eind van zijn loopbaan had hij een paar stokpaardjes waar hij steeds maar op terug bleef komen. Een van die stokpaardjes was de brand bij Pauw.' Hij hief zijn handen op en keek me gelaten aan. 'Wie maakt er zich nou verdomme druk over een twintig jaar oude fabrieksbrand, als er nauwelijks voldoende mankracht is om de lopende zaken af te handelen?'

'Hoe zat het met die andere zaak? Wie was Sjouwer-Johan?'

Hij zuchtte. 'Dat was de laatste zaak waar Hjalmar Nymark aan werkte, voor hij met pensioen ging. Dat werd ook een van zijn dwangvoorstellingen.'

'Hoezo?'

Hamre keek naar buiten. 'Hoeveel van dat soort zaken hebben we per jaar? Een zwerver die verdwijnt? Soms hebben ze gewoon de trein naar Oslo genomen. Anderen treffen we een paar weken of een paar jaar later drijvend in de fjord aan. Soms hebben ze zich doodgezopen en liggen ze ergens in een haveloos kamertje, tot ze uiteindelijk als vermist worden opgegeven. En sommigen worden natuurlijk om zeep geholpen: het milieu waarin ze zich ophouden, is hard. We hebben heel wat van die gevallen, maar ze komen zelden hoog op de prioriteitenlijst. Zeker niet als er geen misdrijf wordt vastgesteld. Sjouwer-Johan was zo'n geval.'

'Vertel!'

Hij trok een map uit de linker stapel op zijn bureau en begon erin te bladeren. 'Johan Olsen, geboren in 1916 in Bergen. Voormalig zeeman en havenarbeider. Illegale activiteiten tijdens de oorlog. Alcoholist. In 1961 veroordeeld wegens landloperij, verder geen strafblad. Verdwenen in januari 1971, maar pas in februari als vermist opgegeven.'

'Wie heeft het aangegeven?'

'Een vrouw, Olga Sørensen, bij tijd en wijle zijn partner, om een moderne uitdrukking te gebruiken.'

'Waarom meldde ze zijn verdwijning pas in februari?'

Hij haalde zijn schouders op. 'Ze dacht waarschijnlijk dat hij weer aan de boemel was.'

'En het resultaat van het onderzoek?'

Hij bladerde een paar bladzijden verder, terwijl hij mompelde: 'Hij is nooit gevonden. Formeel wordt hij nog steeds vermist. Maar het kan best zijn dat hij ergens van het leven geniet... op de Canarische Eilanden, of ergens anders waar zon en drank makkelijker toegankelijk zijn dan op onze breedtegraden.'

'Heb je een foto van hem? Een beschrijving?'

Hij bladerde verder in de map en haalde er een foto uit, die hij aan mij gaf. Het was zo'n typische foto die ze op het politiebureau nemen en waar ze je bij latere gelegenheden mee verrassen: met felle belichting, van voren en van opzij. Op zulke foto's zie je eruit zoals je er gewoonlijk op een pasfoto uitziet, met als enig verschil dat je inderdaad in het strafregister staat.

Johan Olsen, alias Sjouwer-Johan, had een lang, paardachtig gezicht, dat wel wat weg had van dat van Harald Wolff. Maar zijn oren waren kleiner en zijn ogen stonden verder uit elkaar. Hij was niet geschoren en er lag een bittere, enigszins schampere trek rond de mond met de smalle lippen.

'Hier heb je zijn beschrijving', zei Hamre terwijl hij me een blaadje aanreikte.

Ik las het snel door. Johan Olsen was een meter zesenzeventig lang geweest, met blauwe ogen en donkerblond haar. Afgezien van een oude wond aan zijn linkerknie, waardoor hij mank liep, had hij geen bijzondere kentekenen.

Ik las de laatste zin nog twee keer door, om er zeker van te zijn dat ik het goed had gelezen. Toen keek ik Hamre recht aan en voelde ik een onrustig, knagend gevoel in mijn maag ontstaan. 'Ik begrijp best waarom Hjalmar Nymark hier zo mee bezig was', zei ik.

'Wat bedoel je?'

'Heb je het niet gelezen? Sjouwer-Johan trok met zijn linkerbeen. Net als Harald Wolff. En Harald Wolff is verdwenen, om het maar zo te zeggen, op hetzelfde moment dat Sjouwer-Johan verdween. In januari 1971.'

9

'Ik heb de papieren over Harald Wolff hier', zei Hamre en pakte er een volgende map bij. Die was wat voller dan de vorige. Met zijn rechterwijsvinger tikte hij op een derde map, die ruim twee keer zo dik was als de andere twee bij elkaar. 'En hier... de brand bij Pauw. Zelfs die heb ik tevoorschijn gehaald.' Er zat een restje spinrag op een van de hoeken van de Pauw-map en toen hij erop sloeg, warrelde er een stofwolk op. 'Er wordt, zoals je ziet, een grondig onderzoek ingesteld.'

'Daar twijfel ik niet aan.'

'Mooi zo. Nou...' Hij sloeg de map met het materiaal over Harald Wolff open en bladerde snel door de vergeelde rechtbankverslagen van het proces tegen de landverraders. Ze waren vastgeniet aan de kopieën van de verhoren. 'Dit is oude koek,' mompelde hij, 'maar hier...' Het laatste deel van Harald Wolffs leven werd met grote paperclips bij elkaar gehouden. Hij maakte een bruine envelop open en trok er een aantal foto's uit. Hij bekeek ze met neutrale blik en gaf ze vervolgens aan mij.

De foto's van Harald Wolff waren niet bepaald mooi. Op één ervan lag hij naakt op zijn rug en op de foto was te zien dat zijn hele lichaam onder de blauwe plekken en bloeduitstortingen zat. Hij had een flink pak slaag gehad. Maar je hoefde zijn lichaam niet te zien om dat te begrijpen. Zijn hoofd was er het ergst aan toe. Zijn gezicht was geheel vertrapt. Met een bruutheid die ik volgens mij nog nooit had gezien, was zijn gezicht veranderd in een onherkenbare massa botten, kraakbeen, gehakt vlees en bloed. Zijn steile haar was doordrenkt met bloed en een van zijn armen was onmiskenbaar gebroken. De stukken bot staken uit zijn onderarm en zijn vingers staken alle kanten uit.

De andere foto's waren detailopnamen, sommige dusdanig dat mijn maag begon te draaien. Een van de foto's was scherpgesteld op een ring aan zijn linkerringvinger. De beeltenis op de ring was duidelijk te zien: een hakenkruis.

Enkele foto's toonden vanuit verschillende hoeken hoe het lijk was aangetroffen. Het lag op kiezelstenen, met groezelige resten sneeuw eromheen. Op een van de foto's waren een paar houten havenpakhuizen te zien, op een andere een aantal zwarte, kale bomen.

Ik legde de foto's weer op het bureau. 'Niet iets voor de zondagsschool', zei ik. 'Hoe hebben ze hem kunnen identificeren?'

Hamre bladerde in de papieren. 'Door de vrouw met wie hij samenwoonde. Eh... Elise Blom.'

Ik knikte herkennend bij de naam. 'Zij werkte bij Pauw.'

Hij keek op van de papieren. 'O? Ja, natuurlijk, daar werkte Harald Wolff immers ook. Als kantoorbediende, nietwaar?'

'Inderdaad.'

Hij ging verder: 'Elise Blom heeft hem dus geïdentificeerd.'

'In die staat?'

Hij keek me minzaam aan. 'Een vrouw die...' nog een blik in de papieren, 'al twaalf jaar met hem samenwoonde. We dragen niet alleen kenmerken op ons gezicht, Veum.'

'Ja, ja, natuurlijk. Ik dacht alleen... dat moet nogal een beproeving voor haar zijn geweest.'

'En de ring, die was zonder enige twijfel van hem.'

'Die kon iemand anders aan zijn vinger geschoven hebben.'

'Ja, maar er bestond geen enkele reden om aan de getuigenverklaring van Elise Blom te twijfelen. Ze is bovendien uitvoerig verhoord in verband met het onderzoek...'

'Had ze zijn vermissing aangegeven?'

'Daar was geen tijd voor. Harald Wolff had gezegd dat hij naar de bioscoop ging, op 13 januari 1971. Hij kwam die nacht niet thuis, maar volgens mevrouw, of juffrouw Blom kwam dat vaker voor. Hij was nogal onberekenbaar. Zenuwen uit de oorlog, zei ze. Hij kon soms tijdenlang niet slapen en dan zwierf hij 's nachts over straat. Maar deze nacht niet.'

'O nee?'

'Hij werd op 14 januari, 's morgens om een uur of zeven gevonden, door mensen die naar hun werk gingen. Er loopt een smal weggetje omlaag naar de pakhuizen aan de noordzijde van Nordnes en daar lag hij, helemaal onderaan bij de pakhuizen. Aan de afdrukken in de sneeuw was te zien dat er een gevecht had plaatsgevonden, maar niemand in de buurt had iets opvallends gehoord. Zoals je misschien weet, is het niet een van de rustigste wijken van de stad.'

'Dat weet ik. Ik ben er opgegroeid.'

'Hij had een identiteitskaart van de post in zijn binnenzak en een portefeuille met 180 kronen erin. We hebben zijn adres opgezocht en daar troffen we Elise Blom.'

'En Hjalmar Nymark nam deel aan het onderzoek?'

'Dat klopt.'

'Kon hij Wolff identificeren?'

'Hij had geen geslachtsgemeenschap met hem gehad, Veum. En het was bijna twintig jaar geleden dat hij hem had gezien. Er is getracht iemand te vinden die de verklaring van Elise Blom kon bevestigen, maar dat bleek onmogelijk. Ze leidden een uiterst teruggetrokken leven, zonder vrienden, zonder familie. Een soort ballingschap.'

'Luister... toen Sjouwer-Johan verdween, is er toen iemand op het idee gekomen om zijn vriendin ook naar het lichaam van Harald Wolff te laten kijken?'

Hij schudde zijn hoofd. 'Daar was geen aanleiding voor. In de eerste plaats werd Harald Wolff half januari gevonden, terwijl Sjouwer-Johan pas een maand later werd gezocht, en dat onderzoek heeft, zoals ik al zei, nooit een hoge prioriteit gehad. Bovendien was het onderzoek naar de moord op Harald Wolff medio februari zo goed als afgesloten.'

'Toen al?'

'Ja.' Hij bladerde door de papieren van het onderzoek. 'We hebben geprobeerd zijn kennissenkring, ook uit de oorlog, in kaart te brengen, maar dat was niet eenvoudig. Er waren natuurlijk een aantal technische aanwijzingen op de plaats van het misdrijf: zoals voetsporen in de sneeuw, behalve van Wolff zelf van nog twee mensen, en sporen van een auto die naast de oude opslagloodsen geparkeerd had gestaan. Maar het onderzoek heeft niets opgeleverd. Afgezien daarvan...'

'Ja?'

'Of je het nou goedkeurt of niet... Zelf heb ik zoals ik al zei niets met dit onderzoek te maken gehad, ik was niet eens in de stad.'

'Wat kun je goedkeuren of niet?'

'Die moord, die had een bijzonder karakter, vind je ook niet?'

'Tja? Waar denk je aan... het geweld?'

Hij knikte. 'Alles duidt op een aanval van razernij... of op een wraakactie. Harald Wolff was een bekende landverrader en uit de documenten blijkt dat er een sterk vermoeden was dat hij dezelfde was als die Rattengif waar jij het gisteren over had.'

'Precies.'

'Het lag dus voor de hand aan te nemen dat een paar verzetsstrijders, van de *goede* kant om het maar zo te zeggen, eindelijk de tijd rijp hadden geacht om Nemesis te spelen. En er waren ongetwijfeld veel mensen, ook bij de politie, die vonden dat Harald Wolff zijn verdiende loon had gekregen.'

'Dus de zaak werd terzijde gelegd.'

'Hij is op dezelfde manier behandeld als alle andere zaken, maar na ruim een maand van diepgaand onderzoek en daarna nog vijf of zes maanden incidenteel speurwerk zodra er dingen opdoken die van belang konden zijn, is men toen de resultaten uitbleven tot de conclusie gekomen dat hij voorlopig in het archief gestopt moest worden. Dit soort zaken wordt nooit afgesloten, Veum. In ieder geval niet voor de verjaringstermijn is verstreken.'

'Dus hij kwam terecht in de rij van niet opgehelderde moordzaken.'

'Ja, maar je zult hem in de dag- en weekbladen zelden in die context tegenkomen. Harald Wolff is nu eenmaal niet het soort slachtoffer waar men mededogen mee heeft.'

'En de nabestaande, Elise Blom?'

Hij haalde zijn schouders op. 'Ach, er is altijd wel iemand om medelijden mee te hebben. Maar tijdens de verhoren bleek dat ze van zijn oorlogsverleden op de hoogte was, dus... nou ja, misschien is niet iedere partnerkeuze even probleemloos.'

'Waar was zij die avond toen Wolff werd vermoord?'

'Naar de bingo.' Hij voegde er snel aan toe: 'En ik kan je verzekeren dat er ook bij hen thuis grondige technische onderzoeken zijn uitgevoerd. In het huis waar zij en Wolff woonden. Er was niets dat erop wees dat ze iets met de moord had te maken.'

'Tja', zei ik en hief gelaten mijn armen ten hemel.

'En eerlijk gezegd, Veum, zie ik niet in dat ook maar iets van wat ik tot nu toe ben tegenkomen... noch over Harald Wolff, noch over de brand bij Pauw of over Sjouwer-Johan... te maken heeft met het feit dat Hjalmar Nymark gistermiddag is aangereden.'

'Met andere woorden?'

'Met andere woorden, we gaan ervan uit dat dit een gewone aanrijding is, zoals die van tijd tot tijd voorkomen. Het ernstigste misdrijf hierbij is dat degene die hem heeft aangereden, vervolgens is doorgereden. Misschien had die iemand gedronken, of misschien was het alleen maar iemand die haast had.'

'Maar de auto was toch gestolen?'

'Waarschijnlijk. Maar we moeten de werknemers van de sportwinkel nog natrekken.' Hij zuchtte. 'Al die verkeerslichten... ze komen het verkeer niet altijd ten goede. En die zijstraat daar, midden tussen twee drukke kruispunten in, is een gevaarlijk stukje. De automobilisten steken de eerste kruising over en zien bij de volgende het licht op groen staan. Dan geven ze vol gas, doen hun ogen dicht en hopen dat het goed gaat. Meestal gebeurt er niets, maar af en toe loopt er iemand in de weg.'

'En deze keer was dat Hjalmar Nymark.'

'Tja.' Ik haalde mijn schouders op. 'Dat moeten jullie uitzoeken. Eén ding nog...'

'Ja?'

'Werkt hier tegenwoordig nog iemand die destijds bij de zaak Pauw betrokken was?'

'Alleen Dankert Muus. En hij was toen nog maar een jong broekie.'

'Dankert Muus', herhaalde ik.

'Ja. Jullie kennen elkaar toch?'

Ik stond op. Hamre begon de papieren op zijn bureau op te ruimen. 'Nou, Veum, mochten er meer lijken opduiken...'

'Lijken?' vroeg ik.

Hij glimlachte ontwapenend, ''t Is maar een uitdrukking. Het spijt me als ik je gekwetst heb.'

Ik voelde even of hij dat had gedaan. 'Nee. Vandaag niet. Ik blijf nog wel een poosje in het telefoonboek staan.' Ik knikte kort en vertrok, hem achter zijn bureau achterlatend, met zijn rug naar het daglicht.

De deur naar het kantoor ernaast stond op een kier. Ik zag Dankert Muus achter zijn bureau zitten. Hij was verdiept in een stapel papieren, die de partituur van de intochtmars van de bureaucratie kon zijn, naar de dikte ervan te oordelen. Maar hij leek niet bijzonder muzikaal.

Dankert Muus zat in zijn overhemd. Zijn bruine colbert hing achter hem over de stoelleuning en de knoop van zijn stropdas was los en slordig. Het zou een ontspannen plaatje hebben kunnen opleveren, als hij niet de bultige, grijze hoed op had gehad, die iemand een keer over zijn hoofd had getrokken en die hij waarschijnlijk zelfs in bad niet afdeed. Het was een natuurlijk deel van zijn lichaam geworden. Ik had hem in ieder geval nooit zonder het ding gezien.

Hij moet gevoeld hebben dat er iemand naar hem stond te kijken, want plotseling ontmoette ik zijn ogen onder de rand van de hoed. Het voelde alsof er een snijbrander tussen mijn ogen werd gezet en hij snauwde me ogenblikkelijk toe: 'Wat sta jij daar goddomme te loeren?'

Ik duwde de deur verder open en deed alsof ik naar binnen wilde stappen. 'Ik bedacht net dat we elkaar lang niet hadden gesproken en...'

Hij wees naar de vloer voor me. 'Geen centimeter over die drempel, Veum! Ik waarschuw je. Ik heb het je destijds voor eens en voor altijd gezegd: ik wil je niet zien, ik wil je niet horen, ik wil niet met je praten. Geen woord!' Zijn toon werd ineens mierzoet. 'Behalve als je netjes aan de andere kant van mijn bureau mag plaatsnemen en ik je een eersteklas aanklacht mag overhandigen, met een strik eromheen en poëzieplaatjes erop. Begrepen?'

'Bericht ontvangen', zei ik, leunend tegen de deurpost. Dankert Muus keek me boosaardig aan en ik zei: 'Kun jij je iets van de brand bij de Pauw-fabriek herinneren, Muus?'

Ik zag de vraag achter zijn voorhoofd wegzakken en ik kon hem bijna in de grote, holle ruimte daarbinnen heen en weer zien stuiteren. 'Pauw?' herhaalde hij langzaam. Toen kwam hij tot inkeer. 'Ik zal jou eens een pauw voor je kop geven, uitgedoste papegaai! Ik geef goddomme geen antwoord op vragen van derdeklas amateurs! Is dat duidelijk?' Hij kwam dreigend overeind achter zijn bureau en ik trok me haastig terug uit de deuropening. Het grauwbleke gezicht met de fletse ogen, de brede kaak en het muiskleurige haar onder de bultige hoed waren niet erg fraai, en het werd er niet beter op toen hij om het bureau heen liep en op me af kwam. Maar hij nam genoegen met een geïrriteerd gegrom, om vervolgens de deur met een knal voor mijn neus dicht te trappen.

Ik staarde naar het naambordje op de deur. *Inspecteur D. Muus.* Witte letters op een grijsblauwe ondergrond. Het zag er bijna net zo uitnodigend uit als hijzelf.

Ook de volgende deur die ik passeerde stond halfopen. Het was de dag van de open deuren op het politiebureau. Nog even en ze nodigden me waarschijnlijk uit voor een rondleiding.

Vegard Vadheim stond voor zijn boekenkast in een groot, rood wetboek te bladeren. Hij had een magere, enigszins gekromde gestalte en had donker haar met een paar grijze krullen achter zijn oren. Vroeger had hij ooit als langeafstandsloper deel uitgemaakt van de Noorse nationale sportploeg, met als internationaal hoogtepunt de finale van de 10.000 meter in Melbourne in 1956. Enkele jaren later had hij een paar dichtbundels uitgegeven. Ik had nooit een echte aanvaring met hem gehad en ik was in feite in staat om een min of meer beschaafd gesprek met hem te voeren, tenminste volgens de maatstaven die enkele anderen in het gebouw hanteerden. 'Hallo', zei ik en hij keek op.

Zijn donkere ogen keken me in gedachten verzonken aan. Vegard Vadheim zag er altijd peinzend uit. Ondanks het feit dat het twintig jaar geleden was dat hij voor het laatst iets had gepubliceerd, had ik altijd het idee dat hij over een of andere strofe liep na te denken, constant op zoek naar het perfecte woord, de ultieme formulering. Hij was van nature een poëet, maar de ervaring had me geleerd dat hij ook in hoge mate realist kon zijn. Ik zei: 'Hoe lang werk jij al in Bergen, Vadheim?'

Hij keek me verwonderd aan. 'Hoe lang ik al in Bergen werk? Heb je je op de journalistiek geworpen, Veum?'

'Nog niet. Het gaat over Hjalmar Nymark.'

Hij werd meteen serieus. 'Ja, ik heb van het ongeluk gehoord. Niet zo best. Maar hij schijnt het te halen?'

'Ja. Luister eens...'

Hij keek me geïnteresseerd aan. 'Ik ruik lont, Veum. Jij denkt dat er opzet in het spel is?'

Ik haalde mijn schouders op. 'Ik weet het niet. Maar hij had zoveel te vertellen, die Nymark, zoveel ballast.'

Hij haalde zijn hand door zijn haar. 'Kom binnen, Veum.' Hij legde het boek weg en ging op de rand van zijn bureau zitten. Hij wees me een stoel aan, maar ik bleef staan en leunde tegen de muur.

'Kende jij Hjalmar Nymark?' vroeg ik.

'O ja. We hebben tot zijn pensioen samengewerkt. Sindsdien heb ik hem nog maar sporadisch gezien. Gepensioneerden komen nog maar zelden binnen, Veum. We hebben het veel te druk met de lopende zaken. En dat weten ze.'

'Jullie zijn zeker altijd onderbezet?'

'Ja', zei hij kort. 'Ik ben in het begin van de jaren zestig in Bergen begonnen. Hjalmar Nymark was jarenlang een van mijn naaste collega's. Ik heb veel van hem geleerd.'

'Dat betekent dus... dat jij... zeg eens, was Hjalmar Nymark een goed politieman?'

Vegard Vadheim keek me stuurs aan. 'Een goed politieman? Dat hangt ervan af wat je daaronder verstaat. Het is mogelijk dat wij daar verschillende opvattingen over hebben. In ieder geval bestaat daar grote onenigheid over, intern. Maar ik kan je wel antwoord geven. Ja, volgens mij was Hjalmar Nymark een zeer goed politieman. Ik heb geleerd op zijn oordeel te vertrouwen. Iemand met veel mensenkennis en altijd aan de kant van het volk, als je begrijpt wat ik bedoel. Er zijn er veel te veel die blindelings de paragrafen volgen, terwijl je uit moet gaan van de mensen die je ontmoet, Veum. Niemand is onfeilbaar. Ook politiemensen niet. En lang niet alle paragrafen zijn per definitie eeuwige waarheden.'

'Kende je Hjalmar Nymark goed?'

'Zo goed als je een collega kent, zonder persoonlijk bevriend te zijn. Hij was in veel opzichten nogal gereserveerd. Leefde alleen, had weinig echte vrienden, geen familie. Ik geloof dat hij een verdomd eenzaam leven leidde, maar zo wilde hij het. We hebben een paar keer samen gegeten, we hebben hem bij ons thuis uitgenodigd, maar... We waardeerden elkaar in het werk. Verder zagen we elkaar zelden.'

'Was hij, toen jij hem kende, ook al zo bezig met een aantal oude kwesties?'

'Wat bedoel je?'

'Een paar voorvallen tijdens de oorlog: een verrader... en moordenaar, die Rattengif werd genoemd. Een brand in een verffabriek die Pauw heette, in 1953, waar vijftien mensen bij omkwamen. Een verdwijning, later, in 1971. En een moord, ook in 1971.'

'Ik denk dat je een aantal dingen door elkaar haalt, Veum. Wat het eerste betreft: hij heeft me wel eens wat over de oorlog verteld. Hij heeft tenslotte een nogal centrale positie binnen de plaatselijke ondergrondse ingenomen. Dat was op zich interessant, maar je weet hoe het gaat. Iedereen heeft wel iets over de oorlog te vertellen. Na verloop van tijd let je niet meer op details. Maar ik kan me die naam, Rattengif, nog wel herinneren. En die moord waar je waarschijnlijk naar verwijst, in 1971, herinner ik me ook. De man die vermoord werd, was volgens sommigen, waaronder Hjalmar Nymark, identiek met die Rattengif, nietwaar?'

Ik knikte. 'Ja. De zaak is nooit opgehelderd.'

'Nee. Dat klopt. Het was een monsterlijke geschiedenis, maar in veel opzichten typerend. Het was een executie, zoals dat in de onderwereld wel vaker voorkomt. Verklikkers worden op die manier terechtgesteld. Net als drugsdealers die de ontvangen partij niet kunnen betalen. En dat zou oude nazi's ook kunnen overkomen. Zoiets is helemaal niet ondenkbaar.'

'Maar hoe zit het dan met die verdwijning?'

'Welke verdwijning?'

'Een man die Sjouwer-Johan werd genoemd, is op ongeveer datzelfde tijdstip verdwenen. Iemand met dezelfde lichamelijke gebreken als Harald Wolff... Rattengif... en die sindsdien nooit meer is opgedoken.'

'Dat kan ik me niet herinneren...'

'Nee. Het zal wel met prioriteiten te maken hebben. Sjouwers komen en gaan. Met reders is dat anders.'

Hij keek me sip aan. 'Het spijt me. Ik ken die zaak niet.'

'En de brand in 1953... Hjalmar Nymark denkt dat diezelfde Harald Wolff daar iets mee te maken had. Hij was er
kantoorbediende. Dan zou het dus geen tragisch ongeluk
zijn geweest, maar veel ernstiger: een misdrijf. Dat houdt
hem nog steeds bezig. Tot op de dag voor zijn ongeval, ja,
op de dag zelf nog heeft hij erover verteld. Hij is het niet vergeten. Bijna dertig jaar na de brand bij Pauw en precies tien
jaar na de verdwijning van Sjouwer-Johan en de onopgeloste moord op Harald Wolff, maar hij... Ik weet het niet,
maar ik heb het sterke vermoeden dat hij die zaken nog
steeds onderzoekt. En dan dat ongeluk. Het is in feite een
wonder dat hij nog leeft. Zie je niet dat er een mogelijk verband is?'

Vegard Vadheim keek me lang aan. 'Het klinkt niet erg
waarschijnlijk, maar... ja, ik zie het *mogelijke* verband wel.
Maar...' Hij maakte een hulpeloos gebaar. 'Waarom kom je
hiermee bij mij? Hamre heeft de zaak en ik kan je verzekeren, Veum, Hamre is een uitstekende vent. Als hier iets van
waarheid in zit, dan komt hij daar heus achter. Ik...' Hij
strekte zijn hand uit naar de telefoon.

'Ik kom net bij hem vandaan. Hij was niet erg geïnteresseerd. Jij zou het met hem kunnen bespreken. En...'

De deur ging open en er kwam een vrouw binnen met
een stapel papieren in haar handen. 'Hier is het. Ik geloof
dat ik het nu heb.' Ze bleef in de deuropening staan toen ze
mij opmerkte. 'O, sorry, ik...'

Ze was begin dertig, had lang, blond haar, een grote, beetje kromme neus en een voorzichtige glimlach die verbluf-
fend snel echt vrolijk werd. Met een glinstering in haar
ogen stak ze me een smalle hand toe. 'Hallo. Veum, is het
niet?'

Ik schraapte mijn keel. 'Ja. In ieder geval niet dr. Living-
stone. Maar...'

Ze lachte opgewekt. 'Nee, we hebben elkaar nooit ont-moet. Maar ik heb je een keer geschaduwd. In een groene Mazda. Ik heet Eva Jensen.'

'O ja, die keer. Nou, dan...'

'Stoor ik?'

'Nee, ik wou net weggaan.'

Vegard Vadheim was van de rand van zijn bureau gewipt en bleef met een glimlachje om zijn mond staan. 'Train je eigenlijk nog, Veum?' Tegen Eva Jensen zei hij: 'Veum en ik hebben het een paar keer tegen elkaar opgenomen, toen hij bij de kinderbescherming werkte en voor het gemeente-huis liep.'

'Ik loop best veel', zei ik. 'Als we een goeie zomer hebben en de geest in evenwicht is... misschien zien we elkaar dan bij de marathon van Bergen, dit najaar?'

'Misschien wel, Veum, wie weet.'

'Nou... tot ziens!' Ik knikte naar hen beiden. Eva Jensen was in het blauw gekleed: blauwe overhemdblouse en blau-we, ribfluwelen rok. Haar glimlach bleef tot op straat in mijn hoofd hangen. Een paar jaar eerder zou ik misschien verliefd zijn geworden. Maar nu niet. Ik was een ruïne, een verlaten vesting, een akker die lang geleden was omgeploegd. Zo voelde ik me althans, en dat gevoel had ik al sinds afge-lopen november.

Soms, als ik politiemensen als Hamre, Muus en Vadheim ontmoette, zakelijk, betrapte ik mezelf erop me af te vragen hoe hun privéleven eruit zou zien.

Jakob E. Hamre leidde vast en zeker een geordend leven. Ik nam aan dat hij een aardige vrouw had, die gezond brood voor hem bakte, en twee blozende kinderen, dat hij 's mid-dags met de jongste naar de speeltuin ging en 's avonds naar de ouderavond van de school van de oudste; dat hij met de buren bij een kop koffie over voetbal en politiek discussieerde, 's zondags de bergen rondom de stad in trok, een of twee keer per maand met zijn vrouw naar de bioscoop of de schouwburg ging, en het zich misschien zelfs een enkele keer permitteerde haar uit te nodigen voor een etentje. Hij vrijde sporadisch, maar zeker niet zonder passie, al zou het me niet verwonderen als hij achteraf opstond om zijn haar te kammen.

Dankert Muus daarentegen, was het type dat bij thuiskomst verwachtte dat iedereen in de houding stond om hem te verwelkomen, dat de tafel gedekt was en de krant keurig opgevouwen op vaders plaats op de bank klaarlag, om tijdens de koffie na het eten uitgespeld te worden. Ik nam aan dat hij de avonden voor het televisiescherm doorbracht, met zijn benen op tafel en een fles pils onder handbereik, terwijl hij brommend commentaar leverde op het journaal, de weersvooruitzichten of op de speelfilm van die avond. Met zijn hoed op zijn hoofd en met donkere baardstoppels beleefde hij zijn meest hartstochtelijke momenten als er een voetbalwedstrijd op het scherm was.

Te oordelen naar de smartelijke blik in zijn ogen, nam ik aan dat Vegard Vadheim iemand met een problematisch liefdesleven was. Om de een of andere reden zag ik hem altijd voor me in een schemerige keuken, de tafel gedekt voor twee, rode wijn in de glazen. Tegenover hem zat een vrouw met lang, blond haar en zinnelijke gelaatstrekken. Ze zaten over de tafel gebogen en spraken over serieuze zaken. Soms was het beeld anders: zij was opgestaan, staarde door het raam, het herfstdonker in, terwijl hij haar pols vasthield; op het volgende beeld was zij op weg naar buiten en bleef hij achter aan tafel, terwijl hij haar treurig nastaarde. Ik zag hoe hij voor zijn bed stond, zijn koffer pakte en zijn kleren er netjes in legde, de laatste exemplaren van de twee dichtbundels die hij had geschreven opzocht, er een paar sportmedailles bij smeet, hoe hij naar de kinderkamer liep en een poosje in de deuropening bleef staan kijken, om daarna naar binnen te gaan en de slapende kinderen over hun haar te strelen. En ik zag voor me hoe hij een smalle trap in een donker huis afdaalde, maar dan was de blonde vrouw niet meer in beeld. De man in drie stadia.

Misschien klopte er helemaal niets van. Misschien waren het slechts fantasieën. Plotseling loop je een gebouw uit en is je hoofd vol beelden.

En Eva Jensen?

Zij is een glimlach, die langzaam vervaagt.

11

Wat moet je uitrichten als het juni is en de dagen donker zijn, als de regen als vuile gootsteendoekjes tegen je raam slaat, je beste vriend in het ziekenhuis ligt, de plaatselijke eerstedivisieclub in sneltreinvaart afzakt naar de tweede, je aquavitfles leeg is en je je geen nieuwe kunt veroorloven?

Ik zat in mijn kantoor en trachtte op te schrijven wat ik me kon herinneren van hetgeen Hjalmar Nymark me had verteld en van wat ik naderhand op het politiebureau had vernomen.

Ik probeerde een tijdbalk te maken die in de jaren dertig begon. Ik noteerde wat ik gehoord had over de activiteiten van Harald Wolff in de periode 1943-'45, ingeval hij inderdaad Rattengif was. Ik omcirkelde het jaartal 1953 en schreef de namen op die ik in verband met de brand bij Pauw had beluisterd: Harald Wolff (nogmaals), Elise Blom, met twee strepen eronder (omdat zij later met Harald Wolff was gaan samenwonen), Hagbart Helle (bust), Holger Karlsen (dood 1953) en Olai Osvold (Brandmerk). In de marge, een beetje schuin, zodat het ook de oorlogsjaren dekte, schreef ik nog een naam: Konrad Fanebust. Toen sloeg ik een aantal jaren over en kwam ik bij 1971. Daar schreef ik: Harald Wolff – dood? Sjouwer-Johan – verdwenen? En ten slotte tekende ik een grote, dikke pijl naar de onderkant van het vel papier. Daar schreef ik: 1981 – Hjalmar Nymark aangereden.

Ik keek naar het vel papier. Het vertelde me helemaal niets. Niet meer dan ik al wist. Als er een patroon in zat, was het goed verborgen en de sporen waren *minstens* tien jaar oud. Als er al sporen waren.

Als iemand me had aangeboden de beroemde naald in de hooiberg voor me te zoeken, zou ik daar eerder mijn spaargeld op inzetten.

Ik trok de la van mijn bureau open, pakte mijn kantoorfles en overtuigde me ervan dat mijn herinnering klopte. De fles was leeg.

Ik kon niets doen. In ieder geval niet voordat ik Hjalmar Nymark had gesproken. En dat zou nog wel even duren.

Het duurde een week voor ik bij hem werd toegelaten. In de tussentijd had ik Hamre een paar keer via de telefoon gesproken, alleen om bevestigd te krijgen wat de kranten me – door hun zwijgen – vertelden: dat er niets was gebeurd.

De dag dat ik Hjalmar Nymark opzocht, kocht ik een boeketje lelietjes-van-dalen, een zak druiven en een boek over onopgehelderde misdrijven, dat ik in een antiquariaat aan de Markevei vond (om een aanleiding te hebben om ergens over te praten).

Op het bezoekuur bij een ziekenhuis aankomen, is net zoiets als naar een begrafenis gaan. Tussen de mensen die het ziekenhuisterrein oplopen, iedereen met dezelfde relikwieën onder de arm – dozen bonbons of tuiltjes bloemen – voel je je een lid van een groot en geheim genootschap: de gezonden. Toch voelt ieder mens die op het bezoekuur naar een ziekenhuis gaat zich enigszins onwel, voelt ergens een pijntje – in de maag, het hart of misschien alleen in de nek. Iets is er mis. Je bent nooit helemaal gerust. Misschien komt er een arts je ogen binnenstebuiten keren, omdat hij een bekend symptoom denkt te zien. Je wordt misschien op een bed gelegd en naar de operatiezaal gereden, zonder dat je zelfs maar je doos bonbons of je bloementuiltje hebt kun-nen afgeven.

Hjalmar Nymark lag op een afdeling op de derde verdie-ping. In de gangen lagen her en der patiënten. De gelukki-gen, die een plaatsje aan het raam hadden gekregen, keken uit op het grote centrale gebouw, waarvoor niemand ge-noeg geld had om naartoe te verhuizen: nog zo'n monu-ment voor de geraffineerde transacties van het olietijdperk, in dit land dat volgens alle statistieken bij de rijkste ter we-reld hoorde. Aan het einde van de gang kwam ik bij een lan-ge, smalle zestienpersoonszaal, die eindigde in een klein zitkamerachtig hoekje in de uiterste hoek van het gebouw. Daar hing de sigarettenrook als een zeemist boven de patiënten, die met hun rug en nek op scheve torens van hoofdkussens waren gestapeld, en zo het allerlaatste restje kinderprogramma op de televisie volgden. De meesten zagen eruit alsof ze dik in de tachtig waren.

Hjalmar Nymark lag ongeveer halverwege de linkerrij, hij had een canule in zijn arm. Boven zijn bed hing een fles heldere vloeistof. Hij leek zeker tien kilo afgevallen. De huid van zijn gezicht was geel en vochtig en in zijn ogen lag een wonderlijke matheid, die er eerder niet was geweest. Zijn halve gezicht was blauw van de ernstige kneuzingen en hij was aan alle kanten bepleisterd en verbonden. Hij lag op zijn rug en staarde doods voor zich uit. Zijn beide benen waren omzwachteld, de pols van zijn rechterarm zat in het gips en de vingers van zijn linkerhand staken omhoog, als een dode krab.

Ik liep langzaam zijn gezichtsveld binnen, om hem niet te overrompelen. Hij keek me aan zonder te reageren.

Dit was niet de grote, energieke man die ik had leren ken-nen, die met zijn krant tegen de tafel sloeg om te benadruk-ken wat hij zei en zich als een onweer verhief als hij klaar was. Dit was een onbekende neef uit de provincie, een bleke verwant, een schaduw op een bewolkte dag.

'Hallo, Hjalmar!' zei ik, zo opgewekt mogelijk.

Hjalmar Nymark keek me aan, opende zijn mond en sloot hem weer. De man in het bed ernaast grinnikte onnozel. Ik keek hem aan. Zijn brillenglazen waren twee meter dik, hij had een mond zonder tanden en lag van zijn nek tot zijn middel in het gips. Maar hij lachte vast niet om mij. Waarschijnlijk vond hij het leven aangenaam, ondanks alles. Zulke mensen bestaan, geruststellend genoeg. Zij zitten eerste rang in de hemel, terwijl alle anderen een staanplaats op het balkon krijgen toegewezen.

'Herken je me niet meer?' vroeg ik omstandig.

Hij knikte langzaam. 'V-v-v...' zei hij.

'Ik heb wat...' Het leek zinloos om daar met die kleine, geurende lelietjes-van-dalen in mijn hand te staan, vol pril en sappig leven, met sterke, donkergroene bladeren en piepkleine, geelgroene meeldraden, die hun stuifmeel tevergeefs zouden uitstrooien over vloeren die iedere morgen met ontsmettingsmiddel werden gedweild. Het leek een belediging om zijn slappe mond het zakje gladde druiven voor te houden. Het boek legde ik zonder commentaar op het nachtkastje.

Ik ging op de stoel naast zijn bed zitten en hij volgde me met zijn blik. Diep in zijn ogen was iets waakzaams, levends, maar de weg ernaartoe was lang en je had een sterke lamp nodig om niet te verdwalen.

Hij kon die avond niets uitbrengen, maar de volgende dag groette hij me met een zweem van een glimlach en de dag daarna lukte het hem om mijn naam helemaal uit te spreken.

Na een week konden we een voorzichtig gesprek voeren, maar zodra ik het onderwerp waar hij voor het ongeval over had gesproken probeerde aan te roeren, trok zijn gezicht weer dicht en sloot zijn blik me buiten. Ik probeerde het nogmaals, en plotseling – in een onverhoeds en onverwacht ogenblik – leek een vleugje van de oude Hjalmar Nymark weer in hem te ontwaken. Hij balde zijn linkerhand zo krachtig dat de knokkels wit werden en zijn donkere ogen vonkten. 'Vergeet het, Veum!' snauwde hij. 'Er valt niets meer over te zeggen! Snap je dat? Je moet de doden laten rusten, snap je?' Zijn ogen leken bijna jong, zo donker en kwetsbaar als die van een afgewezen minnaar. 'Snap je?'

De man in het bed ernaast lachte hinnikend om een grappige scène in de stomme film die hij altijd aan de binnenkant van zijn dikke brillenglazen zag en ik greep Hjalmar Nymarks hand en omklemde hem, terwijl ik knikte. Ik snapte het en ik deed alsof ik het vergat.

Nadien spraken we er nooit meer over en er leek een stagnatie in Hjalmar Nymark op te treden. Hij werd beter, zonder echt beter te worden. In het ziekenhuis zeiden ze dat hij fantastische vorderingen maakte, maar ik merkte niet veel vooruitgang.

Zo ging juni voorbij, als natte voetsporen op heet asfalt. De dagen verdampten snel en juli zette in, zoals gebruikelijk te doen.

Juli was dit jaar grijs en regenachtig. Ik bracht vijf weken door op Sotra, in een vakantiehuisje dat ik had kunnen lenen van een verre neef, die het prettig vond dat er iemand op zijn huisje paste, terwijl hij zelf zijn vakantie in zonniger streken doorbracht. Alvorens het aanbod aan te nemen, had ik eerst Hjalmar Nymark van mijn plan op de hoogte gebracht, voor het geval hij mijn bezoekjes zou missen, maar hij zag er bijna opgelucht uit toen ik het hem vertelde. Misschien herinnerde mijn aanwezigheid hem constant aan dingen die hij liever wilde vergeten. Misschien zou hij beter worden als ik me een poosje afzijdig hield. In elk geval pakte ik aquavit, visgerei en hardloopspullen in, om me een tijdje op het uiterste randje van het land te vestigen, waar de Atlantische Oceaan schuimbekkend over wolfsgrijze, kale rotsen spoelde en waar het sterk naar wier en teer rook.

Het huisje lag boven op een hoge klip. Een steile kloof leidde naar een oud botenhuis en een steiger, en buiten voor de kleine inham vormden enkele verweerde eilandjes de laatste barrière naar zee.

Ver, ver weg werd de zee tot hemel, maar dat was niet altijd zichtbaar. Op deze betrokken zomerdagen, met aanhoudend regen in de lucht en een zon die nooit méér werd dan een vermoeden ergens achter de wolken, leken de zee en de hemel in elkaar over te gaan en één te worden. Je was als het ware ingepakt in een grote, grijze verwassen doek, die stevig was ingestopt onder het stukje land waarop je je bevond.

De dagen gingen in rustgevende eenvormigheid voorbij. Ik stond op wanneer ik daar zin in had, deed een paar uur over het ontbijt en de koffie, haalde wat boodschappen bij de dichtstbijzijnde kruidenier, roeide met het kleine bootje van de verre neef naar de eerste eilandjes, vond een geschikte stek om jonge koolvis te vangen, wierp mijn blinker uit en haalde – soms snel, soms langzaam – mijn middagmaal binnen.

Iedere avond ging ik hardlopen en de afstand die ik aflegde werd langer en langer. Tegelijkertijd nam mijn behoefte aan alcohol af. Toen de fles aquavit leeg was, kwam het er niet van het hele eind naar de stad te rijden om een nieuwe te kopen, en het kratje bier dat ik had gekocht was voldoende voor vier hele weken. Je kon hier in deze uithoek je

bier namelijk alleen per krat kopen. Zo denken ze te bereiken dat de mensen minder drinken. De laatste week dronk
ik alleen nog melk, koffie, thee en water. Langzaamaan voelde ik de kracht in mijn lichaam terugkeren. Het was een
lang en afmattend jaar geweest, met regelmatige uitstapjes
naar de bodem van mijn kantoorfles.

Ik bracht de vakantie alleen door. Thomas had mee ge-
mogen naar de Verenigde Staten, met Beate en haar nieuwe
man, die een studiebeurs had gekregen voor een verblijf
van twee maanden. Ondanks het feit dat hij ondertussen
langer met haar was getrouwd dan ik was geweest, noemde
ik hem nog steeds 'Beates nieuwe man'. Tijdens mijn vakantie kreeg ik twee ansichtkaarten van Thomas. Eentje uit
Disneyland waarop stond dat hij nog nooit zo'n plezier had
gehad. De andere was een authentieke foto van de lichamen
van Tim Evans, Bob Dalton, Grat Dalton en Texas Jack, na
het legendarische vuurgevecht in Coffeyville, Kansas, op
5 oktober 1892, en op de achterkant van de kaart kon ik lezen dat mijn zoon deze reis van zijn leven niet zou vergeten.

De verre neef stuurde me een kaart uit de zonnige streken, om me te vertellen dat de sterkedrank goedkoop was,
de vrouwen gewillig en dat de zon de hele dag scheen. Verder
hoorde ik van niemand iets.

's Avonds zat ik voor het raam in de woonkamer, met een
glas bier of een glaasje aquavit (zolang ik nog had) in mijn
hand, boeken te lezen die zo dik waren dat er een zomervakantie voor nodig was om erdoorheen te komen. Of ik zat
een beetje naar buiten te staren, voorbij de kleine eilandjes,
naar de schijnbaar eindeloze zee, zoals mensen graag naar
de horizon staren, alsof zich daar een geheime opening bevindt naar een nieuwe en betere wereld. Af en toe doorkruiste een groot schip het stuk zee daarbuiten en in het
zuiden zond een vuurtoren zijn regelmatige boodschap
naar de wereld eromheen: flits – flits flits – flits...

In het naburige huisje verbleef een gezin met twee kleine kinderen. Hun vader was lang en slungelig en droeg een bril. Hun moeder was een fragiele, doorzichtige blondine, zo eentje die bijna onzichtbaar wordt als ze zich in bikini vertoont. 's Avonds kon ik ze zien zitten, in het licht van de petroleumlamp. Wanneer de kinderen naar bed waren, zaten de ouders dicht tegen elkaar aan naar diezelfde zee te staren en over van alles en nog wat te kletsen. Ze zagen er verbazingwekkend tevreden uit. Overdag gingen ze in felgekleurde regenkleding naar buiten en als we elkaar op het pad naar de hoofdweg tegenkwamen, glimlachten ze vriendelijk, knikten en zeiden hallo. Soms, als ze zich echt verveelden, kwamen de twee kinderen naar me toe en wisselden ze een paar woorden met de kluizenaar op de rots.

Drie dagen scheen de zon. Toen zaten ze buiten op het terras voor het huisje tot de zon onderging en mochten de kinderen langer opblijven. Ze hadden limonade in hun glazen en toen het wat frisser begon te worden, trokken ze dikke vesten aan en gingen ze dichter tegen elkaar aan zitten. Ik kon hun hoge stemmen horen op de plek waar ik zelf zat, op een paar platte stenen voor het huisje, met een kop hete koffie in mijn handen en een oude krabbenfuik aan mijn voeten. Vanaf onze respectievelijke uitzichtspunten zagen we de zon langzaam naar de horizon zakken, rond en rood als een grote ballon, zo rond dat je bijna verwachtte dat hij weer omhoog zou stuiten. Maar hij zonk weg in de diepte en vanaf zee kwam langzaam de duisternis aandrijven, als een zwarte pest.

Maar de zon scheen niet vaak 's avonds. In de kranten stond dat het een van de natste zomers was sinds het begin van de jaren twintig en veel mensen waren van mening dat we een nieuwe ijstijd tegemoet gingen. De optimisten troostten ons ermee, dat het helemaal geen ijstijd was, maar slechts een periode met natte zomers en lagere gemiddelde temperaturen, die niet langer dan zo'n twintig tot dertig jaar zou duren. Als je maar lang genoeg gezond bleef, kon je met andere woorden de toekomst opgewekt tegemoet zien.

Een paar avonden, terwijl de regen als talk op het stille wateroppervlak neerviel, roeide ik rond om krabben uit donkere fuiken te plukken. Dan zat ik tot het eerste ochtendgloren aan tafel en dan at ik krab, zo eindeloos en zo vredig, als slechts mogelijk is wanneer je alleen bent.

Toen begonnen de dagen te krimpen. De avonden werden donkerder en wanneer je 's morgens naar buiten stapte, zat er kou in de lucht. Ik bleef een paar dagen langer en augustus was al acht of negen dagen oud toen ik het huisje opruimde, de luiken voor de ramen deed en de boel zorgvuldig afsloot.

Ik reed over de Sotrabrug met een zuidwestenwind in de flank. In het noorden lag het eiland Askøy, stevig ingepakt in vuilgrijze watten, om geen schade op te lopen tijdens het vervoer. Bij het naderen van de stad lagen de mistwolken onderaan de berghellingen op de loer, alsof ze de allerlaatste restjes wilden verslinden van een zomer die er nauwelijks was geweest.

Ik parkeerde mijn auto in het centrum en nam even een kijkje in mijn kantoor. De post had zich opgestapeld, gedurende de vakantie waren de postbodes beziggehouden met het rondbrengen van reclame. Het meest persoonlijke in mijn brievenbus was een aanmaning van een levensverzekering waarvan ik het zinloos had gevonden om te blijven betalen. Ik ging naar boven naar mijn kantoor en maakte de deur open. Het stof had zich opgestapeld als de lagedrukgebieden voor de Noorse kust. Verder was alles zoals het hoorde. De fles in mijn bureaula was net zo leeg als een verkiezingsbelofte en de enige verandering in het stadsbeeld voor mijn raam was het nieuwe hotel op Bryggen dat vorm begon aan te nemen en dat de overkant van de haven een nieuw en fraaier uiterlijk verschafte, alsof de uitgeslagen tanden in een mond eindelijk werden vervangen door nieuwe.

Toen ik het ziekenhuis belde en naar Hjalmar Nymark vroeg, vernam ik dat hij was uitgeschreven.

12

'Uitgeschreven?' vroeg ik, onnodig luid misschien. 'U bedoelt zeker overgeplaatst. Naar een verpleegtehuis of zoiets.'

'Een ogenblik, dan zal ik...' zei de stem en werd afgebroken.

Een nieuwe stem nam het over. Deze was veel mondiger en ik zag een grote, krachtige hoofdzuster voor me, die moederlijke uitbranders geeft als je je zonder te bellen en om goedkeuring te vragen in je slaap omdraait. 'Met Pedersen, wat wilt u?'

'Hoort u eens, mevrouw Pedersen, mijn naam is Veum en ik zou graag mijn goede vriend Hjalmar Nymark bezoeken, die...'

'Die is uitgeschreven. Hij is vandaag uitgeschreven.'

'Maar hij... bedoelt u echt uitgeschreven? Naar huis?'

'Hij is naar huis gegaan, als u dat bedoelt, ja.'

'Maar kan hij dan lopen? Toen ik hem voor het laatst...'

'Hij gebruikt krukken, maar hij is volledig mobiel.'

'Volledig mobiel? Maar de man woont in een oud huis, op de derde verdieping, zonder lift. Hoe denkt u...'

'Het spijt me, Veem...'

'Veum.'

'Dat is natuurlijk spijtig, maar het is hier rampzalig gesteld met de bezetting, nu tijdens de vakantie. Als het maar enigszins verantwoord is, sturen we mensen zo uit de operatiezaal met een taxi naar huis.' Ik hoorde haar wat papieren doorbladeren. 'Bovendien kan ik u geruststellen, we hebben contact opgenomen met maatschappelijk werk en er is een gezinshulp voor hem geregeld, dagelijks, dus... Er zijn mensen die er erger aan toe zijn dan hij. U bent misschien familie, dan kunt u toch...'

'Ik ga hem opzoeken, ja. Nu meteen.'

'Nog iets, Veem?'

'Nee, er...'

'Goeiendag, dan maar.'

'Goeiendag.'

Ik legde de hoorn voorzichtig neer, opdat ze niet terug zou bellen om me uit te schelden. Toen ging ik op pad.

Het smalle, grauwe huis waar Hjalmar Nymark woonde, zag er niet bijzonder uitnodigend uit. Ik liep de donkere trap op. Voor een man van zeventig, met krukken, kon het niet gemakkelijk zijn om boven te komen. Als er brand uitbrak was hij evenveel waard als een dertig jaar oud dossier in het politiearchief.

Op de tweede verdieping was het lichtpeertje kapot. Toen ik op de tast verder klom naar de derde, werd ik boven me een persoon gewaar. Ik bleef staan, met mijn ene been een traptrede boven de andere. De ogen die de mijne ontmoetten, waren agressief en bezorgd tegelijk.

Daarboven stond een vrouw. Ze was een jaar of veertig, een van die omvangrijke, bijna vierkante vrouwen, die zich met brede heupen, een korte pony en een enorme onderbeet door het bestaan bewegen. Ze deed vaag denken aan een oosterse vrijworstelaar, maar de gezichtsuitdrukking waarmee ze me opnam was geenszins onderdanig. Haar stem was krachtig, het dialect uit Bergen. 'Wat moet u?'

'Ik ga naar Hjalmar Nymark', antwoordde ik en liep voorzichtig verder omhoog.

'Bent u familie?' snauwde ze. 'Als u denkt dat ik dit leuk vind... Ze hadden gezegd dat de deur open zou zijn, zodat ik zo naar binnen zou kunnen. De cliënt is bedlegerig of in ieder geval heel slecht ter been.'

Ik was boven bij haar aangekomen. Van dichtbij was ze iets minder imposant, omdat ze ruim tien centimeter kleiner was dan ik. Ze had strakke, smalle lippen, scherpe ogen en ze rook zwak naar eucalyptussnoepjes. Ze droeg een grijsbruine, knielange mantel met een dubbele rij knopen en brede kleppen op de zakken. De stand van haar benen was van een middelmatig doelman, op het moment dat de topscorer van de tegenstander zich opmaakt om een penalty te nemen. Haar portrode handtas had lange hengsels, waardoor hij een uitstekend handwapen was. Ik hield hem goed in de gaten.

Ik vroeg voorzichtig: 'Bent u de gezinshulp?'

'Ja, en ik heb niet alle tijd van de wereld. Ik heb nog twee cliënten en een daarvan is een vrouw van negentig, die blind is en gedeeltelijk gehandicapt, en die iedere dag hulp *moet* hebben bij het eten. En op kantoor zeiden ze...'

'Wat was er afgesproken?'

'Die Hjalmar Nymark... hij komt net uit het ziekenhuis en ze zeiden tegen me, op kantoor...' ze keek me argwanend aan, 'dat hij helemaal geen familie had en dat hij daarom iedere dag bezocht moest worden... behalve in het weekeinde natuurlijk. Want dan zijn we vrij.'

'En wat gebeurt er dan in de weekeinden?'

'Niets. Als er geen familie of iemand anders is.'

'En die blinde, oude dame?'

'Nee, *dan* komt haar dochter.'

'Dus *dan* komt haar dochter.'

'Ja, want die woont helemaal op Stord.'

'En een plaatsje in een verpleegtehuis, is dat er niet?'

Ze schudde zwijgend haar hoofd. Toen gleed haar blik opzij, naar de deur. Die was bruin geschilderd en achter de smalle ruitjes konden we vaag het licht in Hjalmar Nymarks gang ontwaren. Midden op de deur zat zo'n ouderwetse deurbel die je nog in een paar wijken van Bergen kunt aantreffen. Je draait een handgreep om en het rinkelt aan de binnenkant: een schrapend, hees geluid.

De gezinshulp zei: 'Die man daarbinnen kan bijna niet lopen. Daarom zouden de mensen van het ziekenhuis de deur open laten staan. Ik zou zo naar binnen kunnen. Maar hij zit op slot. En ik heb geen tijd.' Ze wees naar haar polshorloge.

Ik keek naar de deur. Een resoluut iemand zou hem binnen tien seconden open hebben. 'Heeft u al aangebeld?'

'Natuurlijk. En ik heb ook geklopt. Ik ben ook al hier beneden geweest, maar daar is niemand thuis.' Ze keek me hulpeloos aan. 'En als u nou familie was, dan...'

Ik haalde mijn schouders op. 'Wat dan? We kunnen maar één ding doen. We breken in.'

Ze zette grote ogen op. 'Maar... misschien kan de huismeester...'

Ik duwde haar rustig opzij en deed een stap in de richting van de deur. Ik wierp een blik op het slot, tilde mijn rechterbeen op en trapte met mijn zool tegen de deur, direct naast het sleutelgat. Het raamwerk kraakte en er viel stucwerk van het plafond. De gezinshulp keek bezorgd omhoog en greep de trapleuning vast. De deur ging niet open.

Ik trapte nog een keer. Deze keer viel er aanzienlijk meer kalk van het plafond. We werden allebei door een grijswit poeder bedekt en nu was het mijn beurt om omhoog te kijken. Als ik zo doorging, zouden we binnenkort onder een blote hemel staan. De deur was nog steeds dicht.

'Nu dan', zei ik en maakte korte metten. De volgende trap

brak het ruitje dat het dichtst bij het slot zat. Met de punt van mijn schoen schopte ik de scherpe glasscherven los, stak vervolgens mijn hand naar binnen, pakte de deurknop vast en deed de deur met een klik van het slot open.

Ik stapte opzij en beduidde de gezinshulp als eerste naar binnen te gaan, aangezien zij de bureaucratie aan haar zijde had. Ze staarde angstig naar de deuropening en wuifde mij voor haar naar binnen.

Ik liep naar binnen en hoorde haar rappe voetstappen vlak achter me. Ze wilde niet als eerste naar binnen gaan, maar ze wilde ook beslist niets missen.

De woning was volkomen stil, de hal leeg en schemerig. Ik deed de deur naar de woonkamer open. Die was leeg. 'Hjalmar?' zei ik.

Geen antwoord.

De gezinshulp ademde zwaar achter me. 'Is hij...'

Ik liep de kamer door naar de lichtgroene deur, klopte aan en maakte hem snel open, voor iemand had kunnen antwoorden.

Het is merkwaardig. Als je zulke deuren opendoet, weet je bijna altijd al wat je zult aantreffen. Op het moment dat je hem opendoet, weet je het. Alsof de dood een eigen, sterke uitstraling heeft.

Hjalmar Nymark lag in bed. Het dekbed was gedeeltelijk opzijgeslagen. Het kussen lag op de grond. Zijn ene arm hing slap langs het bed, maar raakte de vloer niet. De nieuwe krukken stonden tegen het nachtkastje. Op het nachtkastje stond een glas water. Het glas was half leeg.

Zijn gezicht verried niets. Het was vreemd en anders, als een ten dele gesmolten masker van was. Er hing een weeë, zoetige lucht in de kamer en het was onmogelijk de laag stof op de meubelen over het hoofd te zien. Hjalmar Nymark was gestorven in een omgeving die paste bij het leven dat hij had geleid, omgeven door niets, zonder andere aanwezigen, alleen hijzelf.

Ik wendde me af en ontmoette het gezicht van de gezinshulp achter me. Ze zag er niet langer angstig uit. Ineens straalde ze iets nuchters en realistisch uit. Het was bijna een troost. Ik ging weg van de deuropening, de woonkamer in. In de donkere kamer zei ik voor me uit: 'We zullen even moeten bellen.'

13

Ik bleef met mijn rug naar de lichtgroene deur staan. Op het buffet recht voor me stonden de foto's van Hjalmar Nymarks ouders. Het waren lichtbruine foto's van rond de eeuwwisseling en het viel me op dat Hjalmar Nymarks leven drie generaties had beslagen en dat zijn ouders tot de vierde behoorden. Ze waren waarschijnlijk ergens rond 1870 geboren, ongeveer ten tijde van de Duits-Franse oorlog, de Commune van Parijs en de doorbraak van het parlementarisme. Toen de Eerste Wereldoorlog uitbrak, waren ze ouder dan ik nu was. Bergen was toen nog een autovrije stad, op Fløien ontsproten de jonge boompjes en als je de natuur in wilde, ging je met een bootje naar de overkant van het Store Lungegårdsvann.

Ik bekeek Hjalmar Nymarks vader. Van hem had hij de gezichtsvorm: vierkant en massief, met een krachtige kin. Zijn krullende haar stond recht overeind boven zijn brede voorhoofd. Hij had een plechtige uitdrukking op zijn gezicht, zoals alle mensen toentertijd hadden als ze naar de fotograaf gingen.

Zijn moeder leek breekbaarder. Haar gezicht werd smaller naar de kin, als een ijshoorntje, en over haar voorhoofd hing een lichte slagroomtoef van blonde krullen. Haar ogen leken schuchter en er lag een bedachtzame trek rond haar mond.

En hun kind lag nu in de kamer hierachter. Hij had zich bij de gestaag groeiende schare van zijn voorouders gevoegd en wat restte, was een leeg omhulsel en een dood, zielloos gezichtsmasker.

Ik keek om me heen. De kamer leek onbewoond en bestoft. Hij had hier een mensenleven lang gewoond. Nu zouden er nieuwe mensen intrekken, die nieuwe kleden over de vloer zouden uitrollen, felle kleuren op de wanden kalken, kleurrijke, gebloemde gordijnen voor de ramen hangen, de woning met planten en schilderijen opvrolijken en meubels meebrengen waar alleen een yogaspecialist zich in thuis zou voelen.

De gezinshulp kwam uit de slaapkamer. Ze keek snel op de klok. 'We kunnen niets meer doen.'

'Nee,' zei ik mat, 'alleen de politie bellen.'

Haar brede gezicht trok als het ware vlak weg, haar huid spande over haar jukbeenderen en ik vermoedde hoe ze haar tijdschema in rook zag opgaan. 'De politie? Maar waarom? U denkt toch niet dat...' Ze keek vragend op naar mijn gezicht.

Ik zei: 'Hij was vroeger zelf bij de politie. Een paar maanden geleden heeft hij een ongeluk gehad. Een aanrijding. Ik denk dat het niet slim van ons zou zijn de politie niet op te bellen.'

Ze knikte.

Ik zei snel: 'Zou u dat alstublieft willen doen? Dan blijf ik hier.'

Ze knikte. 'Goed. Denkt u dat we een verklaring moeten afgeven?'

'Dat is vast zo gebeurd', zei ik. 'U bent op de trap niemand tegengekomen, toen u kwam?'

Ze keek me verwonderd aan. 'Op de trap? Nee.'

'Niemand?'

Ze schudde haar hoofd en liep naar de deur. Toen bleef ze ineens staan, draaide zich peinzend om. 'Dat wil zeggen...'

'Ja?'

'Op de trap ben ik niemand tegengekomen, maar toen ik nog op straat liep, kwam er wel iemand naar buiten.'

'Uit dit huis?'

'Ja. Hij liep de andere kant op, dus ik heb hem niet zo goed gezien.'

'Een man.'

'Ja. Hij...' Ze beet op haar lip, dacht na. 'Er was iets met hem.'

'Ja?'

Toen klaarde haar gezicht plotseling op en ze zei: 'Ja, *dat was het!* Hij trok een beetje met zijn ene been, alsof hij... ja, alsof hij mank liep.'

Iets akeligs en kouds greep me om mijn borst. 'Weet u zeker dat hij, dat hij echt... Liep hij echt mank?'

'Zo waar als ik hier sta. Is dat van belang?'

'Dat weet ik niet. Maar alstublieft... vergeet u dat niet aan de politie te vertellen. Vergeet het niet.'

'Nee, goed. Nee, ik zal het zeggen.' Toen wierp ze een onzekere blik in de richting van de slaapkamer, maakte een beweging met haar vrije hand, klemde haar tas in de andere en was verdwenen.

Ik bleef staan en keek nogmaals om me heen. De kamer had een nieuwe dimensie gekregen, die ik analyseerde. Klopte alles wel? Stond een van de deurtjes van het buffet niet op een piepklein kiertje, alsof iemand hem had opengemaakt en daarna niet goed dichtgedaan? Was de stapel kranten naast de haard niet rommeliger dan toen ik hier laatst was? En hoe zat het met de slaapkamer?

Er schoot een gedachte door mijn hoofd.

Ik ging naar de slaapkamer. Ik probeerde niet naar Hjalmar

Nymark te kijken. Ik zakte op mijn knieën en keek onder het bed. Ik stond weer op en maakte de kleerkast open, ging op mijn tenen staan en keek op de bovenste plank, verschoof een paar kartonnen dozen. Ik schoof de twee kostuums en de vier overhemden opzij, verplaatste de schoenen op de bodem. Ik trok een krukje naar de kast, klom erop en keek bovenop de kast. Achter tegen de muur lag een oud vest. Verder was er alleen maar stof.

Ik stapte weer omlaag en bleef staan. Liet mijn blik door de kamer glijden. De laatste mogelijkheid was het nachtkastje. Ik trok de la open. Er lag een oude bijbel en een tijdschrift dat beweerde actuele misdaadreportages te brengen. Ik deed het deurtje eronder open. Daar lag een gebruikte zakdoek, een snipper van een oude krant en een lege tube lijm. Verder niets.

Ik richtte me weer op en keek naar Hjalmar Nymark. Zijn ogen waren glazig en doods. Ze verrieden niets.

Ik verliet de slaapkamer weer en onderzocht de bergplaatsen in de woonkamer. Niets.

Ik ging naar de gang, doorzocht de garderobekast, de planken en een kleine commode. Niets.

Het laatste vertrek was de keuken. Ik maakte eerst de koelkast open. Daar stonden verse melk, een doos met zes eieren, een paar tubes smeerkaas en een plastic bakje met tomaten. Dat was alles. De keukenkastjes, de laden en de provisiekast gaven hetzelfde magere resultaat.

Ik bleef bij het keukenraam staan en staarde naar de Puddefjord. Verderop, bij Laksevåg, lag een meniekleurig booreiland in de revisie. Het felle rood stak scherp af tegen de bebouwing langs de Damsgårdsfjell, waar de herfstkleuren nog niet hun doodsstempel op de vegetatie hadden gezet. De lucht boven de berg was loodgrijs en zwaar. Het was een van die dagen in augustus die herfst en winter en dood aankondigden.

Ik liep langzaam terug naar de woonkamer. Ik wist het tamelijk zeker. De kartonnen doos, waar Hjalmar Nymark de krantenknipsels en het andere materiaal over de brand bij Pauw in had bewaard, bevond zich niet langer in de woning.

14

De gezinshulp kwam terug. De politie was onderweg, zei ze. We namen allebei in een stoel plaats en bleven zonder iets te zeggen op het uiterste randje zitten, als twee verre verwanten die elkaar voor het eerst na heel veel jaren terugzien en niets te bepraten hebben.

We hoorden ze in de gang en stonden op voor ze de kamer binnenkwamen. Het waren Hamre, Isachsen en Andersen. Ze groetten gedempt, alsof ze al op de begrafenis waren, en liepen bedaard naar de slaapkamer. Toen ze weer naar buiten kwamen, waren hun gezichten bedroefd. Hamre wreef bezorgd over zijn kin en keek me met een lege blik aan. 'Het is altijd treurig', zei hij. Niemand sprak hem tegen.

De gezinshulp zei meteen dat ze weinig tijd had, dat er andere cliënten wachtten, en of zij haar verklaring als eerste mocht afgeven.

'Een verklaring?' vroeg Hamre en keek mij vragend aan.

Ik deed mijn mond open, maar ze was me voor. 'Ja, zo heet dat toch?'

Isachsen en Andersen bewogen zich voorzichtig door de kamer, zonder iets aan te raken. In het gebrekkige licht verdwenen Isachsens bleke sproeten bijna. Andersen hijgde zwaar na de lange klim in het trappenhuis. Zijn colbert spande over zijn dikke buik en stond zo ongeveer op springen. Isachsen had zijn normale, zure gezichtsuitdrukking en negeerde mij volkomen.

Hamre keek me nog steeds aan. 'Is er iets wat erop duidt dat dit sterfgeval verdacht is?'

Ik staarde terug. 'Je kent het verhaal zelf. De gezinshulp had overigens duidelijk te kennen gekregen dat de deur open zou zijn als ze kwam. Dat was hij niet. We hebben de deur moeten forceren.'

'Een ogenblikje, Veum. Waarom ben jij hier, waarom juist vandaag?'

'Ik ben vanochtend teruggekomen van Sotra. Toen ik het ziekenhuis belde, hoorde ik dat hij was uitgeschreven. Ik ben direct hierheen gegaan en trof... eh...'

'Lie. Tora Lie', zei de gezinshulp en ik dacht even dat ze ook nog haar hand wilde uitsteken.

'Tja...' zei Hamre. De drie politiemensen luisterden nu allemaal naar me, weliswaar keek Isachsen naar buiten, alsof het hem eigenlijk niet interesseerde, maar ik kon aan zijn gespannen houding zien dat hij met heel zijn lichaam luisterde.

'Mevrouw Lie vertelt dat ze, toen ze aankwam, een man het huis heeft zien verlaten. Een man die mank liep', voegde ik er met nadruk aan toe.

'Jaja,' zei Hamre ongeduldig, 'maar...'

'Daarbinnen ligt Hjalmar Nymark. Zijn kussen ligt op de vloer, alsof het gebruikt is om hem te... Ik zou de doodsoorzaak willen weten. Als die dood door verstikking luidt, zou ik dat uitermate verdacht vinden.'

Hamre sloot geduldig zijn ogen, alsof hij me duidelijk wilde maken dat ik moest ophouden hem de les te lezen over hoe de politie te werk moet gaan, en deed ze weer open.

Ik zei snel: 'En toen ik hier laatst een keer op bezoek was, liet Hjalmar Nymark me een kartonnen doos zien met oud onderzoeksmateriaal over de brand bij Pauw. Krantenknipsels, documenten, technische rapporten enzovoorts. En die doos is nu nergens te vinden.'

'Je hebt dus al flink rondgesnuffeld?' vroeg hij zuur. 'Je hebt overal gezocht? In het hele huis je vingerafdrukken achtergelaten? Zodat we geen andere meer kunnen vinden?'

'Dat maakt niet uit, dat weet je net zo goed als ik. Als er hier vreemde vingerafdrukken zijn, dan vind je ze toch wel. Bovendien is het niet zeker dat degene die hier is geweest, heeft moeten zoeken. Toen Nymark die keer de doos tevoorschijn haalde, haalde hij hem uit de slaapkamer. Hij stond onder het bed, bovenin de klerenkast of onder het nachtkastje. Ik denk onder het bed. Degene die hem heeft meegenomen...'

'Als iemand hem heeft meegenomen', onderbrak Hamre me. Hij zag bleek. Waar hij zijn vakantie had doorgebracht, was ook niet veel zon geweest. Zijn baardstoppels waren duidelijk zichtbaar en zijn vale, grauwe gelaatskleur voorspelde eveneens geen opklaringen. Hij wendde zich tot de twee anderen: 'Roep de nodige personen op voor een routine-onderzoek. Ik neem Veum mee naar het bureau voor een verklaring.' Tegen Tora Lie zei hij vriendelijk: 'U kunt eerst uw andere cliënten bezoeken, als u zo vriendelijk wil zijn om later op de dag contact met me op te nemen op het politiebureau.'

De gezinshulp knikte dankbaar. Hamre maakte een beweging met zijn hoofd in de richting van de deur en keek me strak aan. 'Kom op, Veum.'

Ik volgde Tora Lie naar buiten. In de deuropening draaide ik me om en keek de kamer in. Jon Andersen stond geïnteresseerd de foto's van Hjalmar Nymarks ouders te bestuderen, terwijl Peder Isachsen korzelig het raamkozijn bekeek, alsof hij daar afdoende bewijzen verwachtte te vinden. In de kamer ernaast lag Hjalmar Nymark op zijn *lit de parade*, achtergelaten als een toevallig voorwerp.

Ik ging de voordeur met het gebroken ruitje door. Ergens

beneden aan de trap hoorde ik Tora Lie iets zeggen en Hamre zacht maar vriendelijk antwoorden, zoals zijn gewoonte was. Ik volgde hen, met het onbehaaglijke gevoel altijd te laat te komen, zoals mijn gewoonte was.

15

Toen we op het bureau aankwamen, vroeg Hamre me te wachten. Ik nam plaats op een stoel recht tegenover de balie, waar een oudere, bebrilde politieagent voorovergebogen de sportpagina's uit een van de dagbladen zat te lezen. Hij had een afwezige uitdrukking op zijn gezicht, wat me niet verwonderde. Het plaatselijke voetbalelftal dat in de eerste divisie speelde, had de dag tevoren flink verloren en de tweededivisieploeg volgde dat voorbeeld nu.

De wachtruimte van een politiebureau heeft veel weg van een wachtkamer in een ziekenhuis. De mensen die er wachten, zijn misschien niet doodziek, maar zien er meestal wel zo uit. Sommigen zitten nerveus met hun vingers te spelen. Anderen zitten zachtjes voor zich uit te mompelen, uit het hoofd geleerde lesjes, zoals het opdreunen van de tien geboden tijdens catechisatie vroeger. Vrije vogels wisselen elkaar af, sommigen nogal verloederd, anderen met tamelijk veel bravoure. De schaduwzijde van het bestaan passeert de revue. En op de eerste rang: wasechte Veum, de hoop die nooit verbleekt.

Het was net of ik zonder afspraak bij de tandarts in de wachtkamer zat. De een na de ander die naast me ging zitten werd binnengelaten en weer naar buiten geloodst. Ik bleef zitten, vaak helemaal alleen.

Hamre kwam een paar keer het dienstvertrek binnen,

zonder dat hij me wenkte hem te volgen. Hij liep met snelle passen: een efficiënte en energieke jongeman op het hoogtepunt van zijn carrière. Ik zat toe te kijken en vroeg me af wat dat voor gevoel moest zijn. Zo hoog was ik nooit gekomen. Ik zou er misschien niet eens tegen kunnen. Ik zou waarschijnlijk hoogtevrees krijgen.

Als een vrolijke optocht van min of meer mislukte spotprenten, kwamen andere politiemensen langs. Dankert Muus stampte voorbij, als een olifant met liefdesverdriet. Ellingsen en Bøe hadden elkaar weer gevonden, maar Ellingsen trok nadat hij een paar jaar geleden zijn been had gebroken nog steeds met zijn ene been. Hij was te vroeg opgestaan, zei men – of hij was door zijn vrouw uit bed geschopt. Zijn vrouw heette Vibeke en ik had haar ooit, toen we nog op school zaten, iets beter gekend. Als ik terugrekende, was het zeker tien jaar geleden dat ik haar voor het laatst had gezien, maar ik beleefde er plezier aan om Ellingsen – zo nu en dan – het idee te geven dat ik haar vaker zag. Daarom groette hij me ook niet toen hij langsliep. Maar Bøe schonk me een schuine blik en een discrete groet met zijn wenkbrauwen. Hij was dunner dan Ellingsen, magerder in zijn gezicht en met een schaarsere vegetatie bovenop. Jon Andersen ging nog een stapje verder: hij kwam naar me toe en wisselde een paar woorden. 'We kijken alles na', mompelde hij.

'Wat dan?' vroeg ik.

'Je weet wel', zei hij, wierp een schuwe blik naar de man achter de balie en liep weer door.

Eva Jensen kwam langs, zonder me te zien. Ik volgde haar met mijn blik. Een veerkrachtige tred. Misschien speelde ze handbal of liep ze hard voor de sportploeg van de politie. Vadheim zag ik niet.

Eindelijk kwam Hamre weer naar buiten. Met een oogopslag richtte hij zich tot me en met een gekromde vinger beduidde hij dat ik mee moest komen.

Ik volgde hem naar de derde verdieping, de gang door, naar zijn kantoor. Hij sloot de deur achter me en wees me een stoel. Ik keek op de klok. Er waren twee uren verstreken. Ik had honger en hoopte dat het niet al te lang zou duren.

Hij ging achter zijn bureau zitten en kwam meteen ter zake. 'We hebben de twee dragers gesproken die hem uit het ziekenhuis naar huis hebben gebracht.'

Ik boog me voorover. 'Ja?'

'Ze wisten het niet zeker. Ze hebben hem helemaal naar boven gebracht. Hij wilde zelf lopen, maar... hij kon niet helemaal alleen boven komen.'

Ik voelde mijn maag samenballen. 'Dat kan ik me voorstellen. Maar ze hebben hem naar boven gebracht en hem vervolgens alleen gelaten. Ongeveer zoals ze 's morgens de vuilnisbak buiten zetten.'

Hij maakte een gelaten gebaar. 'Het bevalt mij ook niet, Veum. Maar die kerels konden er echt niets aan doen. Ze hadden de opdracht gekregen. En de directie van het ziekenhuis staat er al even hulpeloos voor, gebonden aan tariefafspraken en arbeidsomstandighedenwet, aan strakke budgetten en een tekort aan personeel. En daarbij is het nog vakantietijd ook. Ze *moesten* hem gewoonweg laten gaan.'

Ik zei bitter: 'Ze moesten wel, ja. Volgevreten directeuren die zich beroepen op budgetten, die door net zulke volgevreten politici zijn vastgesteld. Wel eens gehoord van politici die van de honger omkomen, die tweemaal per week een paar uur gezinshulp krijgen, die in kleine flatjes liggen weg te rotten, omdat er niemand komt om te ontdekken dat ze dood zijn? Heb je wel eens gehoord dat zoiets met politici is gebeurd?'

'Nee.'

'Maar o wee de arme stakker die de fout begaat om in deze zogenaamde welvaartsstaat oud te worden. O wee de arme stakker die narekent hoeveel van zijn loon hij in de loop der jaren heeft afgedragen en zich nu afvraagt wat hij ervan terugkrijgt, nu hij het misschien nodig heeft.'

'Je weet hoe het is, Veum. Iedereen eist zijn deel. Wij zijn ook onderbezet. Je zou de overzichten van de overuren eens moeten zien.'

Ik zei vermoeid: 'Ik weet het, ik weet het. Maar er bestaan zwakkere groepen dan jullie. Gepensioneerden. Of jongeren, in de meest kwetsbare leeftijd, die in de rij staan voor werk. Bij de ouderen zorgen we ervoor dat ze zo snel mogelijk onder de grond komen. En veel te veel jongeren raken verslaafd aan drugs of alcohol. *Wij* zijn niet beklagenswaardig, Hamre, mensen zoals jij en ik. Wij hebben alleen liefdesproblemen en vervelende overzichten van overuren. Maar dat zijn luxeproblemen, Hamre. Snap je?'

Hij keek me somber aan en zei: 'Jij teert nu ook op mijn overuren, Veum. Om de draad weer op te pakken waar je me onderbrak...'

'Het spijt me, ik...'

''t Is al goed.'

'Weet je, Hjalmar Nymark en ik, wij...'

'Ik zei dat het al goed was, Veum. Zal ik doorgaan?'

Ik gebaarde dat hij verder kon gaan. De mensen hebben geen tijd om verhalen over vriendschap te horen. Ze hebben nauwelijks tijd om vriendschappen aan te gaan. Het zou de vastgestelde werktijd eens kunnen overschrijden.

Hij vervolgde: 'Ze hebben hem dus naar boven geholpen en naar binnen gebracht. Ze hebben nog de tijd genomen om te vragen of ze iets te eten voor hem konden maken. Maar hij zei dat het in orde was, dat hij even wilde gaan liggen en zou wachten tot de gezinshulp zou komen. Ze hebben hem in bed geholpen. En toen... toen zijn ze weggegaan.'

'Juist. En de deur hebben ze open laten staan, zoals hun was opgedragen?'

'Tja, *dat* is de vraag. Ze weten het niet zeker. Je weet hoe dat gaat als twee personen iets moeten doen. De een denkt dat de ander het doet en de ander denkt dat de eerste het al heeft gedaan. Ze kunnen dus niets garanderen, maar een van de twee dacht dat hij bij binnenkomst het slot had geblokkeerd en dat hij de deur later alleen maar achter zich had dichtgetrokken.'

'Tja.' Ik zuchtte en voegde eraan toe: 'We kunnen er dus wel van uitgaan dat hij niet op slot was, maar toen de gezinshulp en ik kwamen... toen was hij op slot.'

'Dus zij was er als eerste?'

'Ja. Ze stond boven te wachten toen ik kwam en ze... zeg, jullie verdenken haar toch niet?'

'We verdenken niemand, Veum.'

'En ze vertelde, zoals ik al zei, dat ze een man uit het huis had zien komen, toen ze hier aankwam. Iemand die met één been mank liep.'

Hij maakte een grimas. 'Nou, nou, Veum. Laten we niet melodramatisch worden. Ik begrijp dat je geschrokken bent vanwege de dood van een goede vriend en ik kan je verzekeren dat wij het ook niet leuk vinden als gepensioneerde collega's op zo'n manier komen te overlijden.'

'Nee. Maar jij moet toch ook het opmerkelijke ervan zien. Eerst die aanrijding en dan, op de dag dat hij uit het ziekenhuis komt, ligt hij dood in bed.'

'We zullen eerst de doodsoorzaak onderzoeken.'

'Ik wed dat hij gestikt is.'

Hij haalde zijn schouders op.

Ik ging door: 'Het kussen lag op de grond. Zou het niet natuurlijker zijn geweest als het onder zijn hoofd had gelegen? Een oude, invalide man in een bed... en een kussen. Wie dan ook had hem kunnen ombrengen... een kind, een vrouw...'

Hij krabde zich op zijn hoofd. 'De lijkschouwing zal het ons vertellen. Intussen doen we natuurlijk wat we kunnen. De woning wordt van onder tot boven doorzocht. We zullen de gezinshulp grondig verhoren... misschien een signalement van die hinkende man krijgen, een opsporingsbericht uit laten gaan. Ik verzeker je: we zullen alles doen wat in onze macht ligt. Je hoeft je nergens druk om te maken.'

'En die kartonnen doos met krantenknipsels. Ik weet zeker dat hij hem niet ergens anders heeft verstopt. Die aanrijding gebeurde zo plotseling en... ik denk dat hij het me zou hebben verteld. Als die doos er niet meer is, dan heb je meteen het motief.'

'Het is alleen zo, Veum, dat jij, voor zover we weten, de enige bent aan wie hij die doos heeft laten zien.'

'Er moeten toch ook anderen zijn. Als je dat nou eens uitzoekt!'

'We zullen, zoals ik al zei... Maar je weet hoe het gaat: een verklaring is het papier waarop hij wordt geschreven niet eens waard, als hij niet gestaafd kan worden met bewijzen of identieke getuigenverklaringen...'

Ik knikte somber. Het klonk weinig opbeurend. Ik had er eerder aan moeten denken. Toen Nymark werd aangereden, had ik de sleutel van zijn woning te pakken moeten krijgen, om de doos weg te halen en op een veilige plek onder te brengen. Het materiaal in de kleine kartonnen doos was uniek. Als het weg was, was ik bang dat het doek voorgoed was gevallen voor de zaak Pauw, dat de identiteit van Rattengif voorgoed was verborgen en dat Hjalmar Nymark het laatste restje belangstelling voor deze zaken met zich had meegenomen naar gene zijde – daar, waar niemand in andere archiefmappen wroet dan in die ene beslissende, en waar alle geheimen definitief worden toegedekt.

'Verder niets?' vroeg ik Jakob E. Hamre.

'Verder niets.'

'Geef je me een seintje als het rapport van de lijkschouwing er is?'

'Ja. Vanwege oude... vriendschap.' Ik begreep de korte pauze voor dat ene woord. Het was slechts een frase.

16

Dagen met plotselinge sterfgevallen, zijn dagen die stilstaan. Enkele uren later zat ik in mijn kantoor. Voor de meeste mensen was de werkdag ten einde, de stad liep leeg. Als door een wonder waren bijna alle wolken van de lucht geveegd. In de verte, boven Askøy, dreven een paar wollen miniatuurschaapjes, die door de dalende namiddagzon kleur op hun buik kregen. Een gouden licht vulde de stad, vlocht zich tussen de steile gevels, schiep plotselinge reliëfs in het plaveisel en weerkaatste fel in de heldere ramen.

Ik was niet in staat geweest iets zinnigs te doen nadat ik het politiebureau had verlaten. Ik had wat gegeten in de cafetaria op de eerste verdieping, en boven in mijn kantoor op de derde verdieping de avondkranten gelezen. Nu zat ik met het raam op een kier naar de langzaam binnensijpelende geluiden van de stervende werkdag te luisteren. Niet iedereen ging naar huis. Voor sommigen begon de werkdag pas. Beneden op de markt was de Predikant bezig met zijn voorbereidingen.

Hij was er al zo lang ik me kon herinneren, met altijd hetzelfde magere gezicht, hetzelfde verwaaide kapsel, dezelfde enthousiaste klank als hij over Jezus sprak. Een overgebleven figuur uit het goedgelovige landschap van mijn jeugd, toen alles nog eenvoudig en zwart-wit was en God een man met een witte baard tussen roze wolken. Toen de dood nog veraf en onbegrijpelijk was, iets wat ons eigenlijk niet aanging, iets wat gebeurde met bandieten en indianen, in het avontuurlijke Amerika. Iets wat gebeurde met grootouders, als ze oud genoeg waren.

De Predikant was eind vijftig en als ik het narekende, had hij daar amper kunnen staan toen ik nog een jongetje was. Toch leek hij er aldoor geweest te zijn. Predikanten waren gekomen en gegaan, heilsoldaten en schijnheilige Zweden met elviskapsels hadden jeugdige zonden bekend, jonge, blonde meisjes in knielange plooirokken hadden tweestemmig over vreugde en zaligheid gezongen. Maar die waren nu allemaal verdwenen. Alleen de Predikant was er nog. In deze geloofsloze tijd was hij de laatste der Mohikanen. Hij glimlachte, maar lag er niet toch een bittere trek rond zijn mond? Kon zijn geestdrift een zweem van teleurstelling verbergen, wanneer hij steeds door aangeschoten jongelui en oude dronkenlappen werd onderbroken?

Hij had de luidsprekers opgesteld en plugde zijn elektronische accordeon in. Toen sloeg hij een paar tonen aan, waarna hij inzette:

Hij heeft de Hemelpoort geopend,
opdat ik naar binnen mag!

Nee, geen bitterheid, geen teleurstelling, maar dezelfde vreugdevolle toon als altijd, gezongen met een hartstocht waar ik hem altijd om zou benijden, die ik nooit geheel zou kunnen begrijpen.

Hij zong door, ik hoorde hem op de achtergrond, terwijl mijn gedachten verder zweefden.

Ik zag Hjalmar Nymark voor me, omhoog slenterend naar de Hemelpoort, in zijn oude pak, met de opgerolde krant in zijn hand, zijn haar in de war en zijn pak een beetje gekreukt, na een veel te haastig vertrek. Ik zag de Hemelpoort voor me, zoals ik me hem altijd kinderlijk naïef voorstelde wanneer ik *dat* lied hoorde: op een fundament van witte wolken, glinsterend van paarlemoer, bijna verblindend in het felle, heldere zonlicht. Hjalmar Nymark klopte aan en er werd opengedaan. Ik zag hem staan wachten, zachtjes fluiten, om zich heen kijken, zoals een lootjesverkoper voor de deur staat, wanneer iemand even naar binnen gaat om geld te halen. Ze waren naar binnen gegaan om de kaartenbak even na te kijken, als ze daar tenminste ook niet op een geautomatiseerde databank waren overgegaan. Toen ging de poort weer open en Hjalmar Nymark mocht binnenkomen.

Hij heeft de Hemelpoort geopend,
opdat ik naar binnen mag...

Ik liep naar het raam en keek naar beneden. Hij sprak nu. Er bleef niemand staan om te luisteren. Een paar mensen liepen haastig voorbij, zonder op of om te kijken. Een paar jonge meisjes passeerden, voorovergebogen van ingehouden lachen. Beneden op de Strandkai, vlak onder me, stopten een paar Japanse toeristen en even later waren de fototoestellen in gebruik. Folklore vastgelegd op de film. De laatste der Mohikanen, levend aangetroffen, op de vismarkt in Bergen.

Op zulke ogenblikken voelde ik me met hem verwant. Hij daar beneden, alleen, geestdriftig over Jezus sprekend – ik hier boven, zijn enige toehoorder. En hij wist niet eens van mijn bestaan af.

Toen hij klaar was, pakte hij zijn spullen in, maakte een praatje met een paar van de vaste zwervers die voorbijkwamen, zette alles in zijn auto en reed naar huis. Ik bleef achter mijn bureau zitten, terwijl de stad, het kantoor en ik langzaam vervuld werden van het donker – tot we één duisternis waren, één materie, één gedachte...

Ik moet weggedommeld zijn. Toen ik mijn ogen weer opendeed, knipperden groene en rode neonlichten me toe, als koude versieringen in het donker.

Ik trok langzaam mijn jas aan, sloot mijn kantoor af en ging naar huis. Ik kon niets anders doen.

17

En toen, terwijl de meeste mensen weer aan het werk waren en de scholen zouden beginnen, werd het plotseling zomer, het vlamde op volle sterkte op, als een verliefdheid op latere leeftijd. De hittegolven spoelden over de stad, als echte golven, want tussendoor trokken ze zich terug, om krachten te verzamelen, en dan bevatte de lucht kille kieren van de zomer die we achter ons hadden en van de herfst die voor ons lag.

Jakob E. Hamre belde me de volgende dag al. 'Om je voor te zijn', zei hij.

'Juist, ja', zei ik.

'We hebben het rapport van de lijkschouwing', zei hij.

'En hoe luidt dat?'

Hij was even stil. Toen zei hij: 'Hartstilstand.'

'Wat?'

'De doodsoorzaak is hartstilstand. Heel eenvoudig en zeker niet onnatuurlijk... voor een man van zijn leeftijd. En na de beproevingen die hij de laatste tijd heeft moeten doormaken. Volgens de arts zou het zelfs een verlate reactie op het ongeluk kunnen zijn. Zijn lichaam was al verzwakt. In zekere zin...'

'Ja?'

'In zekere zin was het bijna barmhartig. Een man als Hjalmar Nymark had niet kunnen leven met de beperkingen die zijn letsel hem oplegde. Het is eigenlijk maar goed dat het snel is gegaan.'

'Zo kun je het natuurlijk ook bekijken.'

'Ja.'

'En het verdere onderzoek?'

Hij zei snel: 'Dat loopt.' Daarna zei hij iets langzamer: 'Maar we hebben nog geen enkele vooruitgang geboekt. Voorlopig is er niets dat op een misdrijf wijst.'

'En die manke man?'

'De gezinshulp is de enige die hem heeft gezien en toen we nogmaals met haar spraken, was ze er niet langer zeker van of hij mank liep, of dat het alleen maar zo leek.'

Ik zei geërgerd: 'Zo leek? En de kartonnen doos, hebben jullie die gevonden?'

Hij klonk vermoeid: 'Nee, Veum. Die hebben we niet gevonden.'

'Dus jullie zetten het onderzoek voort?'

'Ja, ik dacht alleen dat je geïnteresseerd zou zijn in...'

'Dat ben ik ook, Hamre. Bedankt voor je telefoontje. Het is vast en zeker genoteerd, aan de andere kant van de Hemelpoort, in de grijze archiefkast, op het kaartje met jouw naam erop. Een prettige dag verder, Hamre.'

'Insgelijks, Veum.'

Ik hing op.

Een week later stond de overlijdensadvertentie in de krant. Simpeler kon bijna niet:

†

Onze oude vriend
Hjalmar Nymark
is plotseling overleden,
70 jaar oud
Vrienden en collega's

De uitvaartplechtigheid zou de volgende dag plaatshebben. Ik scheurde de advertentie uit de krant en legde hem midden op mijn bureau, tussen de overweldigende hoeveelheid papieren en documenten van alle andere zaken waar ik aan werkte. Hij lag er, met andere woorden, alleen.

De dag waarop Hjalmar Nymark de laatste eer zou worden bewezen, was de zomer weer voorbij. De lucht had zijn grijze overhemd aangetrokken en er lag een weemoedige sfeer van nazomer in de lucht. Passend bij de gebeurtenis.

De grindpaden tussen de graven op Møhlendal knerpten onder mijn voeten. Oude grafstenen leunden achterover, als oude mensen met spit. De letters die erin waren gegrift, zonden hun beknopte boodschap omhoog – een naam en twee jaartallen: een levensloop in feiten gevangen. Alles en niets: een handjevol letters en acht cijfers. De vernederingen en de vreugde. De zorgen en de vrolijkheid. Liefde en teleurstellingen. Tederheid en eenzaamheid. Het staat er niet. Maar het is er wel, ergens *achter* de naam en de jaartallen, in de aarde onder de hellende stenen, de verfomfaaide bloemen en de overwoekerde tegelpaadjes.

Bij de kapel stond een klein groepje mensen te wachten. De hoofdinspecteur was er, maar ik was nooit aan hem voorgesteld. Hij was een bureaucratisch ogende man met dikke brillenglazen. Vadheim was er, met een nog treuriger blik dan gewoonlijk. Er sloten zich een aantal oudere politiemensen bij ons aan, de meesten van hen gepensioneerd. Jakob E. Hamre kwam op het laatste moment aanrennen, zijn jas achter hem aan wapperend en zijn haar verwaaid door de hevige windstoten. In de kapel wachtte Hjalmar Nymark in een witte kist. Op het aangegeven tijdstip gingen we naar binnen: ik telde elf mannen, geen enkele vrouw, en – afgezien van Hamre en ikzelf – niemand onder de vijftig.

Hjalmar Nymarks overlijdensadvertentie getuigde van een leven in eenzaamheid. Geen familie, geen namen, alleen het anonieme 'vrienden en collega's'. Op de kist lag één krans, van de Politiebond, en twee graftakken. Een daarvan was van mij.

De predikant was eind vijftig en zijn rede zo persoonlijk als een fotokopie. Als iemand een brok in de keel had, had hij die in ieder geval niet veroorzaakt.

Tot slot strooide hij wat aarde op de kist. 'Uit stof zijt ge gekomen, tot stof zult ge wederkeren...' De toneelassistenten trokken aan de juiste touwen en de kist met Hjalmar Nymark erin verdween naar de kelder om later te worden gecremeerd, in een urn overgebracht en op een daartoe geëigende plek te worden geplaatst. Daar zou hij rusten, tot er geen plaats meer zou zijn, het graf geruimd zou worden en hij alleen nog een naam in de registers zou zijn. De steile bergwanden van Ulriken zouden een kwart eeuw of daaromtrent over hem waken, regen en sneeuw zouden vallen, andere mensen zouden sterven en zich om hem heen verzamelen, alsof ze bijeenkwamen om te zingen in een hemels koor. Ikzelf zou me er misschien bij aansluiten voor zijn graf geruimd werd. We weten niets van de dood: niet wanneer hij komt, niet wat hij verbergt. Een auto die de hoek om komt, een kussen op de vloer... ineens is hij er, raadselachtig en machtig, onafwendbaar als herfststormen, onstuitbaar als de oneindige cyclus van de jaargetijden.

Zoals altijd bleven er een paar mensen buiten bij de kapel staan praten. Ik groette enkele van Hjalmar Nymarks oude collega's. Niemand van hen had hem de laatste tijd nog gezien, maar het was toch triest dat hij er nu niet meer was.

Ik liep naar Hamre toe, die gebaarde dat hij er snel weer vandoor moest. Hij keek me ontevreden aan, alsof ik zijn gepersonificeerde slechte geweten was.

Ik zei: 'En? Nog nieuws?'

Hij was gespannen en bleek rond zijn mond toen hij antwoordde. 'Nee. Er zijn geen gegronde redenen om nog langer waardevolle arbeidskrachten te gebruiken om deze zaak te onderzoeken, Veum. Er is niets dat op een misdrijf duidt. Een toevallige samenloop van omstandigheden misschien, en zelfs dat nauwelijks. De doodsoorzaak *was* een hartstilstand. Er zijn geen aanwijzingen dat hij gestikt is, wat wel het geval zou zijn geweest als het kussen als moordwapen was gebruikt. De twee dragers van het ziekenhuis kunnen niet bevestigen dat ze de deur open hebben laten staan, integendeel, ze zijn buitengewoon onzeker. Die kartonnen doos, tja...' Hij trok veelzeggend zijn schouders op. 'Nymark kan hem zelf weg hebben gedaan, voor hij werd overreden. Je zei zelf dat hij nogal gedeprimeerd leek, toen je hem die dag in het café zag. Mensen doen zulke dingen als ze depressief zijn, ze ruimen hun verleden op, stoppen het in de vuilnisbak of gooien het in de haard en steken de brand erin.'

'En hoe zit het met de aanrijding?'

'Ja, *dat* is natuurlijk iets anders. Dat was een overtreding. Zelfs als het een ongeluk was geweest, had de betrokkene zich moeten melden.'

'Dus *die* zaak is nog niet afgesloten?' vroeg ik en hoorde het sarcasme in mijn stem.

'Nee.'

'Daar wordt nog met man en macht aan gewerkt?'

Hij keek me lijdzaam aan. 'Kom nou, Veum, je weet waar we mee te kampen hebben. We...'

'Bespaar me je lessen maar, Hamre, ik wilde het alleen maar weten.'

Zijn ogen vonkten en hij haalde een hand door zijn warrige haar. 'Verdomme, Veum! Zodra er iets nieuws opduikt, pakken we het op. Maar we kunnen geen nieuwe sporen *voor de dag toveren*, nu niet meer, zo lang erna. We hebben meteen na het ongeluk alles gedaan wat we konden, toen de sporen vers waren en we op de getuigen konden vertrouwen. We hebben in de pers en via radio en tv de dader opgeroepen zich te melden. Geen reactie. De auto was gestolen. Er waren geen vingerafdrukken te vinden... in ieder geval geen die ons iets konden vertellen. Er was geen enkel bewijs te vinden. Het had iedereen kunnen zijn. Hij of zij is letterlijk onzichtbaar.'

'Onzichtbaar?' herhaalde ik.

Vadheim kwam naderbij, samen met de hoofdinspecteur. Ik zei in gedachten, zo zacht dat alleen Hamre het kon horen: 'Alsof hij was teruggekeerd naar het verleden, waar hij vandaan kwam...'

Hamre keek me ongelovig aan. Vadheim en de hoofdinspecteur bleven staan. Ik ontmoette de blik van de hoofdinspecteur door zijn dikke brillenglazen. Zijn donkere haar was achterover gekamd en zijn voorhoofd was hoog en bedachtzaam. Hij gaf me een hand en stelde zich voor. Ik deed hetzelfde. Daarna zei hij: 'Ik heb over u gehoord, meneer Veum.' Maar hij zag er niet uit alsof hetgeen hij had gehoord hem bijzonder plezier deed, daar lieten we het bij.

Ik zei: 'Ik was een goede vriend van Hjalmar Nymark.'

'O, werkelijk?' zei de hoofdinspecteur vriendelijk.

'Ik hoor dat jullie het onderzoek gestaakt hebben.'

'Och, gestaakt... Weet u, onderzoeken naar sterfgevallen worden nooit gestaakt, Veum. Zodra er iets nieuws opduikt, dan...'

'Iets nieuws? Zoals wat dan? Meer doden?'

'Ach...' Zijn ogen twinkelden olijk achter de brillenglazen. 'Dat is nogal boud.'

Hjalmar Nymarks 'vrienden en collega's' begonnen het pleintje voor de kapel te verlaten. De drie politiemannen maakten me nerveus, alsof ik een padvinder was die in een theologisch dispuut was gewikkeld met drie oude bisschoppen. We begaven ons naar de uitgang. Tegen Ulriken staken de masten van de nieuwe kabelbaan af, die na het ongeluk in 1974 eindelijk weer in bedrijf was. Het was alleen jammer dat er niemand met de kabelbaan ging, de kaartjes waren even duur als een entreebewijs voor het circus en de exploitatiemaatschappij was op weg naar een faillissement.

Bij de uitgang vroeg Vadheim of ik mee wilde rijden naar het centrum. Ik bedankte, zei dat ik wilde lopen, dat ik frisse lucht nodig had. Vadheim en de hoofdinspecteur knikten vriendelijk ten afscheid, terwijl Hamre alleen een onverstaanbare groet bromde, waarna ze instapten, met Hamre aan het stuur.

Het was begonnen te waaien en er hing een vochtige waas van motregen in de lucht. In de wijk die ik passeerde, woonden mensen in grote, alleenstaande villa's, sommige zo groot en onpraktisch, dat het moest aanvoelen alsof men in een bovenmaats harnas rondwandelde. Dit was niet Hjalmar Nymarks wijk geweest. Hij had in een krap kamertje met vaal behang, op de bovenste verdieping van een oud huis geleefd, en daar was hij gestorven.

Maar was het een natuurlijke dood geweest?

Terwijl ik langs de Kalvedalsvei liep, boven de Hansabrouwerij, met uitzicht op het Store Lungegårdsvann en op de bergen aan de andere kant van de stad – Løvstakken, Damsgårdfjellet en helemaal in de verte Lyderhorn met zijn langgerekte, groeiende profiel – zwoer ik dat ik het er niet bij zou laten.

Ik zou het uitzoeken.

Als Hjalmar Nymark geen natuurlijke dood was gestorven, dan zou ik daar achter komen, al moest ik tien, twintig, ja misschien wel dertig jaar terug in de tijd om de schuldige te vinden.

Ter hoogte van de stadspoort kwam de regen, als het grauwe spoelwater van een nurkse wasvrouw die zich ergens achter de wolken ophield.

18

In de stationsrestauratie nam ik een kop koffie met een broodje. Om me heen zaten mensen met koffers en rugzakken naast zich op de grond. Het was augustus en nazomer in de bergen. De laatste zomertoeristen hadden zich nog steeds niet te ruste begeven. Misschien droomden ze van zonovergoten plekjes die boven het wolkendek uitstaken. Of misschien volgden ze het voorbeeld van de dieren, die tijdens grote overstromingen hogergelegen gebieden opzoeken. De regen tekende lange, doorzichtige strepen op de ruiten aan de straatzijde en vertroebelde het uitzicht, alsof je door gelatine heen keek.

Ik stak de straat over en liep naar het identieke gebouw naast het station: de openbare bibliotheek van Bergen. Beide gebouwen, het station en de bibliotheek, waren uit hetzelfde materiaal opgebouwd: grote, donkere blokken graniet. Dat was misschien gedaan met de bedoeling dat deze solide gedenktekens voor twee van de menselijke deugden – rusteloosheid en dorst naar kennis – de dagen des oordeels, die men zich aan het begin van deze eeuw nog met veel fantasie kon voorstellen, zouden overleven. En daar stonden ze nu, in afwachting van de neutronenbom. Als alle mensen waren verdwenen, zouden ze daar misschien nog steeds staan: het altijd tochtige spoorwegstation, kil en ongezellig, zelfs midden in de zomer, en de bibliotheek met zijn kasten barstensvol kennis die evengoed niet had geholpen. Van het station zouden volgens eeuwigdurende dienstregelingen en langs reeds lang verroeste rails onzichtbare treinen vertrekken, en de geesten van tijdloze leners zouden geruisloos door de bibliotheek wandelen, van stelling naar stelling, zonder er ook maar één boek uit te pakken, zonder ook maar één woord te lezen.

In de bibliotheek tochtte het niet. Daar heerste een voortdurende schemering, alsof de vele jaren die de boeken verborgen, eruit waren gelekt en de ruimte met de mist van de tijd, de schemer van de geschiedenis hadden gevuld.

Ik vroeg of het mogelijk was om de *Bergens Tidende* van april en mei 1953 in te zien. Een kleine, vriendelijke vrouw met donker haar, een grote bril en een groene, fluwelen broek daalde af naar het archief en zeulde even later de ingebonden edities van het tweede kwartaal van dat jaar naar boven. Als ik naar de universiteitsbibliotheek was gegaan, had ik het allemaal op microfiche kunnen krijgen, maar dat bracht me altijd in de war. De sfeer gaat verloren als je de pagina's op een klein beeldscherm doorbladert. Je mist het contact met het papier, ontbeert de geur van drukinkt die nog aan de vergeelde krantenpagina's hangt en die lang geleden ooit vers was, drukletters gezet door typografen die nu verdwenen waren, foto's genomen door fotografen die nu gepensioneerd waren en reportages geschreven door journalisten die hun laatste potloden lang geleden hadden geslepen.

Ik vond al snel de artikelen over de brand bij Pauw. Ik herkende verschillende reportages uit Hjalmar Nymarks knipselverzameling. Ik noteerde de namen die ik vond en bladerde de week na de eerste dramatische dagen door. Twee dagen na het ongeluk was er een volledige lijst van de slachtoffers verschenen. Ik noteerde de namen.

Toen zocht ik de overlijdensadvertenties op. Ik noteerde

de namen van de familieleden die ik daar vond. Ik keek lang naar de advertentie van Holger Karlsen. De man die de morele verantwoording voor het ongeluk had gekregen, de voorman die niet gemerkt had dat er iets fout was.

---

†

Mijn geliefde man
mijn lieve, fijne vader
onze lieve zoon

Holger Karlsen

is plots uit ons midden gerukt
in de leeftijd van 35 jaar.

Sigrid
Anita
Johan – Else
Verdere familie

Sigrid – die in 1953 de achternaam Karlsen droeg – zou zij nog te vinden zijn? Leefde ze nog en zou ze in dat geval met me willen praten?

Uiteindelijk keek ik mijn lijstje door. De namen die volgens mij het meest interessant waren, had ik onderstreept. Het waren ongeveer dezelfde namen als destijds in juni, toen ik een overeenkomstige lijst had gemaakt. Elise Blom, omdat ze bij Pauw had gewerkt en later met Harald Wolff had samengewoond. Olai Osvold (die Brandmerk werd genoemd), die het ongeluk had overleefd. Sigrid Karlsen, die me misschien iets kon vertellen wat ik nog niet wist. En verder Konrad Fanebust, omdat hij na het ongeval de onderzoekscommissie had geleid en de inlichtingen die Hjalmar Nymark me had gegeven misschien zou kunnen aanvullen.

Ten slotte voegde ik nog een naam aan de lijst toe: Hagbart Helle (bust). Naast zijn naam schreef ik een datum: 1 september. Dat was de enige dag van het jaar waarop hij in Noorwegen was en die dag had ik al gereserveerd.

Ik had nu een schets, een begin van een plan. Maar ik moest beter achtergrondmateriaal hebben en ik dacht te weten waar ik dat kon krijgen.

Vanuit de garderobe belde ik naar de krant en vroeg of Ove Haugland aanwezig was. Hij was er en we spraken af dat ik even langs zou komen.

19

De redactie van een krant is net een bijenkorf. Ieder nietig journalistenhokje is een cel, waar de werkbij zijn zwart-wit-honing produceert, tot genoegen van de brave burgers die zich 's avonds vraatzuchtig van pagina naar pagina haasten, op jacht naar een schandaal – of misschien naar een nieuwtje.

Ik trof Ove Haugland aan in zijn hokje op de vierde verdieping, de etage boven de hoofdredactie. Er moet een basisprincipe ten grondslag liggen aan deze nauwe kantoortjes die slechts naar één ding lijken te leiden: naar de schrijfmachine. De ruimte zelf dwingt concentratie af en als er iemand geïnterviewd moet worden, is het meteen te klein. Als er vier afgevaardigden van de vrouwenbeweging binnenkomen om over de laatste seksistische misstap van de betreffende journalist te klagen, is het overbevolkt en kan in principe alles gebeuren.

De laatste keer dat ik Ove Haugland had gezien, had hij me aan Montgomery Clift doen denken, na diens auto-ongeluk. Dat deed hij nog steeds, maar hij was zichtbaar magerder geworden in zijn gezicht, er was een vage, zilveren glans in zijn donkere haar verschenen en hij droeg nu – boven de schrijfmachine – een leesbril met dikke glazen erin: Montgomery Clift in de filmversie van *Miss Lonelyhearts*.

Hij zat kromgebogen boven de schrijfmachine, staarde

naar de laatste zin die hij had geschreven en bladerde verstrooid in een dikke catalogus, die een belastinggids zou kunnen zijn.

Ik klopte op de deurpost van de openstaande deur en hij keek direct op, over zijn brillenglazen. Hij had een zware stoppelbaard, droeg een donkere terlenka broek en een grijs met wit geruit overhemd met openstaande boord. Over een stoel hingen een mosgroen vest en een bruine stropdas. Aan een kapstok achter hem hing een blauwe regenjas. Zijn raam keek uit op de binnenplaats. Achter een raam aan de overkant stond een dikkige man voor zich uit te staren, onderwijl iets in een dictafoon insprekend. Het was alsof hij tegen ons sprak, door een telefoon die niet werkte.

Ove Haugland stond onbeholpen op en zei: 'Hallo.'

Ik stapte naar binnen en het kantoor kromp. De stoel waarin ik ging zitten was leeg, maar op de vloer ernaast lag een stapel oude kranten, die hij misschien voor mijn komst opzij had gelegd. Op een klein tafeltje in een hoek stond een smoezelig, plastic kistje, dat een privéarchief leek te zijn. Rode en groene archiefkaarten met bijna onleesbare trefwoorden staken eruit en ik zag de rafelige randen van oude krantenknipsels, computeruitdraaien, fotokopieën en dergelijke.

Op de plank boven zijn bureau stond een rij dikke boeken: zakencatalogi, scheepslijsten, belastinggidsen en meer van die dingen die iemand, die bekendstond als de economisch expert van de krant, moesten interesseren. Twee jaar geleden had ik hem ingelicht over iets wat voorpaginanieuws had kunnen worden – ware het niet dat zijn redacteur zo lang geaarzeld had met publiceren, dat de twee andere lokale kranten en de halve Oslo-pers het allang hadden gedrukt. Misschien had hij daar iets van geleerd. Misschien had hij daar zijn grijze haren van gekregen.

Ik herinnerde me zijn vrouw ook. Ik kwam haar wel eens tegen in de stad. Ze had van die dromerige, lila ogen, waarvan je bij wijze van spreken nooit de bodem kunt bereiken en ik wist nooit zeker of ze me werkelijk zag of dat ze zich alleen afvroeg waar ze mijn gezicht van kende.

Hij straalde iets weemoedigs, of misschien iets verbitterds uit. Ik moest vooral niet naar zijn vrouw vragen. Het was beter geen risico te nemen.

Ik keek om me heen en zei: 'Gezellig is het hier. Een paar vierkante meter erbij en ik zou me bijna thuis voelen.'

Hij glimlachte wrang. 'Ik dacht dat jij nog een aardig uitzicht had, Veum.'

'Mhm. Maar dat is ook alles.' Ik bekeek het zijne. De man met de dictafoon was verdwenen. 'Het leidt misschien iets meer af dan dat van jou.'

Hij keek zonder iets te zien naar het raam. 'Het is jaren geleden dat ik het echt heb gezien.'

Ik zei: 'Nou... om maar meteen met de deur in huis te vallen, het is misschien van voor jouw tijd, maar...'

Hij keek me nieuwsgierig aan. 'Ja?'

'Wat weet je over Hagbart Helle?'

Hij liet een lange fluittoon horen. 'Hagbart Helle... wat moet je van hem?' Hij keek op zijn horloge.

'Hou ik je op?'

'Nee, nee. Ik keek even naar de datum. Je weet van... 1 september?'

'Ja, dat weet ik. Maar het is nog maar... ja.'

Hij knikte en zag er een beetje teleurgesteld uit. 'Dat wist je dus al? Eén dag per jaar, ieder jaar, komt hij hierheen. Omdat zijn broer, die een textielfabriek runt, dan jarig is. Ik probeer al jarenlang op die dag een interview met Hagbart Helle te regelen, maar het is me nooit gelukt. Hij weigert iemand te woord te staan en probeert sowieso alle aandacht te ontlopen. Fotografen bijvoorbeeld...'

Hij draaide zich met stoel en al om en zocht in zijn archief. Hij haalde een persfoto tevoorschijn, die hij me aanreikte. Het was een korrelige en onduidelijke foto, die met een niet behoorlijk scherpgestelde telelens leek te zijn gemaakt. Op de achterbank van een grote zwarte auto zat een man met een mager gezicht, een kromme neus en bijna wit haar. Hij zat enigszins voorovergebogen, alsof hij naar de weg staarde of iets tegen de chauffeur zei. Ik keek vragend op.

Ove Haugland knikte. 'Hagbart Helle. De enige recente foto die ik heb.'

Hij gaf me een andere foto. Een donkerharige, ernstig uitziende jongeman staarde stijfjes in de camera, in een colbertje dat hem eind jaren dertig plaatste en met de gelaatsuitdrukking van een beschaamde slak. 'Jeugdportret.'

Ik keek van de ene foto naar de andere. Ik zag niet veel gelijkenissen, maar de foto's waren dan ook met bijna een halve eeuw ertussen genomen.

Ové Haugland ging verder: 'Een paar jaar geleden heb ik een serie artikelen over onze buitenlandse reders geschreven. Sommigen van hen behoren tot de rijkste mensen ter wereld, weliswaar afhankelijk van conjuncturen en oorlogen, maar toch. En Hagbart Helle is beslist niet een van de minsten.'

'Op hoeveel schat je hem?'

Hij maakte een royaal gebaar. 'Hoe is het universum ontstaan? Het is gewoon een gok. Honderd miljoen, een miljard? Geen idee. Als het een onderzoeksopdracht was, zou de uitvoering ervan een paar jaar vergen. Je zou al zijn aandelen, in vennootschappen, firma's, kredietinstellingen en rederijen over de hele wereld moeten doornemen, een optelling maken van al zijn bezittingen, in meer landen dan jij ooit bent geweest...'

'O ja?'

'Ik denk het wel.'

'Ik heb gevaren.'

'Schepen op meer zeeën dan jij hebt bevaren enzovoorts enzovoorts.'

'Hij is dus, zou je kunnen zeggen, een machtig man?'

'Als geld macht is, ja, dan is Hagbart Helle een machtig man, Veum.'

'En geld is macht. Helaas.'

Hij haalde zijn schouders weer op.

'En hoe is hij zo rijk geworden?'

'Hoe is het universum ontstaan? Hoe...'

'Ik ben niet geïnteresseerd in het universum. Ik ben geïnteresseerd in...'

'Hagbart Helle.'

'Precies.'

'Maar waarom, Veum?' Hij boog zich plotseling voorover en staarde me intens aan. 'Vanwaar die belangstelling?'

Ik keek naar buiten, naar de ramen aan de overkant. Er liep een vrouw met een map onder haar arm langs. Misschien had ze de boodschap van de dictafoon uitgetypt. Alleen de handtekening ontbrak nog. De wereld wachtte.

'Jij doet *jouw* werk, Veum... als je het zo kunt noemen. Ik het mijne. Het is bijna 1 september. Misschien kun jij ervoor zorgen dat ik die dag met een aardig artikel kan komen?'

Ik knikte. 'Ik ben altijd in voor een deal. Jij geeft wat jij hebt en ik geef wat ik heb.'

'Oké, voor de dag ermee, Veum. Vanwaar die belangstelling voor Hagbart Helle?'

'Ik ben geïnteresseerd in namen. Weet je dat hij vroeger Hellebust heette?'

Hij gaapte me enkele seconden met open mond aan. Toen kwam hij weer bij zijn positieven. 'Vertel me nou maar waar het om gaat.'

'Tja, het is een gecompliceerde oude zaak waar ik toevallig in verzeild ben geraakt. Het gaat over een oude industriebrand, in het voorjaar van 1953. Een fabriek die Pauw heette, aan de Fjøsangervei. Er kwamen vijftien mensen om en de fabriekseigenaar kreeg een aanzienlijk bedrag van de verzekering. Hij investeerde het geld verstandig en...'

'Ik ken die geschiedenis. Ik heb Hagbart Helles achtergrond grondig bestudeerd.'

'Ja ja. Of die van Hellebust, zoals hij destijds heette.'

'En verder?'

'Meer is er niet. Een vriend van me, een politieman...'

'Merkwaardige vrienden hou jij er tegenwoordig op na.'

'Gepensioneerd. Hij was betrokken bij het onderzoek naar die zaak, samen met onder meer Konrad Fanebust.'

'Hellebust en Fanebust. Die heet tegenwoordig zeker Konrad Fane?'

Ik zei: 'Nee. Vertel me niet dat je niet weet wie Konrad Fanebust is. Burgemeester van Bergen in...'

Hij hief afwerend een hand op. 'Konrad Fanebust, bekend Bergens politicus en zakenman, burgemeester van Bergen van 1955 tot 1959, leidde de scheepvaartmaatschappij Fanebust & Wiger, samen met zijn compagnon William Wiger, die destijds om het leven kwam toen zijn huis afbrandde, dat zal omstreeks 1972, 1973 zijn geweest, sindsdien heeft hij de firma alleen geleid.'

'Je bent oorlogsheld vergeten.'

Hij zette een treurig gezicht op. 'Ik vergat oorlogsheld. Konrad Fanebust, Bergens oorlogsheld, bekend van de moedige gevechten langs de Hardangerfjord in april 1940...'

'Dank je, zo is het wel genoeg.'

'Goed, terug naar Helle. Wat wil je nog meer weten? Wat weet je over hem?'

'Over hem?'

'Ik ga ervan uit dat je iets op het spoor bent, als je hierin zit te wroeten. Wat die brand betreft, die zaak is binnenkort wel verjaard, maar als je bewijzen hebt, moet je ze ruim voor 1 september kenbaar maken bij het Openbaar Ministerie, zodat er een behoorlijk welkomstcomité klaar kan staan als hij op Flesland landt. En daar zou ik graag bij zijn, Veum, met een fotograaf en alles erop en eraan. Als je me dat nieuwtje kunt toezeggen, dan ben ik voorgoed de jouwe, maakt niet uit waar en wanneer.'

'Jij hebt het nog steeds over een deal, nietwaar?'

Hij leek even iets te overwegen. Toen glimlachte hij verbouwereerd en zei: 'Ja.'

'Nou, eigenlijk ben ik hoofdzakelijk uit op... Ik zal eerlijk tegen je zijn. Ik weet helemaal niets over Hagbart Helle. Niets. Ik ben meer uit op zijn... karakter. Wat is hij... een belastingemigrant, een slimme zakenman, een idealist, of wat?'

Er verscheen een schampere trek om zijn mond. 'Jij en ik, Veum, wij zijn idealisten. Moet je die sjofele jasjes van ons zien, die versleten schoenen, die glimmende knieën in onze broeken. Zakenlui op internationaal topniveau zijn geen idealisten. Mecenassen misschien, als het wat oplevert. En goodwill levert wat op. Maar nooit uit idealisme. Geïnteresseerd in wetenschap en cultuur, als investeringsobjecten, maar nooit uit verlangen naar schoonheid of kennis. Mensen als Hagbart Helle hebben geen scrupules, zijn brutale schoften... anders waren ze nooit zo ver gekomen. Tegenwoordig bereik je de top van de internationale financiële wereld niet zonder over lijken te gaan, letterlijk.'

Ik zei bedachtzaam: 'Vijftien lijken... aan de Fjøsanger-vei.'

'Bijvoorbeeld. Maar als je *daar* op doelt, dan moet je met bewijzen komen.'

'Ik weet het... dus verder heb je niks?'

'Helaas, Veum. Ik had het je graag verteld. Maar de man is een sfinx, de Greta Garbo van de financiële wereld. Kijk maar naar zijn foto. Dat is niet een man die musea opent die hij heeft gefinancierd, die supertankers doopt, die redevoeringen houdt op congressen. Die man zit achter zijn bureau en telt geld, geld, geld.'

Ik zuchtte. 'Nog iets anders. Helemaal niet jouw afdeling, maar... zou jij misschien in het fotoarchief kunnen kijken of jullie een foto hebben van ene Harald Wolff?'

Hij proefde van de naam. 'Harald Wolff? Familie van je?'

'De deftige tak. Een landverrader, die als kantoorbediende werkte bij de fabriek van Hagbart Helle toen die afbrandde.'

Hij keek me onderzoekend aan. 'Iets op het spoor, Veum?'

Ik voegde eraan toe: 'Hij is in 1971 overleden.'

Hij keek me teleurgesteld aan. 'O, nou. Ik zal eens zien.' Hij stond op. 'Een ogenblikje.'

'Wolff met dubbele f', zei ik.

'En Harald met een q?'

Ik bleef alleen achter en staarde uit het raam. Er was niemand achter enig raam te zien. Misschien was het lunchtijd, of waren ze naar huis gegaan.

Ove Haugland kwam terug met twee foto's. De ene was dezelfde als Hjalmar Nymark me had laten zien, alleen een groter formaat. De andere was een portret van Wolff alleen, in de getuigenbank, tijdens het proces. De hoek was ongeveer dezelfde, maar zijn gelaatstrekken waren duidelijker: het lange, paardachtige gezicht, de krachtige neus, de grote oren en de donkere haarlok die over zijn voorhoofd viel, bijna als manen. Hij had Paard moeten heten, niet Wolff.

'Mag ik ze lenen?'

'Natuurlijk. Hier heeft niemand ze nodig. Als je ze maar teruggeeft als je me het nieuws komt brengen, goed, Veum?'

Ik beloofde het, bedankte hem en vertrok.

20

Ik nam de lift omhoog naar mijn kantoor. Toen ik uitstapte, stuitte ik op de nieuwe tandartsassistente. Haar donkere haar was strak achterover getrokken en in een staart in haar nek samengebonden. Twee dingen vielen haar makkelijk: glimlachen en blozen. Een andere reden waarom ze iedere keer als ze me zag die twee dingen deed, was er namelijk niet.

Ik hield de liftdeur voor haar open en zei: 'Je moet eens bij me langskomen in mijn kantoor. Naar het uitzicht komen kijken.'

Ze keek in de richting van mijn kantoordeur. 'Daar, bedoel je?'

'Ja.'

'Dat zal toch niet veel anders zijn dan bij ons?'

'Een ander kantoor biedt altijd een nieuw perspectief', zei ik, met een intonatie alsof het een strofe uit de *Edda* was.

Ze glimlachte, bloosde en liep langs me de lift binnen. De pijl die aangaf op welke verdieping de lift was, draaide rond. Ik volgde hem met mijn ogen, alsof ik verwachtte dat hij plotseling zou stoppen en weer omhoog zou komen. Maar zulke dingen gebeuren nooit.

Ik liep door mijn wachtkamer alsof ik mijn eigen geest was. Er was niemand die verschrikt van een stoel opvloog, geen blondines die me met tranen doordrenkte, kanten zakdoekjes tegemoetkwamen. De stilte broedde op de ruimte, als een kip op een stenen ei.

Ik opende mijn kantoor, veegde het stof van de telefoongids en zocht de naam Karlsen op. Die vulde bijna een hele bladzijde. Tot mijn verrassing vond ik er ook een die Sigrid heette – en slechts één. Ze woonde aan de Ytre Markvei. Het was niet helemaal mijn deel van Nordnes, maar ik was er goed bekend.

Ik had geen reden om te wachten. Ik draaide het nummer en luisterde naar de lievelingsmelodie van het telefoonbedrijf. Maar er werd niet opgenomen.

Aangezien de telefoongids nog steeds voor me lag, zocht ik nog een nummer op. Konrad Fanebust was makkelijk te vinden, hij had zowel een zakenadres als een privénummer. Zijn bedrijf lag aan de Olav Kyrresgate, zelf woonde hij aan de Starefossvei.

En vervolgens Elise Blom. Van die soort waren er minder dan van de Karlsens, maar geen Elise. En dat was maar goed ook. Als het zo eenvoudig was, zou ik snel werkloos zijn. Dan kon je in plaats van een privédetective een telefoongids huren en daarmee was dan niet gezegd dat je minder waar voor je geld kreeg.

Mijn gewoonlijk nogal bitse vriendin bij het bevolkingsregister was me echter behulpzaam. Ze was waarschijnlijk goed uitgerust tijdens de vakantie, want ze vroeg niet eens bedenktijd. Binnen een minuut gaf ze me het adres waar Elise Blom al sinds 1955 woonde. Ze bezat een huis aan de Wesenbergssmau.

'Dus het is haar eigendom?'

'Dat staat er. Ze heeft het in april 1955 gekocht.'

'Maar ze heeft geen telefoon?'

'Zo te zien niet.'

'Hmm.'

'Tevreden?'

'Je bent onvervangbaar', zei ik en ik meende het. Ik moest

mijn theorie een weinig bijstellen. Een telefoongids was niet voldoende. Je moest ook een goede vriendin bij het bevolkingsregister hebben.

Ik zei: 'Ik wens je een lang en gelukkig leven bij het bevolkingsregister. Doe de groeten.'

'Aan wie? Aan...'

'Aan het bevolkingsregister.'

'O. Ik dacht...'

'Hoe gaat het met d'r? Met je zus.'

Ik kon horen hoe ze begon te stralen. 'Het gaat echt geweldig met haar, Varg.'

'Dat zij ook een lang en gelukkig leven bij het bevolkingsregister mag hebben. Voor het geval jij op het idee zou komen om te stoppen. Maar doe dat niet. Tot ziens.'

'Tot ziens.'

Ja, ze had vast een goede vakantie gehad.

Ik probeerde het nummer van Sigrid Karlsen nog eens. Nu was er iemand thuis. Een wat leeftijd betreft onbestemde vrouwenstem nam op: 'Ja, hallo?'

Ik schraapte mijn keel en zei: 'Goeienmiddag. Eh, mijn naam is Veum en ik bel omdat... Het klinkt misschien een beetje stom, maar bent u ooit getrouwd geweest met... heette uw man Holger Karlsen?' Ik zei zijn naam duidelijk, zodat er geen ruimte voor vergissingen zou zijn.

Het antwoord kwam aarzelend. 'Ja-a. Waar gaat het om?'

'Luister, ik bel vanwege... het is al zo lang geleden, maar... die brand, bij Pauw. Er zijn een paar dingen waar ik graag met u over zou willen praten.'

Haar toon was nog steeds onzeker. 'Ik begrijp het niet helemaal. Hoe zei u dat u heette?'

'Veum. Ik ben... ik doe onderzoek, en er zijn wat dingen boven water gekomen. Ik begrijp dat deze kwestie pijnlijk voor u kan zijn, maar ik denk dat we... hoe zal ik het zeggen... gezamenlijke interesses hebben.'

'Bent u van de politie?'

'Nee. Ik heb een privébureau.' Dat klonk hopelijk enigszins respectabel. Ik wierp een beschaamde blik door mijn privébureau. Er bestond weinig kans dat ik haar voor een rondleiding zou uitnodigen. 'Maar misschien kunt u zich een politieman herinneren die Nymark heette?'

'Ja?'

'Hij is dood. En vlak voor hij stierf, heeft hij me een paar dingen verteld.'

Haar stem werd harder. 'Die de politie al die tijd heeft geweten?'

Ik antwoordde snel: 'Nee, nee. Meer wat theorieën van hem persoonlijk, gebaseerd op vermoedens.'

'Maar wat bedoelt u daarmee, dat we... gezamenlijke interesses zouden hebben?'

'Ik bedoel dat er reden is aan te nemen dat de naam van uw man eindelijk gezuiverd zou kunnen worden.'

'Als u op geld uit bent, meneer eh... Veum, dan kan ik u verzekeren dat...'

'In het geheel niet, mevrouw Karlsen. Dat kan ik u verzekeren. Ik ben geïnteresseerd in uw visie op de zaak, uw gedachten erover, wat u te vertellen heeft. Ik heb uw getuigenverklaring nodig, om het zo te zeggen. Dat is alles. Als u het tenminste niet vervelend vindt om alles weer op te rakelen.'

'Geloof me, Veum, *dat* is niet het ergste. Die zaak laat me toch nooit met rust. Ik heb hem de afgelopen achtentwintig jaar constant opgerakeld, dus...'

'Zou ik even langs mogen komen?'

Het was even stil. 'Het schikt vandaag niet zo goed. Maar als u morgen kunt komen, morgenvroeg?'

'Wat bedoelt u met vroeg?'

'Negen uur, halftien? Dan krijgt u een kop koffie...'

'Dat klinkt uitstekend. Afgesproken dan, nietwaar?'
'Prima.'

We namen afscheid en hingen op. Ik bleef, zoals zo vaak, door het raam naar buiten zitten staren. Het was laat in de middag geworden. De haven was grijs en vlak, de berghelling met de matte augustuskleuren was met bruinige vlekken doorspekt. Na maanden regen begonnen de eerste bladeren te vergaan. En de lucht erboven: grijswit en ondoordringbaar.

Op deze dag was Hjalmar Nymark tot as geworden en had ik mijn allereerste afspraak naar aanleiding daarvan gemaakt.

21

Ik ontwaakte op de volgende grijze dag. Augustus hing als een verfomfaaide zeevogel met zijn snavel boven de stad. De wolken lagen als donker blaaswier boven Askøy en de eerste regenvlagen zaten al in de lucht.

Sigrid Karlsen woonde in een smal, houten huis van drie verdiepingen waarvan de gevel naar voren leek te hellen. Het was wit, maar niet pas geschilderd.

De voordeur stond open. De donkere gang voerde naar een woning op de begane grond, met een andere naam op de deur. Een trap leidde omhoog naar de eerste verdieping. Daar woonde Sigrid Karlsen, achter een groene deur met hoge, smalle ruitjes, met een geribbeld, vierkant patroon erin. Ik drukte op de bel. Er kwam direct beweging in de woning en een kleine vrouw deed open, met een voorzichtige glimlach op haar gezicht.

'Mevrouw Karlsen? Mijn naam is Veum.'

Ze deed de deur helemaal open. 'Komt u binnen.'

Ik kwam binnen in een smalle gang, waar slechts plaats was voor een commode en een spiegel. Een van de hoeken van de commode was duidelijk beschadigd en de spiegel was gebarsten.

Ze gaf me een hand. 'Sigrid Karlsen.'

'Varg Veum. Aangenaam.'

'Ik zal uw jas even aanpakken, dan...'

'Dank u wel.'

'We gaan in de keuken zitten. Hier.'

Ik volgde haar gehoorzaam. We gingen een kleine, wit-geschilderde keuken binnen, met blauwgeruite gordijnen voor het raam, een licht kleed op de tafel en een aangename koffiegeur die van het fornuis kwam. De deurtjes van de keukenkastjes waren blauw geverfd en aan de wand boven de koelkast hing een kalender met de afbeelding van een jongen met een hond die over van die bloemenweiden hol-de als alleen op zulke plaatjes bestaan. Op de keukentafel stond een radio die het vertrek vulde met koffiemuziek, ge-lardeerd met gezellig gebabbel.

De keuken lag op het noorden en boven de daken van de buurhuizen kon je de torenspits van de Nykirke zien. Sigrid Karlsen trok een stoel bij en pakte voor elk van ons een kop-je, een schoteltje en een bordje. Er lagen wat kaakjes op een schaaltje en ze vroeg of ik melk in de koffie wilde. Ik bedank-te en ze schonk de koffie in. Toen ze ging zitten, aan de an-dere kant van de tafel, zei ze: 'Ik was een beetje overrom-peld, toen u belde.'

'Dat begrijp ik best. Het is ook al zo lang geleden.'

'Ja...' Ze keek peinzend naar buiten. Haar ogen waren blauw, achter grote, in zilver gevatte brillenglazen, haar haar blond met een zweempje grijs erin. Haar gelaatstrek-ken waren regelmatig en meisjesachtig en alleen de kleine rimpeltjes rond haar ogen en haar mond verraadden haar leeftijd, die ik ergens halverwege de vijftig en de zestig jaar schatte. Ze was klein en fragiel, droeg een blauwe katoenen jurk en had een dun, beige vest over haar schouders gesla-gen. Als ze make-up gebruikte, dan zeer geraffineerd.

Ze trok haar blik weg van het raam en keek me aan, een beetje verlegen.

'Ik ben goed bekend in deze buurt,' zei ik, 'ik ben zelf op Nordnes opgegroeid, iets verderop.'

'Meen je dat? We zeggen toch je en jij, nietwaar? Ja, ik woon hier al sinds de oorlog. We woonden hier toen... deze woning werd ons toegewezen, vlak na de oorlog. We konden de huur net opbrengen. Holger had een goeie baan en we hadden wat gespaard. We hadden het hier goed.'

Ik keek naar buiten. 'Dan heb je vast wel eens hier aan de keukentafel naar buiten zitten kijken, terwijl ik buiten als klein jongetje over straat rende. Ik kan me herinneren dat we hier wel eens boodschappen deden. Was er niet een vis-winkel, hier vlakbij?'

'Ja.' Ze glimlachte vaag. 'Er waren hier toen een heleboel winkels. Er zijn er niet veel meer over.'

'Nee.'

'Maar nu moet je me vertellen...'

'Ja. Maar ik zou graag willen dat jij begon, als je het niet erg vindt.'

'Goed. Wat wil je weten?'

'Ik wil dat je me alles vertelt, wat je nog weet van wat er voor en na die afschuwelijke brand is gebeurd.'

Ze knikte langzaam. 'Ik denk dat ik...' Ze stond op en schonk nog eens koffie in. Toen zei ze: 'Ik haal even...' Ze liep naar de woonkamer. Ze liet de deur op een kier staan en ik zag een deel van een schemerige kamer, ouderwets behang met een patroon van zijdeachtige bladeren, oude meubels en een televisietoestel dat er niet tussen leek te passen.

Ze kwam terug met een ingelijste foto. Ze gaf hem aan me en ik bleef er een poosje mee in mijn hand zitten.

'Dat zijn wij op onze trouwdag. Dat was in 1947.'

Het was een plechtige, geposeerde foto. De twee jonge mensen staarden strak in de camera, met glimlachen die op hun gezichten getekend leken te zijn. Ik sloeg mijn ogen naar haar op. Ze was niet erg veranderd, maar het was meer dan dertig jaar geleden. Op de foto had ze iets fris en meisjesachtigs over zich, iets lichts en zonnigs. De man aan haar zijde was langer en donkerder dan zij. Zijn gezicht was markant, mager en had een krachtige kin. Het was een knap gezicht, maar hij leek opvallend slecht op zijn gemak in het donkere kostuum met de brede revers, en de witte anjer in zijn knoopsgat hoorde er al helemaal niet. Ik kon me hem goed voorstellen in een overall. Zijn donkere haar was achterover gekamd en kort geknipt tot vlak boven zijn oren.

Ze zei: 'Hij was negenentwintig. Ik zeven jaar jonger.'

Ze droeg een witte, wijde jurk, het bruidsboeket was overdadig. 'De Nykirke was nog niet herbouwd na de oorlog, dus we zijn getrouwd in de St. Markus. Maar het bruiloftsfeest hebben we in de Koks- en Stewardschool gehouden. Het was in november, met mooi weer.'

Ik knikte. 'En hij was voorman, bij Pauw?'

'Ja. Dat was hij net geworden en toen kreeg hij zoveel opslag dat we vonden dat we het ons konden veroorloven te trouwen. We kenden elkaar al sinds 1942. Met Pasen.'

Ze hield haar koffiekopje met beide handen vast. 'Het lijkt net een andere eeuw, die tijd net na de oorlog. Het waren magere jaren, maar we waren blij dat de oorlog was afgelopen en we waren optimistisch. Holger en ik waren jong en gelukkig en we dachten dat we de toekomst voor ons hadden. In 1949 kwam Anita. Het was een zware bevalling, want ik was een beetje te smal, maar het ging toch goed. O, als ik daaraan terugdenk... Ik zie hem zo voor me, 's morgens vroeg, voor hij naar zijn werk ging. Hij zat daar, precies waar jij nu zit. Hij was... ik vond hem een bijzonder knappe man. En ik hield zielsveel van hem.' Stilletjes zei ze: 'Nog steeds.'

'Hij...'

'Hij droeg zijn geruite werkhemd, bruine schoenen, zijn iets te lange riem, want hij was toch zo dun, de stakker. Hij dronk koffie en at een boterham en als Anita wakker was, zat ze bij hem op schoot, terwijl hij grapjes maakte en tegen haar lachte. Hij was een goeie vader, had altijd tijd voor zijn kleine meid. Zoiets was toentertijd nog niet zo gewoon en de andere kerels in de buurt keken hem altijd na als hij tegen de avond een eindje ging wandelen, met Anita in de kinderwagen...'

Ze zette haar kopje neer. 'Hij ging lopend naar zijn werk, of hij nam de bus. Lijn 6 vanaf de Haugevei. En 's middags kwam hij pas om vijf uur weer thuis. Maar ook al was hij moe, en je weet, een verffabriek... ze hadden toen nog niet zo'n strenge controle op de stoffen die werden gebruikt... hij had vaak hoofdpijn. Maar hij ging altijd met zijn dochter wandelen, bijna iedere dag. Hij was een goed mens, opgegroeid in Viken, de jongste van acht kinderen... dat hij zo jong moest sterven en zo'n nagedachtenis moest krijgen. Er waren mensen die me nog jaren erna opbelden, Veum. Weduwen van andere slachtoffers. Ze belden me op met bedreigingen en ze zeiden dat Holger... dat ze hoopten dat hij... dat hij zou branden in de hel, omdat hij hun mannen had vermoord. Een van hen, eentje stuurde me bloemen, ieder jaar, op de dag van de brand, acht of negen jaar lang! De eerste keer had ik natuurlijk geen idee van wie ze waren en maakte ik de envelop open. Gefeliciteerd met deze dag! stond er op het kaartje. Groeten... Later gooide ik de bloemen meteen in de vuilnisbak. Ik heb de bloemist gevraagd ermee op te houden, maar toen ging ze naar een ander. Ik heb de politie gebeld, maar die konden niets doen, zeiden ze. Ten slotte hield het vanzelf op. De stakker, ze was natuurlijk ziek. Maar het waren rotjaren. Ik was alleen met Anita en het duurde heel lang voor de verzekeringsmaatschappij de polis uitbetaalde. Ze beweerden dat... maar op *dat* punt was de politie tenminste schappelijk. Ze zeiden dat er niets te bewijzen viel, noch Holgers schuld, noch het tegenovergestelde. En aangezien er geen bewijzen waren, moesten ze uiteindelijk wel uitbetalen. Ik heb een advocaat gevraagd me te helpen. Maar het is me niet in de koude kleren gaan zitten, dat kan ik je wel vertellen. Ik hoop zoiets nooit meer mee te maken. En het ergste was dat ik... ik wist immers dat hij onschuldig was. Ik wist wat hij had gezegd en ik *kende* hem... beter dan wie dan ook.'

'Wat had hij dan gezegd?'

Ze keek langs me heen, bijna dertig jaar terug in de tijd. 'Hij klaagde bijna nooit. Hij was een tijdje vertrouwensman voor de vakbond, maar hij was niet zo'n revolutionair. Van nature was hij sociaal-democraat.'

'Zoals de meeste Noren.'

'Ja, misschien. In ieder geval was hij voor samenwerken. Als hij via onderhandelingen tot een oplossing kon komen, probeerde hij conflicten te voorkomen. Maar natuurlijk ontstonden er situaties... tijdens de loonsonderhandelingen bijvoorbeeld... en hij kon koppig zijn, hij wist wat hij wilde. En juist in die periodes klaagde hij nooit, kwam er alleen iets over hem... een soort triestheid. Dan kreeg hij diepe, bezorgde rimpels in zijn voorhoofd en zijn ogen werden donkerder, zijn mond kreeg een scherpe, bijna bittere trek. Hij was zo knap. Hij deed aan een jonge dichter denken, aan Rudolf Nilsen misschien. Maar dat was hij natuurlijk niet. Hij zat aan de onderhandelingstafel en daar ging het om getallen, om arbeidstijden en weeklonen.' Ze zweeg even, schonk warme koffie in onze halfvolle kopjes, zat schijnbaar een beetje naar de radio te luisteren, waar een accordeon-ensemble met lange uithalen een wals speelde.

Toen zei ze: 'De laatste dagen voor de brand was hij ook zo.'

'Bezorgd?'

'Ja, en hij voelde zich niet goed. Ik zag het aan hem. Hij zag bleek, had geen trek. Op een nacht, of vroeg in de ochtend, toen hij niet wist dat ik wakker was, hoorde ik hem naar de wc gaan en overgeven, zonder dat er iets uit kwam. Ik vroeg voorzichtig of hij niet naar de dokter moest, maar hij schudde alleen maar zijn hoofd. Toen ik vroeg wat hem dwarszat, keek hij me met van die droevige ogen aan. Ik zag de spieren in zijn kaak bewegen. Maar hij zei niets. Pas toen hij die dag van zijn werk thuiskwam... plotseling, tijdens de koffie, viel hij uit: morgen ga ik naar de directie! Ik herinner me ieder woord nog, alsof het gisteren was. Morgen ga ik naar de directie. Er moet een lek zijn, ik weet het bijna zeker. Er zijn er meer die last hebben. Hij vertelde dat er meer mensen in de productiehal waren die de laatste tijd last hadden van hoofdpijn, duizeligheid en misselijkheid en hij was ervan overtuigd dat er ergens een lekkage was. Een gaslek.' Haar stem brak een beetje toen ze zei. 'Er zou sprake kunnen zijn van explosiegevaar.'

Ik knikte. 'En de dag daarop...'

Met plotselinge heftigheid stootte ze uit: 'De volgende dag is hij naar de directie gegaan om het te zeggen!' Toen werd ze rustiger. 'Het was een vreemde dag. Ik weet het nog als... het was april, en het was typisch aprilweer. Het ene moment scheen de zon en het volgende goot het van de regen. Ik had boodschappen gedaan en op weg naar huis was het tussen de buien door opgeklaard, dus ik maakte een wandelingetje door Nordnes. Ik weet niet of je nog weet hoe het er hier toen uitzag?'

'Jazeker.'

'De afgebrande huizen, als gevolg van de bombardementen. De roodbruine resten van fundamenten met jonge begroeiing erop. De zongele, dikke wilgenkatjes. De struiken zaten er vol mee. En de zon was warm, de onverwachte windvlagen deden je haar omhoog waaien. Anita zat in de kinderwagen en ik dacht: gelukkig is het lente. Wat een heerlijke zomer zal het worden, met de kleine meid en mijn lieve man. Ik voelde me de gelukkigste vrouw ter wereld. En uitgerekend die dag kwam hij 's middags niet naar huis.'

'Nee?'

'Nee, en dat was nooit eerder voorgekomen. Hij was nooit te laat, hij was altijd... ik had lapskaus gemaakt en sagopap met bessensaus toe. Ik belde de fabriek op, maar daar konden ze alleen vertellen dat hij op de gewone tijd was vertrokken. Hij kwam pas om een uur of acht thuis en toen was Anita zelfs nog op. Ze was zo onrustig. Ik hoorde hem de trap opkomen, stommelend. Hij prutste met het slot. Ik zat binnen, in de kamer, in het donker. Hij ging eerst naar de keuken, ik kon hem heel duidelijk zien in het licht, en toen kwam hij naar de deur toe en kreeg hij mij in de gaten. Hij... zijn onderlip stak naar voren als bij een pruilend kind. Zijn haar zat in de war en hij liep vreemd, slingerend. Toen hij bij de deur was, leunde hij tegen de deurpost en het slechte geweten straalde uit zijn ogen. Ik had hem nooit eerder zo gezien. Ik begreep natuurlijk dat hij gedronken had, hij stonk naar bier. Het enige wat hij zei was: ze wilden niet naar me luisteren. Wie? vroeg ik, geprikkeld door de spanning. De *directie*, zei hij, snauwend. Later, toen we Anita naar bed hadden gebracht en ik sterke koffie voor hem had gezet en we stil in de kamer zaten en weer tot rust kwamen... toen vertelde hij dat hij naar de directie was gegaan en gezegd had wat hij vermoedde. Maar de directie had het van de hand gewezen en gezegd dat ze het zouden onderzoeken, maar dat er geen van sprake kon zijn onmiddellijk de productie stop te zetten.'

'Zei hij met wie hij gesproken had?'

'Als hij het zo zei, als hij alleen maar de directie zei, dan kon het maar één man zijn.'

'En dat was?'

'Hellebust. De directeur.'

'Die later ontkende dat je man iets had gezegd.'

Haar ogen vonkten. 'Ja. Inderdaad!' Ze balde haar kleine vuisten en opende ze weer en plotseling werden de aderen op haar slapen duidelijk zichtbaar. 'En de volgende dag...' Ze hapte naar adem. 'De volgende dag...' Er kwamen tranen in haar ogen en haar stem werd dof. 'De volgende dag hield het leven op... ook voor mij, Veum.'

Ik knikte zwijgend.

'En het was zo'n mooie lentedag! Geen regenbuien die dag. De zon scheen, maar ik was bezorgd toen hij naar zijn werk ging, vanwege hetgeen er de vorige dag was voorgevallen. Hij zag er verbeten en verbitterd uit toen hij wegging en ik wist bijna zeker... ik was zo bezorgd omdat ik...'

'Omdat je...'

'Ik word altijd... ik ben altijd bang als er een conflict is. En die dag was ik ervan overtuigd dat Holger besloten had te staken, een staking uit te roepen... als de directie niet zou toegeven.'

'Maar weet je dan...'

'Nee, ik weet niet wat er is gebeurd, want Hellebust was die dag immers in Oslo, dus hem kon hij in geen geval gesproken hebben, en toen... toen ze belden en me vertelden...' Ze slikte en slikte. 'Ik stond met de telefoon in mijn hand, was totaal verlamd. Ik kon me niet bewegen, kon niets zeggen. De hoorn viel uit mijn handen, hij bungelde boven de vloer. Ik kon niet eens schreeuwen. Mijn stem was weg. Ik deed mijn mond open en mijn lichaam schreeuwde, maar om me heen was het stil. Ik hoorde Anita met haar poppen babbelen, in de slaapkamer, en de radio die aanstond en het gepruttel van iets op het fornuis. Maar binnenin me was alleen maar een snerpende, oorverdovende stilte...'

Ze zat gebogen boven haar koffiekopje. Met haar wijsvinger wreef ze voorzichtig langs de rand, als de schaduw van een liefkozing. Zachtjes zei ze: 'Sindsdien heb ik alleen geleefd.' Ze keek me bijna onwillig aan. 'Is het niet belachelijk, als een vrouw van bijna zestig over liefde praat?'

'Nee.'

'Jij bent nog jong, je hoort bij een andere tijd. Vandaag de dag is alles anders. De mensen storten zich van het ene huwelijk in het volgende, vinden nooit rust, hebben het zo druk met zoeken dat ze... Maar hebben ze tijd om lief te hebben, om echt lief te...? Misschien was ik bevoorrecht, dat ik de grote liefde mocht meemaken. Ik hield zo veel van Holger, dat ik als het ware helemaal vol van hem was. Ik was vol van hem, volledig, en toen hij er niet meer was, was er alleen nog leegte. Als je begrijpt... de liefde die ik toen voelde, die verteerde mijn behoefte aan... zulke dingen. De rest van mijn leven heb ik gewijd en zal ik wijden aan Anita, aan wat Holger me heeft nagelaten.' Ze keek me nu recht aan. 'Sinds die tijd heb ik geen man aangeraakt, niet gekust, niet... niets.' En met een zwakke glimlach ging ze verder: 'Ik heb het niet als een gemis gevoeld. Kun je dat begrijpen?'

Ik keek naar haar gezicht. Niet gekust sinds 1953, de hoge vlucht van de sensualiteit niet meer ervaren, omdat ze het niet nodig had. Omdat ze daar al geweest was. Het klonk romantisch – en ook een beetje ouderwets. Het maakte haar eigenlijk ouder dan zestig, of had het moeten doen. Maar op een merkwaardige wijze voelde ik dat ik haar begreep, dat er een soort verwantschap tussen ons was, zoals we daar zaten, ieder aan een kant van de keukentafel: zij een vrouw van bijna zestig die sinds 1953 niet had bemind, ik een man met zijn eerste grijze haren en sinds kort een groot verlangen achter zijn voorhoofd gegrift.

Ik vroeg: 'Wat doet je dochter?'

'Anita... ze werkt in een crèche in Loddefjord. Ze houdt van kinderen, maar heeft er zelf nog geen. Ze is niet getrouwd en ze woont hier, nog steeds. Ze huurt een appartementje op zolder en komt meestal hier beneden eten. Zo heb ik nog steeds iemand die 's avonds thuiskomt.'

'Hoe heeft zij het verlies verwerkt?'

'Dat is moeilijk te zeggen. Ze was nog zo klein. Ze begreep eigenlijk niet wat er was gebeurd. Maar ze kon volslagen hysterisch worden als ik 's avonds wegging. Het was net of ze bang was dat ik ook zomaar zou verdwijnen, net als haar vader. Maar vaak denk ik dat wat er na die tijd is gebeurd, erger voor haar was... mijn zenuwproblemen, omdat het zo ontzettend lang duurde voor de verzekering betaalde, en alle laster, de aanklachten tegen Holger, het onderzoek dat nergens toe leidde, de besprekingen met mensen van de verzekering, met advocaten, politie... Het was een nachtmerrie die minstens vijf jaar duurde, voor het eindelijk rustig werd en we weer als normale mensen konden proberen te leven. De problemen waar ze later mee heeft geworsteld, hebben daar misschien mee te maken.'

'Iets speciaals?'

'Nee, nee. Maar iedereen heeft wel... psychische problemen tegenwoordig, heb ik de indruk. Ze heeft haar portie ook gekregen. Ik geloof niet dat er kinderen zijn die zonder kleerscheuren tevoorschijn komen uit een periode waarin ze een van hun ouders missen, of dat nu komt door een echtscheiding of door overlijden.'

'Misschien.'

'Maar ik ben misschien ouderwets.' Ze zweeg. Het daglicht weerkaatste in haar grote brillenglazen en schiep een soort afstand: alsof ze aan de andere kant van een raam naar me zat te kijken.

'Zeg eens,' zei ik, 'heb je wel eens met Hellebust gesproken... over wat er gebeurd was?'

Ze schudde haar hoofd. 'Ik heb hem een paar keer geschreven. Hem gesmeekt te vertellen wat er werkelijk was gebeurd, toe te geven dat Holger bij hem was geweest om over een lek te klagen.' Haar toon werd bitterder. 'Hij heeft nooit de moeite genomen me te antwoorden.'

'Nee. Directeuren hebben over het algemeen één ding gemeen. Ze geven nooit fouten toe.'

'Ik heb geprobeerd hem te bellen, maar ik ben nooit verder gekomen dan zijn secretaresse.'

'Alvhilde Pedersen?'

'Ja, dat kan wel. Ik heb geen idee hoe ze heette. Toen ik de wanhoop nabij was, heb ik overwogen erheen te gaan en voor zijn deur te gaan zitten tot hij wel met me moest praten. Maar ze zouden alleen maar de politie hebben gebeld, en die had ik al gesproken. Bovendien werd de hele fabriek kort daarna geliquideerd en verliet Hellebust het land.'

'De politie... met wie heb je gesproken?'

'Tja, met verschillende mensen. Degene die je door de telefoon noemde kan ik me nog goed herinneren. Hij heette toch Nymark? Dat was zo'n solide, betrouwbare figuur, zo iemand die vertrouwen inboezemt. Ik had het idee dat hij aan mijn kant stond, om het zo te zeggen. Verder had ik het beklemmende gevoel dat ze meer waarde hechtten aan wat Hellebust te zeggen had. Het was zijn woord tegen het mijne en dan zou Hellebust wel gelijk hebben. Iets anders was niet mogelijk. Maar zei je niet dat Nymark dood was en dat er iets nieuws was opgedoken?'

'Nou ja, wat heet nieuw? Ik kan je vertellen dat die hele kwestie Hjalmar Nymark erg heeft beziggehouden, tot aan zijn dood. Het heeft hem nooit losgelaten. Hij is nogal onverwacht overleden en... ik probeer de draad op te pakken waar hij hem heeft losgelaten. Eigenlijk onderzoek ik de omstandigheden rond Nymarks dood, omdat de politie het niet wil doen. En die omstandigheden omvatten onder andere de brand bij Pauw in 1953 en een geheimzinnig sterfgeval in 1971. Maar de oplossing van het geheel ligt, denk ik, begraven op de plaats waar Pauw is afgebrand.'

'Een sterfgeval, wat...'

'Zegt de naam Harald Wolff je iets?'

Ze schudde haar hoofd.

'Hij werkte bij Pauw. Als kantoorbediende.'

'We hadden nooit contact met de mensen die op kantoor werkten. Ik heb een paar van Holgers collega's ontmoet, dat was alles.'

'Nou ja. Het is een lang en ingewikkeld verhaal en als het me ooit lukt het tot de bodem uit te zoeken, dan beloof ik dat ik je alles zal komen vertellen. En als er volgens jou dan nog niet genoeg opschudding is geweest, stappen we ermee naar de krant, of het nu achtentwintig jaar te laat is of niet.'

Ze glimlachte flauwtjes – en treurig – alsof ze niet helemaal geloofde wat ik zei.

'Maar goed: Harald Wolff is na de oorlog veroordeeld wegens landverraad en hij werd er sterk van verdacht tijdens de oorlog achter een hele serie verdachte sterfgevallen te hebben gezeten. Nymark, en ik denk ook Konrad Fanebust, de leider van de openbare onderzoekscommissie, had het sterke vermoeden dat de brand bij Pauw was aangestoken...'

'Ja, ik herinner me Konrad Fanebust nog goed. Hij was altijd heel vriendelijk en hij heeft me later nog geholpen, met de verzekeringsmaatschappij. Misschien kan hij iets vertellen...'

'Hij is binnenkort de enige overlevende, afgezien van Hagbart Hellebust zelf, dus ik hoop het wel. Ik ga met hem praten.'

'Maar hoe is het verder met die... Wolff gegaan?'

'Hij is vermoord, in 1971. Dat is tenminste de officiële verklaring.'

'De officiële?'

'Ik bedoel dat hij misschien niet degene is die vermoord werd. Dat hij het misschien heeft overleefd, om het zo te zeggen. Dat hij niet dood is, maar nog ergens rondloopt.' Onwillekeurig keek ik naar buiten. Tegen mijn wil merkte ik dat mijn woorden een gevoel van angst in me opwekten dat mijn maag ineendrukte en mijn mondholte droog maakte. Die gedachte stond me niet aan en de stad leek meteen nog donkerder in het sombere weer: donker en gevaarlijk. Als Harald Wolff zich echt ergens daarbuiten in de schemering bevond, met God mag weten hoeveel levens op zijn geweten, dat zouden een of twee levens erbij hem niet zo veel uitmaken. Misschien had ik al te veel gezegd.

Weer was dat argwanende, onzekere glimlachje daar. 'Maar...'

'Je gelooft toch ook niet in spoken?'

'Neee.'

'Een persoon met een signalement dat op minstens één punt duidelijk overeenkwam met dat van Harald Wolff, is in de buurt gezien, toen Hjalmar Nymark overleed onder wat ik verdachte omstandigheden zou willen noemen. En aangezien ik ook niet in spoken geloof, blijft er maar één verklaring over, nietwaar?'

'Ja?'

Ik kon zien dat ik haar in verwarring had gebracht, dat ze niet langer honderd procent zeker was of ze me kon vertrouwen. En dat begreep ik wel. Ik realiseerde me dat ik veel sceptische gezichten zou tegenkomen, als ik voortdurend over tien en bijna dertig jaar oude misdaden zou praten, en over verdachte sterfgevallen tijdens de oorlog, over spoken.

Ik boog me over mijn koffiekopje, pakte het met beide handen op, alsof ik haar de heilige graal voorhield. 'Vind je dat het onlogisch klinkt?'

Ze keek me door de grote brillenglazen aan. 'Ik weet het niet. Het is moeilijk om er weer in te duiken, om als het ware weer opnieuw te beginnen. Misschien... misschien is het beter om het te laten zoals het is, het zal alleen maar meer ongeluk met zich meebrengen als je er weer in begint te wroeten.'

Ik sloeg haar gade over de rand van mijn kopje. 'Ik begrijp je scepsis. Maar... ik voel me verplicht tegenover Hjalmar Nymark. Ik ga verder met mijn onderzoek, zo ver ik kom. Maar ik zal proberen je niet verder lastig te vallen.'

'Je valt me helemaal niet lastig, zo moet je het niet opvatten. Ik ben alleen... ik ben achtenvijftig en ik ben al sinds mijn eenendertigste weduwe. Mijn leven is verspild. Ik hou van Holger, ja, ik zeg *hou*, in de tegenwoordige tijd. Voor mij zal hij altijd tegenwoordige tijd zijn. Maar dat betekent ook dat ik zevenentwintig jaar in een lege ruimte heb geleefd. Jaren die ik samen met hem had moeten doorbrengen, heb ik zonder liefde, zonder aanrakingen geleefd. Mijn tederheid heb ik aan een bloembed op een graf geschonken, mijn vreugde is gekoppeld aan herinneringen... en aan Anita. Je moet begrijpen dat een mens... dat ik moe ben.'

Ik zei zachtjes: 'Natuurlijk, ik zal niet, ik...' Ik wendde mijn hoofd af, keek vertwijfeld om me heen, zocht iets om over te praten, iets anders. Ik zei: 'Wat... wat doe je verder? Heb je werk?'

Ze deed haar bril af en legde hem voor zich op tafel. Haar blik werd smal en doelloos. Ze wreef met vlakke handen hard in haar ogen. 'Ja, ik heb een halve baan op het provinciehuis, drie dagen per week.'

'Dus je werkt... daar?' Ik keek naar het hoge, donkere kantoorgebouw van de provincie Hordaland en kreeg kippenvel. Het gebouw met de bruine, metalen platen op de gevel verrees als een stuwdam naar de Strandgate, in schril contrast met de fraaie, houten huisjes aan de overkant van de Ytre Markvei. Wanneer de herfststormen of de zomerregens inzetten, kon dit gewest inderdaad donker en ongastvrij zijn, maar zó levensvijandig was het niet: zo'n afschuwelijk monument had het niet verdiend.

'Ja.' Alsof ze mijn gedachten kon lezen, zei ze: 'Ik weet nog... toen we hier kwamen wonen, konden we vanhieruit de haven zien. De boten die af en aan voeren. De grote passagiersschepen bij Skolten, de Amerika-lijn...'

'Ja. Er was eens... zoals dat heet. En hiermee zal het ook wel hetzelfde gaan als met sprookjes: binnenkort is er niemand meer die het gelooft.' Ik stond op en bleef besluiteloos midden in de keuken staan. 'Nou, dan ga ik maar eens. Bedankt.'

Ze was ook opgestaan. 'Tja. Ook bedankt.'

Ze liep mee naar de gang, waar ik mijn jas aantrok en de voordeur opendeed. Voor ik naar buiten ging, zei ze: 'Dus je laat het me horen als je wat meer weet?'

'Wil je dat?'

Ze knikte, zonder verder nog iets te zeggen.

Ik knikte terug, glimlachte hulpeloos en was weer op weg naar buiten.

22

Het daglicht kan bevrijdend zijn, maar ook zo doordringend en onbarmhartig als een röntgenlamp. Ik was niet in de stemming om doorgelicht te worden en liep in de schaduw van de huizen terug naar het centrum. Het werd tijd om te horen of Konrad Fanebust me wilde ontvangen.

In een stad die arm is aan helden, was Konrad Fanebust een van de weinigen. Als we in een meer bombastische tijd hadden geleefd, zou er misschien een sokkel op de Torgalmenning zijn neergezet en een standbeeld voor hem zijn opgericht. Er waren verscheidene boeken geschreven over zijn heldendaden en acties tijdens de gevechten in 1940 en daarna in het verzet, tijdens de bezetting. In mijn jongensjaren, begin jaren vijftig, spraken we met hetzelfde respect over hem als over Hopalong Cassidy, Roy Rogers en Shetland-Larsen. Na de oorlog was hij al snel een soort boegbeeld geworden. Als hij van een andere partij was geweest, had hij vast en zeker een ministerspost gekregen. Nu moest hij genoegen nemen met een periode als burgemeester van Bergen en het zouden meer ambtsperiodes zijn geworden, als hij niet zelf had besloten zich uit de politiek terug te trekken. Daarna was hij min of meer achter de coulissen verdwenen. Maar uit de kranten bleek dat hij een succesvolle en bloeiende onderneming in de scheepvaartbranche leidde, en dat in een tijd waarin rederijen heel wat klippen moesten omzeilen. Daarnaast moest hij steeds komen opdraven als er een oorlogsjubileum – de bezetting of de bevrijding – herdacht werd, ook al benadrukte hij in alle interviews dat het onrechtvaardig was om *hem* aldoor op de voorgrond te plaatsen, ten koste van alle anonieme oorlogshelden die tijdens de oorlog zijn strijdmakkers waren geweest.

Konrad Fanebusts kantoor lag op de tweede verdieping, met uitzicht op het stadspark. Zijn secretaresse beschermde hem vanuit een luisterrijk voorvertrek, met grote donkerbruine meubels, een oosters tapijt op de vloer en een grote, donkergroene palm in de hoek, tegen de buitenwereld. Het was op zich al een heel karwei om tot het voorvertrek door te dringen.

De secretaresse zelf was beleefd, charmant en afwijzend. Ze was eind dertig, had goudbruin, steil haar, droeg een zwarte trui en een grijze rok en had uiterst verzorgde, witte handen met blanke lak op haar kortgeknipte nagels. Ze kende het refrein: 'Heeft u een afspraak?'

Ik schudde verdrietig mijn hoofd. 'Nee, helaas.'

'Dan ben ik bang...'

'U hoeft niet bang te zijn. Zegt u maar tegen Fanebust dat ik hier ben naar aanleiding van de dood van een gezamenlijke vriend. Hjalmar Nymark. Zegt u hem maar dat het belangrijk is. Erg belangrijk.'

Ze keek me nadenkend aan. 'Juist. Heeft u tijd om te wachten?'

Ik maakte een genereus gebaar met mijn armen. 'Als tijd geld was, zou ik rijk zijn.'

'Juist, ja.' Ze glimlachte een beetje spits, maar klopte vervolgens op een deur en wachtte op antwoord voor ze naar binnen ging.

Zulke kantoren doen altijd donker aan. De ramen zijn smal

en ouderwets, de muren zo dik dat je het verkeer buiten nauwelijks hoort, de centrale verwarming zorgt gedurende alle twaalf wintermaanden van het jaar voor dezelfde gemiddelde temperatuur en buiten zou de atoombom kunnen vallen, zonder dat je het binnen zou merken. Zo leek het althans.

Ze kwam terug, maar liet de deur achter zich op een kier staan. Dat was een goed teken. 'U kunt naar binnen gaan. Hij heeft eventjes tijd.'

Ik bedankte en glimlachte. Het was me duidelijk dat ze een goede secretaresse was, die de tijd van haar chef zorgvuldig bewaakte.

Ik ging naar binnen en sloot de deur goed achter me.

Konrad Fanebust zat achter zijn bureau te schrijven. Hij keek even onderzoekend naar me op. Toen wees hij me met zijn vrije hand een stoel en ging door met schrijven. Hij was een man met gevoel voor systematiek: één ding tegelijk.

Ik had de gelegenheid om zowel Fanebust als zijn kantoor in me op te nemen, nog voor er ook maar een woord was gezegd.

Het kantoor was groot, de wanden bedekt met boekenkasten met glazen deuren ervoor en de hoge ramen waren door middel van een aantal diepgroene velours gordijnen nog smaller gemaakt. Het tapijt was zo dik dat het klonk of ik op kousenvoeten liep, toen ik de kamer doorkruiste naar de aangewezen stoel. Het was een ouderwetse stoel, met een hoge, smalle rugleuning, maar beslist niet oncomfortabel.

Fanebusts bureau had natuurlijk groter kunnen zijn, als je er de polonaise op had willen dansen. Nu was er ruim plaats voor een geconcentreerde tango, zolang je de kick niet overdreef.

Konrad Fanebust moest ongeveer vijfenzestig jaar zijn.

Ik herkende hem uit de kranten, maar zijn haar was witter dan ik me kon herinneren. Zijn gezicht was markant, benig en karaktervol. Zijn ogen glommen blauw onder borstelige, grijswitte wenkbrauwen en hij had een roodbruine, frisse gelaatskleur, wat geaccentueerd werd door het contrast met zijn witte haar. Hij droeg een discreet, antracietgrijs, driedelig kostuum, een lichtblauw overhemd en een parelgrijze stropdas. Hij schreef snel en sierlijk met een vulpen.

Hij legde de pen neer, las de laatste zinnen door en maakte een paar zwijgende bewegingen met zijn mond, voor hij de vellen in een map legde die hij vervolgens terzijde schoof. Toen pas keek hij me weer aan. Zijn blik was open en direct. Hij wreef zijn handen lichtjes tegen elkaar en zei: 'Zo.' Hij stond op achter zijn bureau en reikte me zijn hand over het schrijfblad zonder eromheen te lopen. Ik moest opstaan en me over de tafel buigen om hem een hand te geven en voelde me daardoor nogal stuntelig. Effectieve klantbehandeling die ik zou onthouden om later zelf in praktijk te brengen. Als je vanaf het begin de overhand wilt hebben, blijf dan aan je eigen kant van het bureau.

'Veum.'

'Fanebust.'

We groetten kort, als duellisten. Fanebust ging weer zitten, eerder dan ik. Hij had het initiatief, daar was geen twijfel over mogelijk.

'U zei tegen mevrouw Larsen dat het over de dood van mijn oude vriend Hjalmar Nymark ging?'

'Ja, ik was zelf ook een vriend van... U was niet bij de uitvaart?'

'Nee, helaas. Ik was in Athene en las het pas in de krant toen ik thuiskwam. Het is een trieste zaak, ik was er graag bij geweest. Weet u, als oude vrienden zo sterven, dan heb je altijd het gevoel iets verzuimd te hebben en dat is in zekere zin ook zo. Je had hen vaker moeten opzoeken, meer aandacht aan ze moeten schenken, maar ineens is het te laat en het enige wat overblijft, is je slechte geweten. Nu was het weliswaar heel wat jaren geleden dat Hjalmar Nymark en ik samen opdrachten uitvoerden, maar ik heb altijd geprobeerd contact te houden met de jongens van toen. Degenen die nog over zijn.' Hij keek me onderzoekend aan. 'Maar goed. Vertelt u eens waarom u hier bent.'

'Ik ben hier om twee redenen... of drie eigenlijk. In de eerste plaats ben ik hier vanwege bepaalde omstandigheden rond Hjalmar Nymarks dood...'

Hij trok zijn wenkbrauwen op als commentaar.

'Bovendien ben ik hier vanwege de brand bij Pauw en een man die Rattengif werd genoemd.'

Ik liet de woorden rustig inwerken. Zijn wenkbrauwen zakten weer, maar zijn gezicht verried niets. Hij had de aangeboren pokerface van een ervaren politicus en zakenman. Hij zei alleen: 'Zo...'

In het kort vatte ik samen wat Hjalmar Nymark me had verteld over de brand bij Pauw, het onderzoek erna en de verdenking van Harald Wolff. Tot slot zei ik: 'Dus met andere woorden... de reden waarom ik hier ben, is in de eerste plaats om bevestigd te krijgen wat Hjalmar Nymark me heeft verteld, en bovendien om te weten te komen of u me nog meer kunt vertellen, iets wat Hjalmar Nymark vergeten was, of niet wist.' Ik gebaarde dat hij het woord had.

Hij keek me gereserveerd aan. 'Zegt u me eerst eens wie u representeert en wat voor omstandigheden rond Hjalmars dood u bedoelt. Bent u journalist?'

'Ik ben privédetective, maar ik ben hier als Hjalmar Nymarks laatste vriend, om het zo uit te drukken. Hij was een eenzaam man, op het laatst.'

'Privédetective?'

'Ja, maar zoals ik al zei... ik ben door niemand geëngageerd. Ik ben hier op eigen initiatief en wat betreft die geheimzinnige omstandigheden...' Ik viel in de flank aan. 'Gelooft u dat Rattengif dood is?'

Hij keek me verbaasd aan. 'Rattengif? Tja. Onze verdenkingen zijn nooit bevestigd en ik betwijfel of ze dat ooit zullen worden. Ik herinner me in de krant gelezen te hebben dat Wolff dood was. Dat is alweer heel wat jaren geleden.'

'In 1971.'

'Juist, ja. Dat kan kloppen.'

'Hoe sterk waren jullie verdenkingen jegens Wolff?'

Hij leunde achterover in zijn stoel, stak zijn duimen in de zakjes van zijn vest en staarde naar een punt ergens boven mijn hoofd. Hij dacht na. Hij zei: 'Dat is jaren geleden, Veum. Als ik er nu aan terugdenk.' Zijn blik zakte weer omlaag. 'Maar het lukt me niet vaak die gedachten te verdringen. Ik heb nog steeds last van de verwondingen die ik tijdens de oorlog heb opgelopen, en vooral 's nachts heb ik soms veel pijn.'

Toen gleed zijn blik weer omhoog, alsof het verleden zich daarboven, boven mijn hoofd, bevond. 'Ik beleef nog regelmatig de onderzoeken, noem het maar verhoren, die we na de brand in 1953 instelden. Er waren ons een paar kantoren in het oude politiebureau aan de Allehelgensgate toegewezen. Tot laat in de avond zaten we technische rapporten, getuigenverklaringen van werknemers, van toevallige passanten en van brandexperts door te nemen. De avonden waren nog stil, toentertijd, in het begin van de jaren vijftig. Er was 's avonds nog niet zoveel verkeer als nu. Weinig auto's, een enkele bus, een taxi. Het was een klein kantoortje, dat overvol was zodra er meer dan twee mensen zaten. Ik zat aan de ene lange kant van het bureau, Hjalmar Nymark aan de andere, en ingeklemd tussen het bureau en de muur zat degene die verhoord werd. Recht onder de enige afbeelding in de kamer, een foto van koning Haakon. En degene met wie we het meest en het langst spraken, was Harald Wolff.'

Zijn gezicht werd harder. 'Hij voelde zich vertrapt, herhaalde hij aldoor. In 1945 was hij ook door ons verhoord, dus hij kende ons. Dat hij een straf had uitgezeten wegens landverraad, gaf ons nog niet het recht hem zo te behandelen. We trokken ons weinig aan van zijn bezwaren. Zowel Hjalmar als ik hadden tijdens de oorlog afschuwelijke dingen meegemaakt en dat was nog niet zo lang geleden. Bovendien vond dit plaats voordat de grote verdedigers erbij kwamen. Vandaag de dag worden de meest weerzinwekkende nazimisdadigers nog behandeld als de schoothondjes van de koning.'

Hij glimlachte wrang. 'Ik zie Hjalmar daar aan die tafel, groot en vriendelijk, maar keihard. Zo was hij tijdens de oorlog ook. Hij werd nooit moe. 's Nachts om vier uur, als mijn gezicht aanvoelde als beschimmelde spaghetti, was hij nog zo fris als een hoentje. Harald Wolff hing in de touwen, terwijl Hjalmar uitdagend om hem heen danste... letterlijk.'

'Maar hij stortte nooit in?'

Zijn blik zakte met moeite weer omlaag naar het heden. 'Hij stortte nooit in. Hij gaf geen duimbreed toe. En daardoor voelden we ons nog zekerder van onze zaak. Als hij was ingestort, als hij om begrip had gevraagd, ons had gesmeekt... dan hadden we misschien geaarzeld. Maar hij was... het enige gevoel dat hij toonde was irritatie, woede. Hoe moe en uitgeput hij ook was, hij gaf niets toe. En zo iemand... uitgerekend zo iemand moest een man als Rattengif zijn geweest. Een zwarte kat met negen levens, die altijd op zijn pootjes terechtkwam, van hoe hoog hij ook viel.'

Weer werd zijn gezicht hard. 'We waren tijdens de oorlog

nauw bevriend met een aantal van zijn slachtoffers. Hij heeft ze genadeloos omgebracht, op zijn giftige, onzichtbare manier. Mensen die de meest ongelooflijke dingen hadden overleefd, kregen een ongeluk. Lui die honderd meter loodrecht tegen de rotsen omhoog waren geklommen, nadat ze in een harde storm met een vissersschuit aan land waren gezet... zulke mensen vallen niet van de trap waarbij ze hun nek breken. Zoiets gebeurt niet. Mensen die twee uur over een halfbevroren Hardangerfjord hadden gezwommen, verdrinken niet nadat ze in de haven zijn gevallen. Ik herinner me dat we serieus overwogen, Hjalmar en ik, na een van die nachtelijke sessies, om hem in de auto naar een afgelegen plek te brengen en hem te liquideren. Dat soort dingen deden we in de oorlog ook en voor ons maakte Harald Wolff deel uit van diezelfde oorlog, was hij een representant van diezelfde vijand, al was het ondertussen 1953.'

Hij schudde iets van zijn schouders. 'Maar we hebben het dus niet gedaan. Hjalmar was ertegen, hij was te veel politieman geworden. De verdachte geniet het voordeel van de twijfel. Als we duidelijke bewijzen hadden gehad, dan... maar die waren er niet. En dat was dat. Ten slotte moesten we hem laten gaan, hem vrijlaten. We gingen door met ons werk. Verhoorden andere mensen, probeerden dat ene zwakke punt te vinden, want dat moest er zijn, ergens, dachten we.'

'Hoe zat het met de brand zelf? Die voorman, Holger Karlsen, die zo'n beetje de schuld kreeg...'

'Dat was een schandaal. Een man als Harald Wolff ging vrijuit en een gewetensvolle, eerzame arbeider als Holger Karlsen kreeg de schuld, of in ieder geval de verantwoording, in de ogen van de bevolking. Ik weet nog dat zijn vrouw bij me kwam, ze was ten einde raad.'

'Ja, ik heb haar gesproken. Ik hoorde dat u haar een helpende hand had geboden.'

'O, dat was de moeite niet.'

'Hjalmar Nymark dacht dat Holger Karlsen misschien was neergeslagen.'

Hij keek me met een vaste blik aan. 'Dat is correct. Hij had ernstige kneuzingen aan zijn hoofd. In het eindrapport stond dat die waarschijnlijk waren veroorzaakt door vallende delen van het dak, maar... het had net zo goed een klap met een hard voorwerp kunnen zijn. Volgens Hjalmar en mij zaten we daar het dichtst bij de veronderstelde zwakke plek. Als we in elk geval maar het *mogelijke* moordwapen hadden kunnen vinden... Maar dat is nooit gevonden en als we het gevonden hadden, zou het onmogelijk zijn geweest om vingerafdrukken te vinden, alles zou weggeschroeid zijn. Maar hoor eens, u heeft nog steeds geen antwoord gegeven op... Wat is er met Hjalmar gebeurd?'

'Hjalmar Nymark is in juni door een onbekende automobilist aangereden. Vorige week werd hij uit het ziekenhuis ontslagen, veel te vroeg naar mijn mening, maar ze schuiven het op de personeelsbezetting. Ik ging bij hem op bezoek, hij woonde op de derde verdieping van een huis aan de Skottegate. De deur zou openstaan, want hij verwachtte een gezinshulp. Maar toen ik daar kwam, was de deur op slot. De gezinshulp was er ook en toen hebben we de deur geforceerd... en hem in bed gevonden. Dood. Op de vloer lag een kussen. Voor mij zag het eruit alsof hij gestikt was, maar de lijkschouwing spreekt over een hartstilstand, als gevolg van de zware belasting en van de verwondingen die hij tijdens het ongeval had opgelopen. De politie ziet geen reden om de zaak verder te onderzoeken.'

'Maar u wel?'

'De gezinshulp heeft een man het huis uit zien komen, toen ze aankwam. De man hinkte met zijn ene been, net als Rattengif naar verluidt en zoals in ieder geval Harald Wolff.'

Hij keek me sceptisch aan. 'Tja...'

'En nog iets. Voor het ongeluk liet Hjalmar me een doos met oude krantenknipsels zien, kopieën van rapporten en dergelijke, uit 1953. Nadat we hem hadden gevonden, heb ik zijn appartement doorzocht, en de politie ook. Die doos is daarbij niet boven water gekomen. Iemand heeft hem weggehaald. En wie zou daar nou in geïnteresseerd zijn?'

Hij knikte langzaam. 'Daar zegt u zo wat. Maar hoe zat het met... Harald Wolff is in 1971 toch echt overleden?'

'Er is in 1971 iemand overleden. Maar ik weet nog zo zeker niet of dat Harald Wolff was. Maar als hij het wél was... Zou het denkbaar zijn dat Rattengif toch iemand anders was?'

Hij keek me peinzend aan. 'Natuurlijk. Alles is mogelijk. Maar in dat geval zijn de sporen zo koud, dat het ondoenlijk zou zijn hem nu nog te vinden.'

'Deze sporen niet!'

'Nee, misschien niet. Maar toch. Afgezien van hemzelf, zou ik Hjalmar en mezelf de grootste experts aangaande Rattengif willen noemen. En wij zouden allebei onze rechterhand erom hebben verwed, dat Harald Wolff Rattengif was.'

'Maar in dat geval... in dat geval bent u de enige die nog over is, die...'

Het werd stil tussen ons. Die laatste gedachte had stilte gezaaid. Nogmaals voelde ik hoe ik bevangen werd door een sluipend onbehagen. Nogmaals had ik de indruk van een soort onzichtbare aanwezigheid, alsof Harald Wolff zelf bij ons in de kamer zat, en ons vervulde met kilte.

Konrad Fanebust doorbrak de stemming door op zijn horloge te kijken. 'Eh, ik heb helaas een afspraak, Veum. Maar als u nog meer zou moeten weten, kunt u gerust contact opnemen. Ik heb alle sympathie voor de zaak waar u mee bezig bent en ik zou het erg op prijs stellen als u me op de hoogte zou willen houden van wat u ontdekt. Ik zal... u kunt ervan uitgaan, dat ik uw economische onafhankelijkheid voor mijn rekening neem, om het een beetje formeel uit te drukken.'

Ik stond op. 'Dat is heel vriendelijk van u, maar ik beschouw dit als een vriendendienst, tegenover Hjalmar Nymark.'

Hij stond op. 'Laat mij dan voor de kosten opdraaien, ook als een vriendendienst tegenover Hjalmar.'

Ik haalde mijn schouders op en protesteerde niet, maar zei: 'Nou, bedankt dan.'

Hij knikte kort. 'Tot ziens.'

Ik liep naar de deur, stilletjes over het zachte tapijt. Ik had mijn hand op de deurklink toen hij me tegenhield. 'Veum...'

Ik draaide me om.

Hij was om zijn bureau gelopen en stond er nu naast. 'Luister, Veum... als hij werkelijk de dans ontsprongen is... Rattengif. Vind hem dan voor mij, Veum. Vind hem!' Zoals hij daar stond, naast zijn bureau, goed gekleed, mager en met wit haar, met een energieke uitdrukking op zijn gezicht en zijn vingers gekromd naast zich, deed hij denken aan een US-Marshal van middelbare leeftijd, klaar voor de laatste, beslissende revolverstrijd.

Ik knikte zwijgend, deed de deur open en verdween voor hij kon trekken.

23

Ik gebruikte de maaltijd in een van die cafetaria's die de Noorse volksziel op een bord serveren: waterige aardappels, kapotgekookte groente en een stuk worst dat in een poel vet naar lucht lag te happen. De avondnevel hing laag en grijs boven de rode daken van de huizen die tegen de berghelling aan waren gebouwd en de files wezen het centrum uit. De mensen werden van de straten weggezogen, alsof ze werden aangetrokken door een onverbiddelijke centrifugale kracht. De uitlaatgassen vermengden zich met de grijze nevel en gaven de middaguren een schijnsel als van een rokerig kampvuur.

De Wesenbergssmau elleboogt zich vanuit de dichtgepakte bebouwing aan de Øvregate, direct achter Bryggen, naar binnen. Veel van de huizen hebben een welverdiende renovatie van de gevel gekregen, maar enkele huiseigenaren verzetten zich nog steeds tegen de ontwikkeling, laten de afbladderende muren en de vermolmde raamkozijnen voor wat ze zijn. Zo was ook het huis van Elise Blom eraan toe. Het was twee etages hoog en ooit witgeschilderd geweest. De vergane jaren hadden hun vingerafdrukken op het houtwerk achtergelaten en achter de gesloten ramen hingen grijswitte gordijnen die inkijk verhinderden. Alleen op de bovenverdieping was het zwakke schijnsel van een staande lamp dicht bij een van de ramen zichtbaar.

Twee scheve traptreden voerden omhoog naar de bruine buitendeur, maar nog voor ik mijn voet op de onderste trede had gezet, ging de deur open. De vrouw die naar buiten kwam, begroette me met een paar donkerbruine, vurige ogen, waaruit echter niets uitnodigends sprak. Ik had ooit een lerares met zo'n blik gehad en zij had nooit ordeproblemen gekend. 'Moest u hier zijn?' vroeg ze, alsof de steeg haar privé-eigendom was en ik me schuldig had gemaakt aan een ernstige grensoverschrijding.

'Elise Blom?' vroeg ik en kromp onwillekeurig een beetje ineen.

Haar lippen verstrakten en ze stak nauwelijks merkbaar haar kin een weinig naar voren. Die sterke kin deed me nog het meest denken aan de Elise Blom die ik me uit het krantenartikel over de brand bij Pauw herinnerde. Toentertijd had ze haar haar strak achterover en uit haar gezicht gekamd en had het de benige, klassieke trekken die haar zelfs op een grofgerasterde foto tot een onmiskenbare schoonheid hadden gemaakt, geaccentueerd. Nu was het bijna dertig jaar later en haar gezicht was als het ware uitgevloeid, had zijn contouren verloren. De kin was er nog, maar verder leken haar gelaatstrekken hun proporties te hebben verloren. Haar mond was ietwat scheef, agressief, alsof ze de schurk in een westernfilm was en voortdurend door haar ene mondhoek sprak.

Ze was gekleed voor een avondje uit, met een blauwe mantel, bruine schoenen en een rood tasje in haar hand. Ze was zwaar opgemaakt en haar mond was roodgeverfd, met aangezette lijnen die de smalle, damesachtige lippen voller lieten lijken. Als om te onderstrepen dat ze echt op weg was naar buiten, trok ze de deur hard achter zich dicht. Ze bleef op de bovenste traptrede staan. 'Wie bent u?' vroeg ze.

'Mijn naam is Veum en ik ben bezig met een onderzoek,

in verband met de brand bij Pauw, als u zich die nog kunt herinneren.'

Er gleed even een honende uitdrukking over haar gezicht. Ze had de kilste bruine ogen die ik ooit had gezien. 'Wat voor onderzoek, als ik vragen mag?'

'Er zijn een aantal dingen gebeurd die aanleiding geven tot nader onderzoek omtrent hetgeen destijds, in 1953, is gebeurd.' Ik vermeed met opzet om 1971 te noemen. Hier zou het zich ongetwijfeld lonen om stapsgewijs verder te gaan.

'En van wie komt u? Van de politie?' Zonder op antwoord te wachten stapte ze vlak langs me van het trapje af en liep met grote passen omlaag naar de Øvregate.

Ik haastte me achter haar aan. 'Nee, niet van de politie. Ik ben een soort freelancer.'

Ze keek me kort aan, snoof verachtelijk en liep verder de steeg uit. Er hing een wolk van parfum om haar heen, een geur van verwelkte rozen die te lang in de goot hadden gelegen. Ze had een opvallende manier van lopen. Haar bovenlichaam kantelde als het ware naar voren, terwijl haar heupen erachteraan hingen, en ze zette haar benen zwaar en met platte voeten op de grond. Als ik niet zo beschaafd was geweest, zou ik gezegd hebben dat ze liep als een koe. Maar mijn moeder had me geleerd zulke dingen voor me te houden.

'Er is namelijk iemand overleden', ging ik verder en haalde haar in toen we, ter hoogte van Bredsgården – waarin twee zulke uiteenlopende cultuurinstellingen als Asmervik Aardappelen en afdeling west van de Noorse Schrijversbond waren gehuisvest – bij de Øvregate aankwamen.

Elise Blom antwoordde niet, maar liep verder in de richting van de Nicolaikirke.

'Er is een politieman overleden. Hjalmar Nymark. Hij heeft destijds de brand onderzocht.'

Ze bleef ineens staan en zwaaide nijdig met haar hoofd. Haar haar lag in kunstige krullen rond haar gezicht, alsof ze het niet langer zinvol vond om het strak naar achteren te trekken. 'Hoort u eens, hoe-u-ook-heet...'

'Veum.'

'...en wat u ook representeert...'

'Verzekeringsmaatschappij Nemesis, met aandelen in de eeuwigheid.'

'Wat?' Ze viel uit haar rol en raakte de draad kwijt.

De souffleur kwam te hulp. 'Of misschien representeer ik Hjalmar Nymark zelf wel. Als een laatste groet van ons, die hier beneden nog over zijn.'

Ze keek me aan alsof ik een blaar op haar tong was die net was gesprongen, en haar stem kwam regelrecht uit de koelcel. 'Laat me voor eens en voor altijd duidelijk maken dat ik het spuugzat ben, dat er mensen komen zeuren over een brand van honderd jaar geleden. Nog geen halfjaar geleden kwam die vent, die... ja, Nymark, of hoe u hem ook noemde... en meer heb ik niet te zeggen. Geen woord. Begrepen?'

Ik overtuigde haar ervan dat ik bij de zachtmoedigen van de samenleving hoorde. 'Dus Hjalmar Nymark heeft u een halfjaar geleden opgezocht? Wat heeft u hem verteld?'

Ze sloeg haar ogen ten hemel en stampte resoluut verder over het smalle, oude trottoir van de Øvregate. We passeerden de kapsalon waar de kappers Vikne, vader en zoon, de weinige keren dat ik daar geld voor heb mijn lokken knippen. In de toren van de Sentralkirke sloeg een brosse klok zes slagen. We bevonden ons midden op het stille uur tussen werkdag en vrije avond, wanneer de stad als het ware haar adem inhoudt en de straten ineens zo goed als verlaten zijn.

Elise Blom sloeg zelfverzekerd rechtsaf en ik volgde haar, stil en trouw als een goed afgerichte echtgenoot. Ze deed alsof ze me niet zag.

Bij de verkeerslichten stopte ze voor rood licht. Ik ging naast haar staan. 'Als de dood van Hjalmar Nymark iets met de brand bij Pauw te maken zou hebben, zou u dan geneigd zijn een paar vragen te beantwoorden?'

Ze keek recht voor zich uit en sprak weer door haar mondhoek. 'Hoe kan de dood van die ouwe zak nou iets te maken hebben met een brand van dertig jaar geleden?'

Het licht sprong op groen en we staken de straat over.

'Dat is nou precies wat ik probeer uit te zoeken.'

Zonder iets te zeggen stapte ze plotseling opzij, door een deur waarop een groot en opvallend bord BINGO! waarschuwde, en liep met nog steeds dezelfde platte voeten een steile trap op. Ik volgde haar onverdroten.

Boven kwamen we in een protserig lokaal met kale tl-buizen aan het plafond, grijswitte vlekken op de vloer en een merkwaardige geur van slappe koffie, sigarettenrook en iets te warm geklede mensen. Een hoge, iele microfoonstem riep een reeks getallen af, alsof het een geheimzinnige liturgie van de vrijmetselarij was, of misschien slechts de nummers van de psalmen die die avond bij de samenkomst in het missiegebouw gezongen zouden worden. Na even zoeken vond ik de stem achter de microfoon op een verhoging achter in het lokaal. Hoewel de stem nauwelijks ouder dan vijfentwintig jaar kon zijn, had de vrouw waar hij bij hoorde een verbazingwekkend oud gezicht onder het gebleekte haar.

Elise Blom stiefelde op een lege plaats aan een van de tafels af en ik ging naast haar, maar aan de andere kant van het middenpad, zitten. Ze sneerde zacht tegen me: 'Als u me verder nog lastigvalt, vraag ik of ze de politie bellen.'

Ik maakte een onverschillig gebaar en keek om me heen. De blikken die ons gevolgd waren toen we naar binnen kwamen, weken terug. Slechts eentje hield stand: een gezette vrouw van middelbare leeftijd staarde me intens aan, alsof ze verwachtte de wekelijkse superbingo in mijn gezicht gebrand te zien.

Er kwamen een paar vrouwen gekleed in lila schort en met een geldtasje over hun schouder tussen de rijen tafels door. Een van hen bleef voor me staan. 'Hoeveel?' vroeg ze.

Ik glimlachte verward en zei: 'Hoeveel mag ik er nemen?'

'Zoveel als je wilt', antwoordde ze. Ze had een aardig gezicht en een vriendelijk karakter, en ze zag eruit alsof ze me goedgezind was.

'Ik neem er twee', zei ik.

'Twee maar?'

'Vijf dan.'

'Oké. Dat is twintig kronen.'

Ik betaalde gehoorzaam en ze legde vijf speelkaarten voor me op de tafel, samen met een kort potloodje met een versgeslepen punt eraan. Ik wreef over mijn baardstoppels en probeerde eruit te zien als een lid van de club. Voorheen had ik bingohallen altijd met een mengeling van verwondering en nieuwsgierigheid bekeken. Als ik de ingang van zo'n gelegenheid passeerde, 's morgens om een uur of negen, als de mensen in de rij stonden om naar binnen te mogen, of 's avonds om een uur of negen, wanneer de zaal leegliep, vroeg ik me altijd af wat die lokalen zo aantrekkelijk maakte en welke mensen ze bezochten. Ik vroeg me altijd af waar ze na hun dagelijkse bingoronde naartoe gingen – die zwijgzame echtparen met hun vetrolletjes onder hun armen, die ferme, grijsgeklede dames met hun hoeden diep over hun hoofd getrokken, alsof ze bang waren dat iemand ze zou afpakken, en die slungelige, puisterige jonge jongens met hun te korte, leren jasjes, hun bouwvallige knieën en hun schuifelende manier van lopen. De gelaatstrekken van de mensen die zo'n bingohal 's avonds verlieten straalden eenzaamheid uit, alsof ze behoorden tot de familie der verlatenen, tot de rijen der thuislozen, met ongestelpte honger in hun ziel en ongebruikte liefkozingen in hun handen. Veel van de klanten waren volwassen vrouwen, zoals Elisc Blom. Sommigen van hen hadden magere, lijdzame gezichten, alsof ze ternauwernood een ongelukkig, twintigjarig huwelijk hadden overleefd. Anderen, krachtig en met overgewicht, hadden hun huwelijk blijkbaar zegevierend verlaten. Het grote aantal volwassen vrouwen en jongens in hun laatste groeijaren maakten dat ik me afvroeg of er een erotisch patroon achter zat. Misschien waren deze plekken een ontmoetingsplaats voor ontmoedigden, kruispunten waar ontspoorden van alle leeftijden elkaar konden ontmoeten.

Mijn gedachtegang werd onderbroken toen drie rijen achter me een man met een keurige middenscheiding en een flinke spleet tussen zijn voortanden plotseling 'Bingo!' riep. Hij lachte luid en rumoerig, alsof hij iets grappigs had gezegd. De microfoonstem zweeg en een van de in het lila geklede dames kwam naar hem toe om zijn kaart te controleren. Rondom klonk het gerinkel van koffiekopjes. De koffie werd geschonken uit grote, bruin met witte thermoskannen en als je honger had, waren er vacuümverpakte koeken die aan geweigerde beeldhouwwerken voor de jaarlijkse tentoonstelling van de fantasielozen deden denken. De man die gewonnen had, koos een twee-kilo pak suikerklontjes als prijs. Misschien wilde hij ze tussen zijn tanden stoppen.

Er kwam een grote man in een suède jasje, een donkerbruine broek en zwarte schoenen uit een achterkamer, die een lange en zoekende blik over de goegemeente wierp, een paar woorden met de blondine achter de microfoon wisselde en weer verdween. De blondine met het oude gezicht opende de luidsprekers weer. Een nieuw spel begon. Nieuwe getallen werden over de gemeente afgeroepen en met dezelfde verwachting in ontvangst genomen als zoute haringen die in een zee-aquarium naar een school zeehonden worden geworpen. Overal klonk het schrapende geluid van potloden en balpennen. Elise Blom zat oplettend te strepen. Ik observeerde haar. En profil was nog altijd iets van de oude schoonheid zichtbaar, ook al was de overgang tussen kin en hals nu vager dan hij in 1953 moest zijn geweest. Ze had haar jas opengeknoopt en haar lichaam zag er strak en jeugdig uit. Ze had een slanke taille, die geaccentueerd werd door een brede, bruine riem, de witte trui spande over haar spitse borsten, die me sterk aan de valse profielen van de jaren vijftig deden denken. Haar bruine rok viel losjes over haar knieën tot aan haar enkels en toonde niet veel van haar benen.

Hoe oud was ze eigenlijk? Als ik het me goed herinnerde was ze in 1932 geboren. In dat geval was ze negenenveertig. In 1953 was ze eenentwintig geweest en Harald Wolff negenendertig. Wat had een knappe, jonge kantoorjuffrouw ertoe gebracht te vallen voor een achttien jaar oudere man – een kantoorbediende die veroordeeld was wegens landverraad en naar alles te oordelen weinig aanzien genoot bij de plaatselijke bevolking? Had hij eigenschappen gehad die zich niet van de foto's lieten aflezen en waar niemand me over verteld had? Charme, erotische aantrekkingskracht, iets demonisch misschien?

Er moesten geheimen in haar leven zijn, waarvan sommige misschien zo duister dat het zowel voor haar als voor anderen beter was ze te laten rusten.

En waarom was ze hier? Was dit haar leven nu? Behoorde ze tot de vaste scharen der bingogemeente, of was ze hier slechts toevallig naar binnen gegaan? Dat laatste betwijfelde ik, want ze kruiste haar speelkaart geroutineerd af en haar hals kreeg een hectische, rode kleur als ze bijna een volledig bingorijtje had.

Een broodmagere vrouw piepte luid vanaf de eerste rij: 'Bingo!' Er ontstond weer een pauze tussen de spellen. Ik stond op en liep naar haar toe. Ze keek vijandig naar me op. Ik zei: 'Het is niet mijn bedoeling je te plagen. Kunnen we ergens anders naartoe gaan? Ik kan je een glas bier of zo aanbieden, als je dat wilt. Het is gewoon... nodig. En ik geef het echt niet op.'

Ze snoof als antwoord.

Ik voegde er snel aan toe: 'En je mag best de politie roepen. Ik wil mijn vragen best op het bureau stellen. Zij zullen ook erg geïnteresseerd zijn.'

'Nee, ik... wacht!' zei ze ineens.

De microfoonstem waarschuwde dat er een nieuw spel ging beginnen. Elise Blom zei kort: 'Wacht!'

Het spel begon. Ik liep naar voren en betaalde voor een kop koffie. Toen ik weer op mijn plaats zat, volgde ik de spelactiviteit met tanende interesse, tot grote ergernis van de oudere dame die vlak achter me zat. Ze prikte me met gezette tussenpozen in mijn rug en zei geërgerd: 'U moet meedoen! U moet aankruisen! Zit daar toch niet zo, man!'

Door de smerige ramen kreeg de hemel een donkere kleur. Onzichtbare handen trokken grijze gobelins omlaag en alleen de oude tuigage van het zeilschip *Statsråd Lemkuhl* tekende zich scherp tegen de achtergrond af. Al het andere werd uitgewist en onduidelijk, als oude, vergane toneelcoulissen.

Na vijf spelletjes, zonder te winnen, stond Elise Blom op, ze knoopte haar mantel dicht, staarde me strak aan en liep naar de uitgang. Ik volgde haar haastig. Met een vragende blik naar de ongebruikte speelkaarten ruimde de in het lila geklede mijn tafel af. Toen we het lokaal verlieten, werd er een nieuw spel aangekondigd – alsof de blondine achter de microfoon een aartsengel was en de spelers zich in een zinloze zijkamer ergens aan de periferie van het bestaan bevonden, waar de spelletjes elkaar in alle eeuwigheid opvolgen.

Toen ik samen met Elise Blom naar buiten stapte, schoot door me heen dat we er voor toevallige voorbijgangers waarschijnlijk als een typisch bingopaar uitzagen: zij met haar niet erg smaakvolle combinatie van blauwe mantel en bruine schoenen, met een iets te zwaar opgemaakt gezicht en een manier van lopen die een toenemende beschonkenheid aanduidde; ik met mijn enigszins versleten jas met opgezette kraag, bepaald niet pasgepoetste schoenen, bruine ribbroek met knieën erin en mijn ongeknipte haar dat opwaaide in de avondwind en de grauwe rimpels in mijn voorhoofd ontblootte. Twee alledaagse gezichten op een toevallige avond laat in augustus, terwijl de herfst met driftige windvlagen uit het noordwesten zijn komst aankondigde, lege plastic zakken langs de stoepranden woeien en de gevels van de huizen stil en waarschuwend naar de nacht oprezen.

Ik zei: 'Ja? Dus je gaat mee?'

Ze keek me met een vertrokken gezicht aan. Iets van het vuur in haar ogen was gedoofd en ze antwoordde met bedrukte stem: 'We kunnen ergens een glas bier gaan drinken, als je me absoluut *moet* lastigvallen.' Toen rukte ze zich los en begon te lopen.

'Waar gaan we heen?' vroeg ik.

Ze haalde haar schouders op. Ik volgde. Ze zag eruit alsof ze wist waar ze heen wilde.

24

Het restaurant dat ze uitkoos had een smakeloze moderni-
sering ondergaan, en vroeger, toen het nog anders heette,
was het ook al niet om over naar huis te schrijven geweest.
Nu was het een plek waar mensen van middelbare leeftijd
elkaar oppikten. De gemiddelde leeftijd van de aanwezigen
was tegen de zestig en de stemming aan de tafeltjes wisselde van luidruchtige dronkenschap tot knikkebollende
melancholie. Op de dansvloer voerden diverse uitgaven
van het mannelijk geslacht samen met hun lievelingspart-
ner – zichzelf – stijloefeningen uit die ze in de jaren vijftig op
dansles hadden geleerd. Want ze hadden net zo goed alleen
kunnen dansen. De zelfvoldane grijns die deze danslusti-
gen op het onderste deel van hun gezicht droegen, verraad-
de een oprecht geloof in hun eigen voortreffelijkheid. De
opvallende handbewegingen tegen de puilende achterwer-
ken van hun vrouwelijke partners moesten blijk geven van
een levenservaring die waarschijnlijk als sneeuw voor de
zon zou verdwijnen, als na verloop van tijd het ondergoed
uit gewurmd zou worden. Op de dansvloer traden ze nog
als verleidelijke Don Juans op, maar ik nam aan dat ze in de
slaapkamer op alle uitstekende delen een kaboutermuts
gebruikten. Lang leve de eeuwige voorsprong in het leven!
De finish bereik je altijd te laat.

De gezichten bij de tafels om ons heen weerspiegelden

verschillende schakeringen van fletsheid, momenteel even met een glans van vrolijkheid, maar met de zekerheid van hun eigen sterfelijkheid achter de ingespannen glimlach en de op de gezichtsmaskers geschminkte vertwijfeling. De mannen verborgen hun radeloosheid achter een pochende elegantie die nooit helemaal geslaagd was, omdat hun stropdas scheef hing, de zakdoek in hun borstzakje ezelsoren had en hun broek horizontale vouwen over de knieën. De vrouwen verborgen zich op hun beurt achter de gerafelde lijfjes van hun jurken of probeerden de aandacht af te leiden met decolletés die op de vleesbeurs van Chicago flinke prijzen zouden opleveren. En als een passende geluidscoulisse bij deze visuele impressie speelde een tweemansorkestje een slappe versie van *Het was op Capri*... De mechanische instrumentatie en het vreugdeloze ritme riepen zonderlinge associaties op met de donkere gebedshuizen in het binnenland, waar men op Goede Vrijdag bij het feestsouper een gezang aanheft.

Maar toen Elise Blom en ik ons naar een leeg tafeltje aan het raam begaven, had ik het beklemmende gevoel dat we ons niet onderscheidden. We hoorden hier thuis, net als op de stoep voor de bingohal. In een discotheek zouden we zijn opgevallen als twee dinosaurussen op een kattententoonstelling. Hier waren we onder gelijken.

We hadden onze jassen in de garderobe gehangen. Haar nauwe trui benadrukte het wulpse van haar lichaam, maar de brede riem zat zo strak dat de indruk enigszins teniet werd gedaan. Het softijs stroomde een beetje over.

Een serveerster in een roze jasje nam onze bescheiden bestelling op: allebei een bier en een hamburger.

De schemerige verlichting in het restaurant was erop berekend de contouren van de gezichten te verzachten en het gemakkelijk te maken ze te aanvaarden. Bij Elise Blom had het een averechts effect. De afwezigheid van contouren werd benadrukt, het uitvloeiende onderstreept en de agressieve uitdrukking in haar ogen kreeg een onverzoenlijke glans van irritatie. Ik zei nonchalant: 'Kom je hier vaak?'

'Wat gaat jou dat aan?' snauwde ze.

'Niets.'

'Inderdaad.'

Ik zuchtte en keek om me heen. Vlak bij ons tafeltje boog zo'n parketcharmeur, met een vettige glans op zijn kale kop, zijn danspartner sensueel achterover naar de vloer – een operatie die hij van Rudolph Valentino geleerd moest hebben – terwijl hij haar verrukt in de ogen staarde, om te zien of hij zijn eigen spiegelbeeld daarin kon ontdekken. Zijn partner hing achterover met een uitdrukking op haar gezicht, alsof ze nooit meer overeind dacht te komen. In haar decolleté barstte bijna een heuse sneeuwlawine los. Ik sloot mijn ogen om niet door de lawine meegesleurd te worden, maar gelukkig kwam de serveerster ons bier brengen en werd het paar gedwongen zich weer op te richten.

Elise Blom nam een slok van haar bier en zette het glas met een driftige beweging op tafel. Er bleef een beetje schuim aan haar bovenlip hangen, als een achtergebleven plukje watten.

Ik stak een vinger in de kraag van mijn overhemd en liet hem langzaam rondgaan, voor ik weer een poging durfde te wagen. 'Toen je bij Pauw werkte... hoeveel mensen werkten er toen op kantoor?'

Ze keek me koeltjes aan. 'Waarom vraag je dat?'

'Om een overzicht over de situatie te krijgen.'

'Welke situatie?'

'De arbeidssituatie.'

Ze keek me peinzend aan. Toen zei ze langzaam: 'Je had de directeur, Hagbart Hellebust.'

'Ja, en verder?'

'Dan had je de verkoopafdeling. Best veel verkopers, maar die waren meestal onderweg. De verkoopchef heette Olsen, maar die was ook vaak weg.'

'Ja?' Eindelijk zag het ernaar uit dat we iets gingen bereiken.

'Verder had je nog de boekhoudster, mevrouw Bugge. Zij had een eigen kantoor.'

'Juist.'

'En dan waren wij er nog.'

'En wie waren wij?'

'Wij in het achterste kantoor.'

'Jij was toch de secretaresse van Hellebust?'

'Nee zeg, stel je voor. Ik was kantoorassistent, ik werkte voor de verkoopchef en voor mevrouw Bugge. Juffrouw Pedersen was de secretaresse van Hellebust, privésecretaresse heette dat zelfs.' Plotseling klaarde haar gezicht op. 'En juffrouw Pedersen is dood.' Met een triomfantelijke uitdrukking ging ze verder: 'Ze is een paar jaar na de brand overleden. Ze had haar spaargeld opgenomen en is naar Spanje gegaan, maar daar heeft ze een of andere vreemde ziekte opgelopen die ze daar in het zuiden hebben. Het is haar nog net gelukt om in Bergen terug te komen voor ze stierf. Ik heb haar nog opgezocht in het ziekenhuis.' Ze zweeg met een verrast gezicht, alsof ze verbaasd was dat ze in minder dan een minuut zoveel informatie had losgelaten.

De serveerster bracht onze hamburgers. De boterhammen waren doordrenkt van het vet en vielen in stukken uiteen als je ze doorsneed, maar het vlees was eetbaar en de blaadjes sla waren zelfs knapperig.

Tussen twee happen door zei ik: 'Was er niet nóg een medewerker?'

Ze keek me vijandig aan. 'Wie dan?'

'Was er niet een kantoorbediende? Ene...' Ik deed alsof ik nadacht. 'Harald Wolff?'

Haar ogen lichtten weer honend op. 'O ja, die. Die was ik bijna vergeten.' Toen zakte haar blik weer en at ze zwijgend verder.

Achter haar rug zag ik dat het orkest het podium verliet om te pauzeren. De dansers maakten van de gelegenheid gebruik om naar het toilet te stormen. Het leek wel of er een epidemie uitbrak.

Ik was klaar met eten en schoof mijn bord opzij. 'Luister... op een van de laatste dagen voor de brand, is de voorman, Holger Karlsen, toen naar boven gekomen om te vertellen dat er volgens hem ergens in de productiehal een lek was?'

Ze keek niet van haar bord op en sneed haar brood in minuscule stukjes, alsof ze de maaltijd zo lang mogelijk wilde rekken. Ze gaf geen antwoord, maar schudde beslist en ontkennend haar hoofd.

Ik boog me over de tafel en probeerde haar blik te vangen. 'Niet?'

Ze hief haar gezicht op. Het puntje van haar tong gleed langs haar tandvlees om kruimels te verzamelen en ze staarde me strak in de ogen toen ze zei: 'Dat hebben ze me na de brand ook gevraagd, steeds weer. En mijn antwoord is nog steeds hetzelfde. Nee. Er is niemand zoiets komen vertellen, zeker niet Holger Karlsen.'

Ik maakte een ontwapenende armbeweging. 'Het is bijna dertig jaar geleden. Niemand zal de moeite nemen om de zaak weer op te pakken, dus je... dus je kunt me gewoon de waarheid vertellen.'

Ze wist even niet hoe ze moest reageren. Een seconde of twee was haar gezicht blanco, met een uitdrukking als van iemand die een hele tijd gerend had, maar uiteindelijk inzag dat de race verloren was. Toen schoof ze haar stoel hard naar achteren en stond abrupt op. 'Ik heb altijd de waarheid verteld! En ik pik het verdomme niet om op zo'n manier te worden toegesproken door een... door een...' Haar blik gleed verachtelijk over me heen, om duidelijk te maken dat ze geen woorden had voor wat ik was.

Zelf stond ik ook op en ik voelde de woede in me opvlammen. Mensen in de buurt begonnen ons in de gaten te krijgen: een van de charmeurs aan het buurtafeltje draaide het geluid van zijn gehoorapparaat harder en kreeg een opvallend geconcentreerde uitdrukking op zijn gezicht. Ik zei met zachte, gesmoorde stem: 'Ga zitten. We zijn nog niet klaar. Je moet me nog over Harald Wolff vertellen. Of wil je dat de hele zaal meegeniet van dat verhaal, terwijl we op weg zijn naar buiten? Moet je die Willy Wortel daar eens zien, met zijn radio-ontvanger achter zijn oor.'

Ze verbleekte en zakte weer terug in haar stoel. Ik was onbarmhartig uitgevallen en fatsoenlijke mannen sloegen vrouwen niet onder de gordel. Maar ze was minimaal mededeelzaam geweest en ik had aldoor het beeld van Hjalmar Nymark voor ogen, op zijn bed in het donkere appartement, met het kussen op de vloer en een kartonnen doos met krantenknipsels die plotseling spoorloos was verdwenen.

Ik ging weer zitten en maakte met mijn wijsvinger een draaiende beweging in de richting van het afluisterstation aan het naburige tafeltje, ten teken dat hij het volume weer terug kon draaien.

Terwijl ik de situatie nog meester was, leunde ik naar voren en zei: 'Ja, want je hebt met Harald Wolff samengewoond. Tot aan zijn dood. Of ben je dat ook vergeten?'

'Nee', fluisterde ze. Haar onderlip trilde zwak en ze zocht een zakdoek in haar tas. Die kwam snel tevoorschijn en ze hield hem lichtjes tegen haar mond, om het teken van zwakheid in haar lip te verbergen. De blik die ze me toezond was niet bepaald fraai. Hij was donker als een gesloten tunnel. Haar gezicht was smaller geworden en er waren diepe kuilen in haar wangen.

Ik zei: 'Hoe lang hebben jullie samengewoond? Vijftien jaar? Zestien?'

'Van... vanaf 1959.'

'Tot het laatst toe?'

Ze knikte.

'Vertel me hoe hij is gestorven.'

Ze sperde haar ogen wijd open. Haar stem kwam in horten en stoten en ze struikelde over de woorden. 'Ik... dat... niet. Dat moet je maar aan de politie vragen. Ik ben daar klaar mee, ik heb het van me afgeschoven. Ik weet er niets van. Hij is gewoon weggegaan. Niet meer teruggekomen. De politie. Heeft het me verteld. Toen ze aan de deur kwamen. Het is gewoon gebeurd.'

'Geen enkele waarschuwing? Geen geheimzinnige telefoontjes?'

Ze schudde stilletjes haar hoofd.

'Hoe leefden jullie? Waar leefde hij van?'

'Zo... zoals de meeste mensen. Ik had werk. En hij nam steeds van die... kantoorbaantjes aan. Hij... hij vond zijn plek.'

'Zijn plek... in een samenleving die hij eigenlijk haatte en verachtte?'

'Hij...'

'Had hij nog steeds dezelfde politieke opvattingen, na de oorlog?'

Nu vonkten haar ogen plotseling weer. 'Jullie zijn een stelletje verdomde idioten, jullie allemaal... jullie kunnen iemand nooit eens met rust laten, als hij eenmaal iets fout heeft gedaan. Zelfs als hij dood is, kun je hem niet met rust laten. Daar komen ze hoor, triptrap, gnomen en onderkruipsels, en maar weer doorzaniken met dezelfde vragen. Hij had zijn straf voor wat hij destijds had gedaan uitgezeten, lang voordat ik hem leerde kennen. Is dat niet genoeg? Is een straf uitzitten niet genoeg? Moeten jullie dan alles door het slijk halen?'

'Het spijt me, maar ik behoor tot een generatie die... Het allereerste wat ik me kan herinneren, en ik kan niet ouder dan een jaar of twee zijn geweest, is het geluid van de bommen die op Bergen vielen en de wonderlijke, ijzige stemming in de schuilkelders, waar we nacht na nacht, ochtend na ochtend, opeengepakt zaten.'

'Dat weet ik zelf ook nog. Dat waren Engelse bommen, Veum.'

'Maar het was de oorlog van de *nazi's*. En mensen als Harald Wolff hielpen mee die oorlog uit te vechten, voor andere naties, tegen zijn eigen landgenoten.'

'Tja...' Ze liet haar schouders hangen en zweeg weer. 'Voor die misstap is hij na de oorlog dan ook ruimschoots gestraft. Desondanks ging ik van hem houden.'

Op die uitspraak had ik niet direct een antwoord. Ik zei een poosje niets. Het orkest was weer op zijn plaats teruggekeerd. Het deed pijn om ze *As Time Goes By* te horen vertolken alsof het een doodgewone dansmelodie was. Om ons heen dansten – inderdaad – onze landgenoten, paarsgewijs, close en innig. De meeste mensen op de dansvloer waren tijdens de oorlog jong geweest. Sommigen hadden misschien actief deelgenomen aan de gevechten, aan de ene of aan de andere kant. Nu, veertig jaar later, kon je niet meer zien aan welke kant ze gevochten hadden. De tijd temt alle roofdieren. Ten slotte eindigen ze allemaal in een museum.

Toen ik weer sprak, was het met zachte stem. 'Ik ga ervan uit dat jij alles weet wat er over Harald Wolff te weten valt. Ik hoef je niet te vertellen over alle wandaden waar hij nooit voor werd gestraft, maar die hij, naar de aanwijzingen te oordelen, hoogstwaarschijnlijk wel had begaan. Zowel tijdens de oorlog als erna. Ongelukken, werden ze genoemd. Moord, zouden anderen zeggen!'

Ze keek me met grote pupillen aan. 'Waar heb je het eigenlijk over? Welke ongelukken? Welke moorden?'

'Toevallige sterfgevallen, systematische liquidaties, tijdens de oorlog uitgevoerd door een anonieme massamoordenaar voor *de rechtvaardige zaak*. Rattengif werd hij genoemd, want hij was net een onzichtbare, naamloze gifmoordenaar.'

'En die... die persoon... dat zou Harald geweest zijn?' Ze keek me achterdochtig aan.

'Ja. Heeft hij je daar nooit over verteld?'

Ze perste haar lippen op elkaar. Maar het lukte haar niet om de woorden binnen te houden. Ze kwamen naar buiten, gesmoord, bijna onhoorbaar. 'Nee, dat heeft hij niet, en ik kan je wel vertellen: ik kende Harald beter dan wie dan ook, en ik weet... ik weet dat hij nooit in staat zou zijn geweest om...' Plotseling kwamen de tranen. Met een rood, verwrongen gezicht stond ze op. Ze smeet haar handtas op de tafel zodat haar glas omviel, de inhoud stroomde over het kleed en de gasten aan het tafeltje naast ons schrokken op. Een van de muzikanten raakte volkomen de maat kwijt in *Witte seringen* en twee kelners kwamen al naar ons toe.

Elise Blom siste naar me: 'Ik wil nooit meer iets van u horen, Veum. Als u nog één keer contact met me zoekt, neem ik... dan ga ik naar de politie, en waagt u het niet, want het loopt slecht met u af.'

Ze wierp een verachtelijke blik op de kelners die erbij waren gekomen. 'Het spijt me. Ik vertrek. Meneer betaalt.' Zonder me nog een blik te verwaardigen, draaide ze zich om en liep naar de garderobe. De kelners ruimden op en de serveerster kwam resoluut met de rekening. Toen ik betaald had, was Elise Blom allang verdwenen. De gasten aan de andere tafeltjes volgden me met heimelijke blikken en twee van de kelners volgden me helemaal tot de deur, om er zeker van te zijn dat ik het pand daadwerkelijk verliet.

Op de stoep voor het restaurant was niets te zien. Elise Blom was naar huis gegaan, er reden geen auto's langs, het regende zachtjes uit een vochtige hemel. Het was tijd om op huis aan te gaan.

25

Het jaar is in Bergen onberekenbaar. De jaargetijden komen als kaarten uit de mouw van een hemelse goochelaar tevoorschijn: een onverwachte sneeuwbui in maart, een plotselinge nachtvorst in mei, een zonnige dag en vijftien graden boven nul in januari. Alsof de weergoden een gigantisch balspel spelen met de zon, die steeds over de zijlijn wordt geschopt. Alles is mogelijk, er zijn geen waterdichte regels.

Dit jaar kwam de zomer precies op de overgang van augustus en september terug, met een hitteperiode van twee weken. Maar de zon daalde snel en ondanks de hoge temperaturen liet niemand zich voor de gek houden.

Op een van de laatste dagen van augustus startte de allereerste Marathon van Bergen. Thomas was dat weekeinde bij mij. Hij stond zaterdagochtend al vroeg aan de deur, met zongebleekt haar en een Mickey Mouse-T-shirt onder zijn spijkerjasje. Toen ik opendeed, bleven we een ogenblik staan en keken elkaar aan. Hij zag er een beetje beschroomd uit, maar toen ik me bukte en hem omhelsde, week hij niet terug. Hij was in de loop van de zomer gegroeid en de tanden in zijn mond leken niet meer zo groot.

Het is niet altijd makkelijk om het contact te onderhouden met een kind dat je maar eens in de veertien dagen ziet, maar dit weekeinde had hij veel te vertellen en we hadden een gezellige zaterdag. Vanwege de marathon vroeg ik of ik hem zondag eerder naar huis zou brengen, maar tot mijn verrassing zei hij dat hij mee wilde. 'Ik kom vroeg genoeg thuis', zei hij.

'Maar het kan zijn dat je lang moet wachten,' zei ik, 'vier, vijf uur, misschien.'

'Ik neem wel een boek mee.'

Hij nam een boek mee. Ik vroeg niet welk. De leesgewoonten van mijn zoon zouden mijn loopschema misschien verstoren.

Zondagochtend dreven de allerlaatste van de vele wolken van die zomer weg van de hemel en toen we bij het Fana-stadion aankwamen, was de zon bezig een fiks nazomers vuur op te stoken. Het beloofde warm te worden onderweg in het Hauglandsdal.

Op de baan waren de ijverigste lopers zich al aan het opwarmen. Anderen waren druk bezig zich op strategische plaatsen met vaseline in te smeren, pleisters over tepels te plakken en te controleren, voor de tiende keer, of hun veters goed waren vastgeknoopt. Voor de start van een marathon heerst altijd een wonderlijke stemming. Als je niet beter wist, zou je denken dat alle ziekenhuizen in het land hun eerstehulpafdelingen voor het weekeinde hadden gesloten en de patiënten naar huis hadden gestuurd. Pijn in benen en beenspieren, uiteenlopende soorten maagpijn en genoeg neuroses om een psychiatrische afdeling te vullen, tierden welig in het gebied van de startstreep, waar een stemming heerste van diep en intens pessimisme. Als de helft van de renners in staat was de eerste kilometer af te leggen, mocht dat een wonder heten.

Op de binnenbaan zag ik Eva Jensen, in spijkerbroek en groen T-shirt. We groetten elkaar en ik vroeg of ze van plan was mee te doen. Ze lachte een aanstekelijke lach en schudde haar hoofd. 'Ik ben hier alleen om morele steun te verlenen', zei ze en liet haar blik over de baan glijden. De rode kunststofmat lag dof en uitnodigend in de zonneschijn, en duizend joggingschoenen sloegen een gedempt tamtamritme in gespannen cirkels rond de grasmat in het midden. Ik volgde haar blik en vond Vegard Vadheim, in het gele T-shirt en de zwarte broek van de politie en met een donkerblauwe zonneklep ver over zijn voorhoofd getrokken. Die oude langeafstandsgigant was tijdens het inlopen al goed in vorm en hij zou ook deze keer niet eenvoudig te verslaan zijn.

'Zou jij mijn zoon misschien een beetje in de gaten kunnen houden?' Ik klopte Thomas even op zijn schouder.

Ze glimlachte. 'Natuurlijk. Hij kan mee in de auto, dan kunnen we jullie onderweg aanmoedigen.'

'Mooi.'

Vegard Vadheim kwam naar ons toe. 'Zo, je waagt je in het daglicht, Veum?'

'Ik kan het in ieder geval proberen', zei ik en deed snel een paar kniebuigingen om de ergste nervositeit wat te dempen. Toen ik me weer oprichtte, vroeg ik zacht: 'Hoe gaat het met het onderzoek?'

Hij keek me scherp aan. 'In het geheel niet.'

'Wat bedoel je daarmee?'

'Men is definitief tot de conclusie gekomen dat er geen verband kan bestaan tussen wat er in het verleden is gebeurd en wat er dit jaar is voorgevallen. Mocht zich iets nieuws voordoen, dan...' Hij haalde zijn schouders op. 'Zo niet...' Zijn gezicht stond droevig. Zijn donkere haar was nog iets grijzer geworden. Zijn kaak tekende zich scherp af, zijn hele lichaam was mager en pezig. Hij maakte daardoor een rusteloze indruk, alsof hij nog slechts op het startschot wachtte.

Dat zou ook niet lang meer duren. Ik kreeg opbeurende blikken van Thomas en Eva Jensen en op de startstreep ging ik naast Vadheim staan, alsof zijn loopkracht me zou kunnen meetrekken. Dat gebeurde ook, de eerste vijfhonderd meter. Daarna liep hij langzaam van me weg, meter na meter, seconde na seconde. Tijdens de klim naar de kerk van Fana had ik zijn rug nog in het zicht. Later zag ik hem pas weer toen we elkaar tegenkwamen in het Hauglandsdal, hij op de terugweg, ik nog op de heenweg.

Ik stuurde aan op een tijd van rond 3.30, met een snelheid van vijf minuten per kilometer. Dat hield ik dertig kilometer lang aardig vol, maar toen werd de weg steiler en steiler. Na zesendertig kilometer kreeg ik een geducht lesje in het verschil tussen een marathon en andere races. De laatste zes kilometer waren zo steil dat ik het beter vond om gewoon te gaan lopen, in ieder geval zo nu en dan. Bij het laatste ontmoetingspunt keek Thomas me bezorgd aan en Eva Jensen had iets van een verpleegster in haar blik gekregen, alsof ze er niet van overtuigd was of ik op de been zou kunnen blijven. Maar ik redde het, in tamelijk nauwkeurig drie uur, vijftig minuten en tien seconden. Wat eigenlijk zo slecht nog niet was voor een negenendertigjarige die nog nooit een marathon had gelopen. Vegard Vadheim won in zijn klasse, in 2.55.16, en had al gedoucht toen ik de finish passeerde. Eva Jensen vroeg of we wilden meerijden naar de stad, maar ik antwoordde dat ik zelf reed. Na ongeveer een uur was ik daar inderdaad ook weer toe in staat.

Toen Eva Jensen en Vegard Vadheim het stadion verlieten, keek ik ze lang na. Thomas vroeg hoe de wedstrijd was geweest, maar het duurde even voor ik antwoordde.

26

De laatste maandagochtend van augustus was mild van toon
en door zon omrand. Van de mensen die naar hun werk gingen, hadden de vrouwen hun blouses iets verder opengeknoopt, terwijl de mannen zich stevig aan hun paraplu's
vasthielden en sceptisch naar voortekenen van regen speur-
den. Maar er hingen geen wolken boven Askøy en het water
van de Byfjord was spiegelglad en stil. Er was geen zuchtje
wind in de lucht. Het weer stond als het ware stil, precies op
de waterscheiding tussen zomer en herfst. Ik liep met be-
daarde passen naar kantoor. De marathon zeurde na in mijn
benen, maar het was lang niet zo erg als ik gevreesd had. De
strakke zomertraining had zijn vruchten afgeworpen en ik
had me niet over de kop gelopen.

Voor het raam van mijn kantoor lag de stad met heldere,
door de zon getekende contouren, door een ochtendfrisse
kunstschilder in overdadige kleuren geschilderd. Op de
markt domineerden de fruitstalletjes: gouden sinaasappels,
roodglimmende appels, peren zo groen als de hof van Eden.
Op de vismarkt straalde het witte, open vlees en de markt-
handelaren stonden met hun brede knuisten in grote zakken en met gretige blikken de passerende vrouwen na te
kijken. Direct onder mijn raam, bij de groentehandelaren,
was het hoogseizoen. De preien rekten zich bronstig uit, de
kolen zwollen wellustig op en over de sneeuwwitte, verse

uien lag een late zomervreugde. De drukte tussen de stalletjes was groot. De omzet zou heuglijk zijn. Maar hierboven, bij mij, was het stil. Op maandagmorgen zoekt niemand een privédetective op. De meesten wachten tot dinsdag.

Vanwaar ik zat had ik zicht op Bergen in miniatuur. Van de winkelende mensen in het centrum, op de markt en in de winkels eromheen, via Bryggen tot aan het nieuwe, gigantische hotel dat nog steeds niet klaar was. Tegen de berghelling lagen tussen het centrum en de wijk Sandviken de oude arbeiderswoningen: kleine, houten huisjes aan de kronkelige steegjes tussen de Øvregate en Skansen, hoge, grijze, bakstenen woonhuizen langs de Vetrlidsalmenning en rond Sverresborg. Langs de Fjelli en de Fjellvei lagen de grote, ongastvrije villa's van het model Eerste Wereldoorlog, ooit herenhuizen, nu hoofdzakelijk bewoond door ouden van dagen of mensen die ze geërfd hadden. Tegen de zuidelijke helling, in de richting van Ulriken, lagen de huizen van de nieuwe rijken uit de jaren vijftig, met gestucte gevels die blonken in het zonlicht, met uitzicht over het grootste deel van de stad, en ze verborgen achter bomen zelfs een rustig tennisbaantje, waar je jonge mensen in witte kleding dynamisch zondagssport voor beter gesitueerden zag bedrijven. En verder daarboven lag allemansland: Fløien en het natuurpark, met smalle paadjes tussen de bomen, waar je gedempt kon wandelen over een tapijt van dennennaalden en waar je je door de stilte kon laten vervullen, waar je plotselinge uitzichtspunten kon ontdekken en hand in hand door zwoele, zachte zomeravonden kon lopen met iemand van wie je hield, als je zo iemand had.

En als een natuurlijk contrast met alle knusse huizen tegen de helling, stond beneden op het havenhoofd bij de markt een verlopen groepje daklozen die een van de eerste flesjes bier van die dag rond lieten gaan. Daar ging ik naartoe. Vandaar voerde de weg verder, terug naar 1971, misschien helemaal naar 1953.

De daklozen van Bergen hebben hun vaste verzamelplaatsen en de meesten van hen zijn aan die plaatsen verknocht, komen daar bijeen, bijna als een familie. Dezelfde gezichten komen voortdurend terug.

Een van die plaatsen is het havenhoofd, een andere, op koudere dagen, ligt achter de Korskirke. Op regenachtige dagen zijn ze 's morgens vroeg onder de overkapping bij Loods 12 aan het einde van de Strandkai te vinden. Later op de dag tref je ze aan in het gebied rond Marken en de Kong Oscarsgate. De meesten wonen in het opvanghuis van de Indremisjon aan de Hollendergate, een aantal van hen overnacht regelmatig stomdronken in de cel.

Een derde plaats is het Teaterpark en het ronde plein voor de schouwburg. Een aantal vind je in het Nygårdspark en bij Møhlenpris, een enkeling in de wijk tussen Viken en de Danmarksplass, terwijl een grote tak van de familie zich tot verscheidene plaatsen in Sandviken beperkt, rond het opvanghuis van het Leger des Heils in de Bakkegate en het nieuwe tehuis van het Blauwe Kruis op Rothaugen.

Daklozen zijn nooit mooi en ze hebben niets romantisch. Hun gezichten worden getekend door drankzucht, psychische problemen, overmatig pillengebruik en door geweld, met een paarsachtige gelaatskleur, vaak gehavend als gevolg van een vechtpartij of van een val in dronkenschap. Met de politie hebben ze een soort vreedzame overeenkomst. De meeste gewelddadigheden gebeuren binnen het milieu, vanwege onbetaalde schulden of ruzie om een fles. De mannen zijn ongeschoren, de vrouwen hebben een slecht gebit. Hun haar is ongekamd, hun kleren dragen ze al zolang je je kunt herinneren en hun lichamen zijn vervallen, vaak opgezwollen. Op een mooie, zonnige dag in augustus, als ze op het havenhoofd een zorgeloze fles pils delen, terwijl jij met je stresskoffertje in de hand en een versgestrikte stropdas om je hals op weg bent naar kantoor, kan er een piepklein steekje van jaloezie door je heen gaan. Maar een gewezen sociaal werker weet beter. Je zou ze in november eens moeten zien, na een vriesnacht onder een omgekeerde boot bij Nygårdstangen, met tien graden vorst en als enige troost een klein slokje brandspiritus op de bodem van een limonadeflesje. Je zou ze eens moeten tegenkomen op tweede paasdag, als alle voorraden op zijn, zelfs bij de drankdealers, trillend van ontwenningsverschijnselen. Kijk eens in hun ogen als ze op je afkomen en mompelend om een kroon 'voor een kop koffie' bedelen. Kijk of je vrijheid en onafhankelijkheid in hun ogen ziet, en niet angst, depressie en vernedering. Van de bewoners van de grote villa's aan de Fjellvei naar deze ellendigen aan de voet van de maatschappelijke ladder is in vogelvlucht slechts een korte afstand, maar er bevindt zich een afgrond tussen: ze leven in twee totaal verschillende werelden.

De oude dronkaards rond het havenhoofd waren vroeger zeelui, havenarbeiders, loopjongens en handlangers. De meesten van hen zijn er door psychische problemen en overmatig alcoholgebruik beland. Sommigen gebruiken ook nog pillen, maar slechts weinigen kunnen drugsverslaafd worden genoemd. De drugsverslaafden behoren tot een andere generatie, die je vindt rond Ole Bullsplass, bovenaan in het Nygårdspark en rond het Lille Lungegårdsvann. Weinigen van hen komen overdag naar buiten. Ze doen hun inkopen in het donker. De dronkaards daarentegen doen hun boodschappen tijdens de winkelopeningstijden: bier bij de supermarkt, sterkedrank bij de staatsdrankwinkel, altijd via tussenpersonen.

Ik stak de markt over en slenterde naar het groepje op het havenhoofd. Ze keken me met vochtige lippen aan. Er glommen druppels bier in hun baardstoppels. Een paar van hen knikten. Ze hadden me wel vaker gezien.

Het gezelschap bestond uit zes mannen en een vrouw. Vier van de mannen waren ver boven de vijftig, de vijfde was een jongeling van een jaar of dertig, met halflang, vettig haar en een scheiding in het midden, een borstelige baard en gehavende gezichtstrekken. De vrouw had de onbepaalde leeftijd van vrouwen uit dit milieu, ergens tussen de twintig en de zestig. Het kan ongelooflijk lijken dat sommigen van hen door middel van prostitutie het geld voor de drank verdienen – de transacties moeten in volkomen duisternis worden voltrokken. Deze vrouw had een groot postuur en was wonderlijk mager in haar gezicht. Haar mond was ingevallen en deels tandeloos, haar gezicht zo bleek als de dood zelf en haar ogen dreven als vissen met hun buik naar boven in een vergifigd vennetje. Ze had grijsblond haar, was gekleed in een onelegante herenjas met een dikke shetlandtrui eronder, en haar benen werden bedekt door een stijve, gevlekte spijkerbroek, maat vijftig. Aan haar voeten droeg ze groene regenlaarzen.

Een van de mannen was een vent die 'de Hoepel' werd genoemd, God mag weten waarom. Hij had een oude, bruine, vilten hoed op zijn hoofd en deed denken aan een door malaria geteisterde en vroegtijdig gepensioneerde Adolf Hitler, ergens in de jungle van Zuid-Amerika. Hij had grijs haar en een lelijk, rood litteken op zijn hals. Vroeger had hij als machinist gevaren, maar nu zou hij nauwelijks nog in staat zijn om de ladder naar de machinekamer af te dalen.

Ik hield een opgevouwen tientje voor de Hoepel omhoog en bemerkte direct de interesse die het bij de anderen wekte. 'Luister eens, makker, ik zou graag eens praten met een man die Brandmerk wordt genoemd. Waar kan ik hem vinden?'

Hij keek lang naar het tientje. 'Brandmerk, ja', mompelde hij. Hij keek het groepje rond.

Een van de anderen zei: 'Hij is meestal samen met de Professor. In Sandviken. Probeer het eens bij de Onderofficiersschool.'

Twee anderen knikten instemmend. De jongere met de middenscheiding staarde vochtig naar het tientje. De vrouw sloeg me als van de overzijde van een versteend woud gade, met een blik zo dood als asfalt.

De Hoepel zei, alsof hij niet had gehoord wat de ander had gezegd: 'Als ik jou was zou ik het eens bij de Onderofficiersschool proberen. Ken je de Professor?'

Ik knikte.

'Ze zijn vaak samen.'

Ik duwde het tientje in de borstzak van zijn grijsbruine tweedjasje en bedankte voor de informatie. Hij had een groene, wollen das om zijn nek en zijn opgezwollen gezicht klaarde op in een soort glimlach toen hij het tientje uit zijn borstzakje opviste en het snel, bewaakt door zijn hand, veiligstelde in zijn rechterbroekzak.

'Verder zoek ik iemand die Olga heet,' ging ik verder, 'ze had iets met Sjouwer-Johan, als jullie je hem nog kunnen herinneren.'

De Hoepel kreeg een peinzende uitdrukking. 'Johan, ja. Wie herinnert zich hem niet? Hij is uiteindelijk nog in de krant gekomen.'

De anderen knikten somber. Iedereen kende Sjouwer-Johan nog.

'Leeft ze nog?'

'Olga, ja. Hangt ook meestal in Sandviken rond. Dan hier, dan daar. Ze is meestal alleen, maar 't is best mogelijk dat

Brandmerk je kan vertellen waar ze te vinden is. Ze woont daar ergens. Heeft het nooit kunnen verkroppen, dat met Johan. Is nooit meer de oude geworden.'

Ik probeerde verder te graven. 'Weet jij soms wat er toen is gebeurd, met Sjouwer-Johan?' Ik liet mijn blik ronddwalen. Jullie?'

De gezichten sloten zich en werden als de drie aapjes: horen, zien en zwijgen. Ze schudden hun hoofd. 'Alleen wat er in de krant stond', zei de Hoepel. 'Hij heeft zijn bekomst wel gehad, Johan.'

Ik stond verbaasd. 'Zijn bekomst, wat bedoel je?'

'Nou ja,' hij keek me verward aan, 'hij is toch zeker verdwenen. Weg.'

'Ja, maar waarheen dan?'

Hij draaide zijn hoofd weg en staarde over de haven. 'De zee daarginds, die verhult veel geheimen, Veum. Dat kan ik je wel zeggen.'

Ik kwam dichter bij hem staan. 'Weet jij iets?'

Hij schudde langzaam zijn hoofd. 'Maar we denken er het onze van, nietwaar? Als er iemand van ons verdwijnt, dan is dat meestal in de zee. Da's logisch. We hangen meestal hier bij de haven rond. Eén misstap, in het donker, en je ligt daar te spartelen. Als je te veel op hebt, duurt het niet lang voor je het loodje legt, of gewoon zinkt. Da's het leven, Veum. *Goodbye and farewell.*'

'En de anderen. Herinneren jullie je iets?'

Ze schudden unisono hun hoofd. Ik haalde nog een tientje tevoorschijn. 'Ik kan betalen.'

Ze keken lang naar het biljet. Het smaakte naar pils.

Een van hen stamelde: 'Er werd gezegd... Weet je, Johan, die zat in het verzet, in de oorlog. Ik weet nog dat Olga een keer vertelde dat ze bezoek hadden gehad, vlak voordat Johan verdween, van iemand die zijn groep toen had geleid, in de oorlog. En dat Olga naar buiten werd gestuurd, terwijl die twee met elkaar zaten te praten. Ze dacht dat ze iets van plan waren, maar toen verdween Johan, weet je... en dat was alles.'

Ik staarde naar het grote, paarse gezicht voor me. Zijn haar was gelig, zijn ogen lichtbruin, zijn neus vormloos als een misvormde aardappel. Ik zei toonloos: 'Iemand die zijn groep had geleid... je weet niet... ze noemde geen naam?'

Hij aarzelde, staarde naar het tientje. Ik begreep dat het geld om een naam riep, maar ik wilde er niet zomaar een uit de lucht gegrepen krijgen. Ik gaf hem het biljet en vroeg: 'Hij heette niet Fanebust? Konrad Fanebust?'

Hij schudde zijn hoofd. 'Ik weet het eerlijk gezegd niet meer.'

De Hoepel zei: 'Dat kun je Olga toch vragen? Misschien weet die het nog.'

Ik knikte langzaam en instemmend. 'Misschien weet zij het nog', herhaalde ik, peinzend.

Toen stak ik mijn hand op, als groet, stopte mijn handen in mijn jaszakken en begaf me langs Bryggen in de richting van Sandviken.

27

De Professor zat in zijn eentje op het ronde pleintje voor de Onderofficiersschool, die nog steeds zo wordt genoemd, hoewel er al sinds de Eerste Wereldoorlog geen school voor lagere officieren meer is gevestigd. Tegen een laag muurtje stonden een paar roodgeschilderde banken, met uitzicht op het oude exercitieterrein, de achterkant van het Orion Hotel en van de NEO-fabrieken, en op de uiteenlopende architectuur van Nordnes aan de overzijde van de haven.

De Professor had zijn winterjas stevig dichtgeknoopt, ondanks het warme weer. Hij had bolle wangen, een kromme neus en grote, scherpe ogen achter de dikke brillenglazen in het hoornen montuur. Zijn hoofd rustte als het ware op zijn schouders, iets wat hem een uilachtig uiterlijk gaf. Maar dat was niet de reden waarom hij de Professor werd genoemd.

Het lot kan een vreemde wending nemen. De Professor deed doctoraalexamen wiskunde en hoefde alleen het mondeling examen nog af te leggen. De laatste dagen voor de allerlaatste examendag studeerde hij als een gek, tot er ergens boven in zijn hoofd een stop doorsloeg. Hij heeft zijn mondeling nooit gedaan, vertoefde een half jaar in een psychiatrisch ziekenhuis, drie jaar in een sanatorium en kwam daar als een laconieke robot met afstandsbediening uit, opgebouwd uit pillen en in beweging gezet door kundige monteurs. Maar hij werd nooit meer helemaal goed en als een toevallige lege fles in een brakke waterstroom verbleef hij sindsdien tussen de lagere maatschappelijke klassen. Dertig jaar later zat hij, alleen, op het ronde pleintje voor de Onderofficiersschool, in een versleten, bruine broek, met het kruis tussen zijn knieën en met een halflege fles pils op de grond tussen zijn smerige, zwarte schoenen.

Maar de blik die hij me toewierp verried beslist intelligentie. De Professor leek soms verontrustend helder, alsof hij eigenlijk maar deed alsof en dat al dertig jaar lang, als een aan lagerwal geraakte Hamlet van middelbare leeftijd. Alsof hij ooit voor de rest van zijn leven een besluit had genomen en daaraan vasthield.

Ik was vooruitziend genoeg geweest om een plastic tasje met een paar flessen bier mee te brengen, discreet verborgen achter de eerste ochtendkranten. Zulke flesjes kunnen je reinste ijsbrekers zijn in het gezelschap waarin ik van plan was de dag door te brengen.

Ik groette de Professor, ging naast hem op de bank zitten en maakte het eerste flesje voor hem open. Om te tonen dat ik een van hen was, nam ik eerst zelf een flinke slok en gaf het toen, zonder iets te zeggen, aan hem.

Hij pakte het flesje zwijgend aan, zette het aan zijn mond en leegde het, in één grote teug. Even glinsterde er iets van Hamlet-list in zijn ogen, voor hij me het lege flesje teruggaf.

'Hoe gaat het ermee, Professor?' vroeg ik vriendelijk.

Zijn stem was roestig. 'Ach, weet je, het gaat allemaal zo zijn gangetje.' Hij sprak met een beschaafde intonatie, zonder noemenswaardig dialect. 'En jij?'

Ik knikte. We bleven een poosje zwijgend zitten. Hij wierp een schuinse blik op mijn plastic tasje.

Ik viste een nieuw flesje op en bleef ermee in mijn handen zitten, zonder het open te maken. 'Ik was eigenlijk op zoek naar Brandmerk...'

'Brandmerk? Wat moet je van hem?'

'Met hem praten, over de brand.'

'Over die oude geschiedenis? God nog aan toc, man!'

'En Olga. De vriendin van Sjouwer-Johan.'

'Wil je met Brandmerk over haar praten?' Hij klonk nieuwsgierig.

'Nee, nee. Haar zoek ik ook.'

'O.' Na een denkpauze zei hij: 'Ze komt hier wel eens langs. Olga. Maar ze praat bijna nooit tegen me. We zijn van verschillende categorieën, om het zo te zeggen.'

'Van welke categorie is zij?'

'Ze... zij en Sjouwer-Johan waren meestal samen. Na zijn verdwijning heeft ze zich teruggetrokken. Maar Brandmerk...'

'Ja?'

Hij maakte een zware beweging met zijn hoofd, alsof hij een stijve nek had die hij strekte. 'Op een dag als vandaag, met zon en zo, zou hij bij de vlieghaven kunnen rondhangen... je weet wel, waar de watervliegtuigen aanleggen. Probeer het daar eens, eh...' Ik zag dat hij weifelde tussen mijn naam en het flesje in mijn hand.

Ik maakte het flesje open en gaf het hem. 'Veum', zei ik.

Hij straalde een grote glimlach, maar niet vanwege mijn naam. Toen ik opstond en wegging, had hij de fles al aan zijn mond. De zon scheen door het bruine glas, in een gouden weerschijn.

Ik vond Brandmerk op het talud naar het water, op de pier van de oude vlieghaven in Sandviken. Hij had aangenaam gezelschap. Twee stelletjes met vier flessen, en de plastic zakken beloofden meer. De glooiing bestond uit stenen, grind en schaarse graspollen, maar als je je jas en trui uitdeed en opgerold onder je hoofd legde, was het daar in de zon uitstekend uit te houden. De dames hadden hun kleren ver opengeknopt en alles golfde traag, zowel te land als te water. De zon scheen fel in de rimpelingen tegen de oeverstenen. Links lagen de boothuizen langs de Sjøgate en rechts was de Byfjord, waar witte meeuwen op de golven deinden en de veerboot naar Askøy zich voorzichtig van de stad naar het verderop gelegen eiland bewoog. De beide dames hadden dezelfde onbepaalde leeftijd als hun collega op het havenhoofd, maar de twee heren waren onmiskenbaar boven de vijftig. De een was een zigeunerachtige dwerg met een zwarte snor en een vierkant schelmengezicht, die geen gek figuur zou slaan in een Parijs achterstraatje, als opportunist in een druk bezocht bordeel. Hij had zijn bovenlichaam ontbloot, maar zijn bretels aangehouden. De huid op zijn borst was spierwit en vrouwelijk en hij leek zich niet te schamen voor zijn pukkelige rug.

Brandmerk zelf lag op zijn rug, met zijn handen onder zijn hoofd en zijn ogen dichtgeknepen. Hij droeg een blauw met grijs geruit, flanellen hemd en een bruine broek. Hij had zijn schoenen uitgeschopt en zijn tenen staken door de gaten in zijn sokken. Zijn gezicht straalde als een opkomende zon op beschilderd Japans porselein. Zijn huid was roodgevlamd en gebarsten, zijn ogen traanden een beetje en hij was volkomen kaal, alsof het haar van zijn hoofdhuid was weggeschroeid. Tot nog toe was hij voor mij het enige zichtbare bewijs dat de vermelde brand aan de Fjøsangervei daadwerkelijk had plaatsgevonden. Een blik op zijn gezicht vertelde me ogenblikkelijk welke tragedie de Pauwbrand in werkelijkheid was geweest en ik kan de mensen begrijpen die zich afvroegen wie er meer geluk hadden gehad: degenen die bij de brand waren omgekomen of degenen die het hadden overleefd.

Ik stapte voorzichtig de helling af en ontmoette hun vragende blikken. De dames trokken hun rokken een beetje recht, en ik zag dat ze een ogenblik dachten dat ik een smeris was, want de dwerg gooide zijn jasje over een paar van de flessen.

'Sorry dat ik stoor,' zei ik, 'ik weet niet of jullie me kennen. Mijn naam is Veum, en ik zal voor... het ongemak betalen.'

Ik reikte de open plastic tas aan en toen ze de betaling zagen, ontspanden ze duidelijk en de dwerg zei: 'Welkom in de groene natuur, wie je ook bent.'

Ik nam plaats in de zon. We zwegen een tijdje. In dergelijke kringen was het niet raadzaam om direct met de deur in huis te vallen. Deze mensen maakten alleen haast als de drankwinkel over vijf minuten zou sluiten. Verder leefden ze op hun gemak, zolang er maar een open fles in de buurt was. Ze dronken ook niet per se veel, als er maar iets te drinken was. Voor deze mensen waren de dagen anders dan voor andere mensen. Sommige dagen waren goed en dan waren een of twee biertjes voldoende. Andere dagen waren slecht en dan waren twee flessen sterkedrank nog niet toereikend.

Het was op deze tijd van de dag een stille plek. Er was weinig verkeer van en naar Åsane en het was lang geleden dat er veel schepen bij Sandviken aanlegden om te lossen. Achter ons verrezen de berghellingen, Fløyen rond en mollig, de Sandviksfjell en de Sandvikspil, die standvastig de windrichting voor ons uitwees, steil en donker. De zonneschijn spiegelde zich in de vensters tegen de berghelling en boven op een rots, als een steengrijs Dracula-slot op een top, verrees de Rothaugenschool.

Ik zat met mijn armen om mijn knieën en mijn blik naar zee gewend. De golven schitterden naar het uiterste puntje van Nordnes, waar Ballangen als een voorzichtige grote teen de watertemperatuur voelde. Er voer een snelboot voorbij, op weg naar zee, precies ter hoogte van de pier verhief hij zich als een geweldig zeedier van het water, brulde lelijk tegen de nazomerhemel en haastte zich op hoge stelten naar het zuiden, naar Sunnhordaland en Stavanger.

Ik zei: 'Eigenlijk wilde ik met jou praten, Brandmerk.'

Hij loerde me met toegeknepen ogen aan. 'O ja? Waarover dan?'

'Over wat er is gebeurd.'

'Wanneer?'

'Over de brand, in 1953.'

Hij ging plotseling rechtop zitten en zijn gezicht knetterde droog toen hij een grimas trok. 'Over de brand?'

'Er is het een en ander gebeurd. Ik heb met Sigrid Karlsen, de weduwe van Holger Karlsen, gepraat. En ik heb andere mensen gesproken.' Ik boog me voorover. 'Jij bent de enige die nog over is. Die nog leeft. Dat weet je toch?'

Plotseling sperde hij zijn ogen open en keek me strak aan. 'Ja, dat weet ik. Ik zie het iedere ochtend in de spiegel. Ik zie het al dertig jaar lang iedere ochtend. Snap je dat?'

Ik knikte hulpeloos. 'Ja.'

'Het heeft m'n leven verwoest. Ik was toentertijd een gewone, fatsoenlijke arbeider en wat is er daarna van me geworden? Het heeft heel wat jaren geduurd voor ik zo goed werd als nu. De eerste jaren was ik een en al etterende vleeswond en mislukte huidtransplantatie. Het heeft mijn leven geruïneerd... ja, dat herinner ik me nog, Veum... ja, dat weet ik!' Hij greep in het wilde weg een fles en nam een flinke slok. 'Je hoeft hier niet met oud nieuws aan te komen.' Na nog een slok zei hij, rustiger ineens: 'Wat wil je weten?'

De andere drie zwegen. Ze luisterden. Een meeuw vloog laag over ons heen en schreeuwde ijl en hees, als een herinnering aan een pijnlijk verleden.

'Ik... ik zou graag willen dat je... dat je over de brand vertelt. De brand, zoals het in jouw herinnering was. Zoals het gebeurde.'

Hij herhaalde zacht: 'De brand... zoals het gebeurde...'

28

'De dag van de brand... ik zie de productiehal voor me alsof ik er nog midden in sta. Drie verdiepingen hoog, om de val-hoogte volledig te benutten. De verf werd in enorme tanks, met verschillende compartimenten erin, gefabriceerd. Op elke hoogte werden er nieuwe stoffen toegevoegd en start-ten er nieuwe processen. Op elke richel waren allerlei con-trolepanelen, meetinstrumenten, concentratiemeters en dergelijke.'

Zijn blik werd wazig en wij anderen zwegen.

'Helemaal beneden stonden de tanks waarin de verf uit-eindelijk werd gemengd. Daarna ging het naar het tapsta-tion, waar de lege bussen op de lopende band binnenkwa-men, gevuld werden en in kartonnen dozen werden gezet, die vervolgens naar de expeditie werden vervoerd.'

Ik keek naar zijn verminkte gezicht en probeerde me voor te stellen hoe het er in 1953 had uitgezien. Olai Osvold was toen ongeveer dertig jaar oud geweest, niet zo fors, maar stevig en klein van stuk, en beslist een betrouwbare arbeidskracht. Zijn bovenarmen waren massief, zelfs nu nog, een man die van aanpakken wist. Maar zijn gezicht... was hij knap geweest? Met of zonder baard? Een snorretje misschien? En zijn haar, wat voor kleur had het gehad? Blond? Bruin? Donker? Onmogelijk te zeggen.

'Iedereen had een vast station, met vaste routines, maar

het was geen gewoon handwerk, in elk geval niet in de productiehal. Je moest de hele tijd alert zijn en je moest de mengsels beoordelen, misschien iets overdoseren, als er van iets anders te veel was toegevoegd, of de dosis van een mengstof verminderen. Je zat gewoonlijk niet op je kont. Je volgde het proces door je hele station en je moest metingen verrichten, ingrijpen als er iets moest worden toegevoegd. Je gebruikte je lichaam, maar dat was niet wat het werk zo zwaar maakte. Dat was de lucht. Die was nooit helemaal zuiver. Er bleef altijd wel wat van de mengstoffen hangen. Er werden destijds sterkere verdunners gebruikt dan nu, stoffen die nu verboden zijn, naar ik heb vernomen. Aan het eind van de dag had je altijd een zwaar hoofd en het duurde soms uren voor je je weer een beetje fit voelde. Hoofdpijn kreeg je ook.'

'Maar bespraken jullie die dingen niet met de directie?'

Hij keek me honend aan. 'Tuurlijk bespraken we dat. Maar je moet niet vergeten dat het toen andere tijden waren in het arbeidsleven dan nu. De directie trok zich niet zoveel aan van wat de mensen op de werkvloer zeiden. En je zou kunnen zeggen dat het Holgers zwakheid was dat hij niet genoeg doordramde, als het er werkelijk op aan kwam. Ik heb Holger nooit veroordeeld voor wat er toen is gebeurd, ook al waren er genoeg die dat wel deden. Maar je zou kunnen zeggen dat als hij *werkelijk* bang was dat er een lekkage was in de productiehal, dat hij dan gewoon had moeten doordrammen en ons zo ver had moeten krijgen het werk neer te leggen. Te staken, tot alles goed was nagekeken.'

'Bedoel je dat hij het niet zeker wist?'

'Ik weet niet wat ik bedoel. Ik zeg, als hij daar werkelijk bang voor was, dat hij dat dan had moeten zeggen en dat hij de mensen uit de hal had moeten halen.'

'Dus hij heeft er niet met jullie over gesproken?'

Hij schudde zijn hoofd. 'Ik zag wel dat hij ergens over inzat. Nu lag mijn station op de middelste verdieping, terwijl dat van Holger, dic voorman was, helemaal beneden op de begane grond was. Hij had een klein hokje, met glazen ramen, vlak bij de deur, waar hij de lijsten kon bijhouden en opschreef hoeveel er van de verschillende stoffen werd gebruikt en zo. Af en toe zag ik dat hij daarbinnen alleen maar voor zich uit zat te staren, zonder iets te zien. Hij kwam ook een keer boven bij mij rondkijken. Toen vroeg hij, zogenaamd toevallig: Ruik jij iets bijzonders, Olai? Ik ademde in, maar zoals ik al zei, er hing altijd wel wat in de lucht. Het was nooit zo zuiver als buiten op straat. Dus ik trok mijn schouders op en antwoordde verder niet. Maar de dag voor de brand, toen kwam hij weer naar boven. Olai, zei hij, ik moet even weg. Het kan zijn dat ik een poosje wegblijf, kun jij beneden de zaken even in de gaten houden? Ja, dat was best. Ik was zogezegd de volgende op de lijst, als hij wegwas, dus ook dat was routine. Toen hij terugkwam, ging hij zijn kantoortje binnen en daar zag ik hem weer voor zich uit zitten staren. Een aantal keren kwam hij naar buiten om de lucht op te snuiven, daarna ging hij weer naar binnen. Ik zag hem een keer de telefoon pakken en een nummer draaien, maar toen hing hij weer op, zonder op antwoord te wachten. Toen we die dag naar huis gingen, vroeg ik of er iets aan de hand was. Maar hij staarde alleen maar voor zich uit en zei zacht: Ik weet het verdomme niet zeker, Olai. Ik ben misschien de enige die zich niet goed voelt. Verder hadden we het er niet over. En de volgende dag, toen knalde het.'

Hij pauzeerde even. Zijn drinkmakkers keken hem met grote ogen aan. Ze hadden dit blijkbaar nog nooit gehoord. Ik was bang hem te onderbreken. Het was fascinerend om naar hem te luisteren, de enige ooggetuige van de brand, de enige die nog in leven was, die er echt bij was geweest, binnen, toen de productiehal van Pauw in vlammen opging...

'Ik weet het nog goed, die dag. Het was een zachte, warme ochtend, net als vandaag, alleen was het in de lente. Ik fietste naar mijn werk, ik was al vroeg op pad, want ik had zin in een douche. Die hadden wij thuis niet, maar in de fabriek was er een echte douche met een kleedkamer. Dat moest wel, zodat we ons na het werk konden afspoelen.'

'Was je getrouwd?' De vraag drong zich op, maar ik had mijn tong wel af kunnen bijten, daarna.

Ik zag dat hij even van de wijs was. 'Neu, ik woonde thuis, bij m'n ouders. Ik had heus wel iemand op het oog, maar na het ongeluk, toen... toen liep dat natuurlijk op niets uit.' Hij kreeg een peinzende uitdrukking in zijn ogen en er trok een schaduw over zijn gezicht. Ik hield mijn adem in en zei verder niets.

Langzaam keerde hij weer terug naar de productiehal. 'We begonnen om zeven uur, het eerste deel van de dag verliep normaal. Niets aan de hand. En toen het eenmaal knalde, toen gebeurde alles zo snel dat het net een diavoorstelling leek. De explosie...'

'Dus het begon met de explosie. Er was geen waarschuwing?'

Hij schudde zijn hoofd. 'Behalve misschien de waarschuwing van Holger. Ik zie het zo duidelijk voor me, alsof het in mijn hoofd is gegrift. En dat is het eigenlijk ook. Alles werd wit.'

'Maakten jullie witte verf?' vroeg de dwerg plotseling.

'Nee, nee', antwoordde Brandmerk, afwezig. 'Het licht. De hele ruimte werd één ogenblik fel verlicht. De explosie gebeurde boven me, in een van de bovenste tanks. Ik zag Holger... hij stond half overeind in zijn glazen kooitje, net alsof hij verwachtte dat het zou gebeuren. Misschien zag hij iets, van onder af, vlak voor het gebeurde. Een van de mannen op de verdieping boven me werd zo de lucht in geslingerd... en in dat lange, witte ogenblik hing hij daar maar, in de lucht, twaalf meter boven de betonnen vloer. En het volgende ogenblik...'

Hij slikte moeizaam. 'Het ging allemaal zo snel. Er is iets wat sint-elmsvuur of zoiets wordt genoemd, op zee: vuur dat zich plotseling over een heel olieplatform verspreidt. Zo was het hier ook: de verf stond boven in brand en regende omlaag, slingerde alle kanten op, alsof het vlammen regende, alsof de hele ruimte één grote vuurzee was. Het gegil, mijn God, zoals ze gilden, als door de duivel bezeten, als... ik weet niet wat. Holger was zijn glazen kooi uitgekomen, hij had een blusapparaat gepakt waar hij mee probeerde te spuiten. Maar het was hopeloos. Het was of hij in een vulkaan stond te piesen, zo weinig haalde het uit. Ik stormde de ladder af naar beneden. Mijn kleren stonden in brand en ik voelde, mijn gezicht... dat voelde aan als een stijf masker dat aan mijn huid zat vastgebrand. Toen ik beneden kwam, struikelde ik over iemand die op de vloer lag. Hij lag voorover, met zijn gezicht naar het beton. Ik pakte hem onder zijn armen en trok hem naar de deur. Ik keek naar de deur. Holger had het blusapparaat weggegooid en ik zag hem heel duidelijk toen hij de deur opendeed, zijn silhouet precies in de deuropening, ik zag dat hij met zijn handen voor zijn gezicht naar buiten wankelde. De hele tijd brandde het om ons heen en er waren kleine explosies, het hele gebouw schudde, het was net een aardbeving, of alsof er een atoombom was ontploft. Ik voelde dat ik door mijn knieën zakte. Ik kon hem niet meer trekken. Ik keek wanhopig naar de deur en toen kwam hij binnen, de kantoorbediende, Harald Wolff. Hij heeft me eruit gehaald. Als hij er niet was geweest, dan...'

'Weet je nog...'

'Nee, op dat moment raakte ik buiten westen', onderbrak hij me. 'Ik weet alleen nog dat ik Wolff aankeek en toen werd alles donker en ik weet niks meer tot ik in het ziekenhuis wakker werd, van top tot teen ingepakt in wit en met zo'n pijn in m'n lijf dat ik het gevoel had levend aan het spit te zijn gegrild. Om eerlijk te zijn, dacht ik dat ik in de hel was terechtgekomen.'

'Jeetje, wat verschrikkelijk', zei een van de vrouwen in het kleine groepje toehoorders.

'Afschuwelijk', zei de ander.

'Je mag blij zijn dat je het er levend vanaf hebt gebracht, Olai', zei de dwerg.

Brandmerk keek me strak aan. 'Precies *dat* vraag ik me al die jaren al af. Of ik echt geluk had gehad, of dat het toch niet beter was geweest als ik toen ook het loodje had gelegd.'

'Maar dan had je ons nooit gekend!' zei de dwerg.

'Er zijn vijftien mensen omgekomen. Alleen ik en nog twee anderen hebben het overleefd, en die twee hebben een paar jaar later ook het loodje gelegd. Holger, Piddi, lui met wie ik jaren heb samengewerkt. Waarom moest juist ik het overleven, wat had ik gedaan? De meesten van hen hadden een gezin, een vrouw en kinderen, het was beter geweest als een paar van hen eraan waren ontsnapt... Af en toe krijg ik bijna een slecht geweten.'

Een van de vrouwen legde een mollige hand op zijn knie. 'Dat moet je niet doen, Brandmerk. Dat hoeft niet.'

'Nee?' Hij keek haar groggy aan. Hij was nog niet helemaal terug uit 1953.

Ik zei langzaam: 'Dus Holger Karlsen ging naar *buiten* en direct daarna kwam Harald Wolff binnen?'

'Ja, ja... en hij heeft mij gered. Hij *redde* mij, snap je... en die vent die ik mee had getrokken, dat was een van de anderen die het overleefden, een poosje...'

'Precies. Hij redde *jou*.' Dat was voor Brandmerk het belangrijkste en ik zou hem niet tegenspreken. Maar waarom had hij Holger Karlsen niet gered? Waarom was Holger Karlsen niet helemaal buiten gekomen, als hij de productiehal levend had verlaten? Natuurlijk waren er allerlei explosies en natuurlijk kon hij een stalen balk op zijn hoofd hebben gekregen, buiten de productiehal – maar was dat waarschijnlijk? Iedereen wordt door toevalligheden ingesponnen in het web van het lot, maar toch – er is altijd ruimte voor twijfel.

Met langzame bewegingen maakte ik een fles bier open en reikte die Brandmerk aan. 'Hier. Je zult wel een droge keel hebben gekregen.'

Hij keek me leeg aan, pakte de fles, zette hem aan zijn mond en dronk. Toen zei hij: 'Ik heb al jaren een droge bek, Veum.'

29

Met de zon laag van rechts staken we de Sandvikstorg over
en in een spiegelende etalageruit zag ik ons, alle vijf. De
dwerg, die zoals ik te weten was gekomen Reuze-Olsen werd
genoemd, en de twee dames voorop. De dames moesten
naar de wc en Reuze-Olsen huisde dichtbij, in een kelder-
kamer aan de Sandviksvei. Brandmerk en ik liepen achteraan. Hij had beloofd me naar de woning van Olga Sørensen
te brengen, als ze tenminste nog op dezelfde plek woonde
als twee jaar geleden.

Toen ik ons samen in de etalage zag, viel het me op: ik
onderscheidde me niet. Voor een privédetective was enige
mate van anonimiteit niet te versmaden, maar dat ik zodanig in het beeld zou passen, als bingospeler, op een ontmoetingsplaats voor oudere alleenstaanden, en nu in drankzuch-
tig gezelschap met zware, plastic tasjes in de hand, maakte
me depressief. Ik haalde mijn vrije hand door mijn haar en
probeerde mijn kleren recht te trekken. Maar een oudere
dame die passeerde, wierp ons allemaal een minachtende
blik toe, zonder mij er met verwondering in haar blik uit te
plukken.

'Maar Olga heeft toch niks met de brand te maken?' vroeg
Brandmerk.

'Nee, nee. Dit gaat over iets anders', antwoordde ik vaag.

'Sjouwer-Johan?' vroeg hij voorzichtig.

Ik keek hem snel even aan voor ik knikte. 'Kende je hem?'

'Neu. Niet meer dan anderen. Je weet, als je er eenmaal bij hoort, dan is het maar een klein wereldje.' Hij aarzelde even. Toen zei hij zacht: 'Maar ik heb een paar jaar geleden geprobeerd Olga te versieren. Zelfs zij wees me af. Dus zo zie je maar wat mijn kansen zijn. Alles wat ik de laatste dertig jaar aan liefde heb gehad, heb ik moeten kopen. Of ze waren zo zat dat het niet meer uitmaakte met wie ze het deden.'

Ik gaf geen antwoord, maar knikte en beet op mijn lip.

'Ga mee naar mijn kamer!' kwam Reuze-Olsen naar ons toe. 'We kunnen geld voor een fles jenever bij elkaar leggen, dan ga ik wel met een taxi naar het centrum om hem te kopen. Kom op.'

'We moeten nog even ergens... een bezoekje afleggen', zei Brandmerk plechtig. 'Bovendien heb ik geen geld.'

'Jij dan?' Hij keek me hoopvol aan.

Ik haalde vijf tientjes uit mijn binnenzak. 'Hier. Dit is van Brandmerk.'

Zijn handen waren groot en ze sloten zich om het geld als een kinderhand om een reep chocolade. 'Als je zin hebt, ben je welkom... Brandmerk weet waar het is.'

Reuze-Olsen en de dames sloegen rechtsaf, terwijl wij de trappen langs de Søre Almenning verder bestegen. Brandmerk moest bij iedere trede even op adem komen, dus het duurde even.

Olga Sørensen woonde op de eerste etage van een grijs woonblok aan de Kirkegate. We liepen de trap op. Op de bruingeschilderde deur stond *Jensen*, maar desondanks woonde Olga Sørensen er, volgens Brandmerk. Dat konden we echter niet verifiëren, want er werd niet opengedaan.

Ik keek aarzelend naar het naambordje. 'Weet je zeker dat ze niet is verhuisd?'

'Ja, dan zou ik het wel gehoord hebben.'

'Maar... die naam op de deur?'

'Datzelfde bordje hing er toen ik de vorige keer hier was ook. Ze heeft gewoon niet de moeite genomen het weg te halen. Beneden op de brievenbus staat haar naam waarschijnlijk wel.'

De bruine deur verried niets. Achter twee smalle ruitjes ontwaarden we een gebloemd gordijn, maar er brandde geen licht binnen.

'Ze komt zo wel thuis', zei Brandmerk. 'Nu weet je ten minste waar ze woont. We kunnen zo lang wel bij Reuze-Olsen wachten.'

Op weg naar buiten controleerde ik de namen op de brievenbussen. Hij had gelijk. Op een ervan stond O. *Sørensen*. Op het moment dat we bij Reuze-Olsen aankwamen, stapte een van de dames uit een taxi, met een blauwe zak van de staatsdrankwinkel in haar ene hand en een potplantje in de andere. 'Ze hebben *mij* naar de slijter gestuurd. Ik denk dat Reuze-Olsen even een nummertje wilde maken tijdens het wachten. Ik heb dit plantje maar gekocht. Dacht dat we het een beetje gezellig konden maken.' In het heldere daglicht was haar gezicht open en een beetje naïef, met grote poriën en volle lippen met de contouren van een kwal, slechts gedeeltelijk gecamoufleerd door een ongelijkmatige laag rode verf.

We struikelden een trap af en een donkere, koude kelder binnen. Achter in de kelder scheen licht door de kieren rond een deur en toen we opendeden, kwamen we recht in de schoot van Reuze-Olsen en zijn vriendin terecht. Ze lagen luchtig gekleed op de vloer en zagen eruit alsof ze de luchtverversingsinstallatie aan het controleren waren. Het was een klein kamertje en toen wij er met zijn drieën bijkwamen, leek het net een stadion tijdens een belangrijke bekerwedstrijd. Reuze-Olsen trok zijn broek omhoog en zijn vriendin trok geroutineerd haar rok recht. Brandmerk nam plaats in de enige leunstoel die de kamer rijk was, een overblijfsel uit de dertigjarige oorlog, terwijl de dame met het potplantje de kamer doorliep, om zich in de keuken om te draaien. De keuken bestond uit een zinken gootsteenbak en een emmer op de vloer. Naast de emmer stonden een geopend melkpak en tien lege bierflesjes. Ze was hier blijkbaar eerder geweest, want ze pakte een keukenkruk en nam in de deuropening plaats.

'Ga zitten', zei Reuze-Olsen wellevend tegen me. Ik keek om me heen. Ik had de keus tussen een straalkacheltje, dat Reuze-Olsen en zijn vriendin opzij hadden geschopt toen ze hun oefeningen deden, en een omgekeerd bierkrat. Ik koos het bierkrat en Reuze-Olsen ging op het kacheltje zitten. 'Schenk jij maar in, Lisbeth', zei hij tegen zijn vriendin en de dame ging gehoorzaam naar de keuken om vijf vuile keukenglazen te halen.

De jenever schitterde in de glazen en we proostten. De wanden waren kaal, op een na, waar hij een bladzijde uit de *Bergens Tidende* op had vastgeprikt. Ik had geen idee waarom. Het was de pagina met het landbouwnieuws. De kamer lag in het halfdonker en de zon reikte niet zo ver omlaag. Het was te laat op het jaar, of te vroeg op de dag. 'Is dit even gezellig', zei Reuze-Olsen en keek stralend om zich heen.

Zijn vriendin was midden in de kamer blijven staan, en de enige plaats waar ze kon gaan zitten, was ter plekke, op de grond. Voorlopig aarzelde ze nog even en ik kon raden waarom. In de hoek lag haar onderbroek, die hij had weten uit te wurmen, voor wij binnenkwamen.

Haar tijdloze gezicht wendde zich tot mij. Ze had bruine ogen, donker, ongekamd haar met een warrig patroon van een paar lichtbruine strepen en ze had een gepijnigde trek om haar mond. Ik had haar natuurlijk de hele tijd al herkend. Het was alleen niet eerder tot me doorgedrongen.

'Zeg... ken ik jou niet ergens van?' vroeg ze met een schorre stem. Ze kneep een oog dicht, alsof ze me daardoor beter kon zien.

'Ik struin nogal eens door de stad', zei ik.

'Wat doe je eigenlijk voor de kost?'

Ik antwoordde niet meteen. 'Vroeger werkte ik bij de kinderbescherming.'

'O ja.' Haar gezicht werd vlak. 'Die hebben m'n kind afgepakt. Eerst naar een kindertehuis. Daarna kreeg ze pleegouders. Nu weet ik niet eens waar ze is.'

'Ik geloof niet dat ik daar iets mee te maken had.'

'Nee, ik weet het. Maar misschien ken ik je daar van.'

'Ja, wie weet', zei ik neutraal. Ik kon het niet opbrengen te zeggen dat ik bij haar op school had gezeten, in de parallelklas. Ze zou het misschien niet leuk vinden dat iemand zich haar herinnerde, van zo lang geleden. Ze was toentertijd een knap meisje, maar tamelijk vrijpostig. En het was zo'n dertig jaar geleden geweest, ongeveer in de tijd dat Pauw afbrandde.

'Nou, daar zitten we dan, gezellig hè', zei Reuze-Olsen. Hij leegde zijn glas en schonk zich nog een borrel in.

Brandmerk was stil geworden, in de leunstoel. Hij staarde voor zich uit zonder iets te zien of te horen. De dame in de keukendeur zat nog steeds met het potplantje op schoot, alsof ze het had opgegeven er een plekje voor te vinden.

'Die arme mensen', zei de vriendin van Reuze-Olsen. Lisbeth heette ze en ik kon me haar steeds beter herinneren. Ze had in de zesde klas gezeten en een paar jongens hadden een nummertje met haar mogen maken, in een van de huizen die in aanbouw waren. Wij anderen werden gevoerd met de meest sappige verhalen over haar vele voortreffelijke eigenschappen. Nu ze eindelijk op de vloer was gaan zitten kon ik, als ik brutaal genoeg was, in elk geval één van de beschrijvingen controleren.

Ja, die arme mensen. Arme meisjes als Lisbeth, waar we een soort angstige verliefdheid voor voelden, wij die destijds, zo vroeg in het leven, bij de ingetogenen hoorden. Arme meisjes als Lisbeth, met haar uitgerekte, onhandige meisjeslichaam, met een gebreid vest en een katoenen rok, en een diepe, mannelijke lach... Jammer dat ze dertig jaar later hier op een keldervloer moest zitten en medelijden moest voelen, met de mensen en met zichzelf.

En die arme Brandmerk, wiens gezicht en leven door de onverschilligheid van andere mensen was toegetakeld. Arme Reuze-Olsen, een onaangepast Klein Duimpje, die net lang genoeg was om zijn partners in hun onderste haargroei te kunnen happen. Die arme dame met het potplantje, die naar de slijterij werd gestuurd terwijl de anderen de liefde bedreven; en was ikzelf eigenlijk niet ook een beetje zielig, zoals ik daar zat, met een glas jenever, een licht gevoel achter in mijn voorhoofd en een reeks onopgehelderde misdaden op het programma?

Ik keek op mijn horloge. Er waren een paar uur verstreken sinds we bij Olga Sørensen waren geweest. Er was niet veel gezegd en ook niet bijster veel gedronken. We hadden in het donker van de kelder gezien hoe het daglicht zijn vierkante afdruk, stukje bij beetje, over de vloer had verplaatst. Het licht viel door een smal raam, dat met kippengaas was bedekt, en waardoor we de schoenen konden zien van de mensen die boven op het trottoir langsliepen.

Lisbeth doezelde in haar hoekje. Haar mond viel open, haar lippen werden zachter, als bij een kind: pfft, pfft, pfft, klonk het uit haar mond. Reuze-Olsen had zijn vrije hand om haar schouder geslagen en ondersteunde haar. Een ogenblik leek het of ik een glimpje tederheid in zijn blik zag, toen vermande hij zich en wierp me een ironische blik toe, alsof hij wilde zeggen: dat moet mij weer overkomen!

Brandmerk zat voor zich uit te mompelen. De vrouw in de keukendeur streelde zacht over de bladeren van de potplant: tedere, zachte liefkozingen.

Ik verhief me stijf van het bierkrat, zette mijn lege glas op het krat en rekte me uit.

Brandmerk keek ineens op. 'Ga je weg?'

'Ik denk dat ik nog eens bij Olga ga kijken', zei ik.

Hij knikte. 'Ik blijf hier', zei hij.

Ik zocht een stukje papier en schreef het adres en telefoonnummer van mijn kantoor op. 'Als je nog iets te binnen schiet, zou je dan alsjeblieft contact met me willen opnemen?'

'Nog iets? Waarover?'

'Over de brand.'

'O, dat... daar valt niets meer over te zeggen.'

'Nee, nee, maar voor het geval dat.'

Hij knikte. 'Doe de groeten aan Olga.'

'Ja, doe de groeten', stemden de anderen in. Lisbeth had haar ogen weer open.

Ik knikte ze toe en ging weg. Op het moment dat ik de deur achter me dichtdeed, hoorde ik de stem van Lisbeth: 'Ik vraag me af waar ik hem van ken. Ik weet zeker dat ik hem eerder heb gezien.'

De overgang van schemering naar licht was verblindend. Het was alsof ik een nieuwe wereld binnenstapte, witgewassen en stralend, zo uit de wasmachine te drogen gehangen, om door keldermensen bekeken te worden. Maar alleen kijken, niet aankomen.

30

Ook deze keer werd de deur met Jensen erop niet opengedaan. Ik drukte de bel met alle macht in, als een nostalgische huis-aan-huisverkoper die bij deze woning ooit een paar dameskousen had verkocht en die sindsdien nooit de hoop had opgegeven. Van het geschel had zelfs de dood moeten ontwaken, maar er kwam niemand om de deur open te maken en ten slotte gaf ik het op.

Ik liep langzaam de trap af. Op de parterre ging stilletjes een deur op een kier open en van boven een veiligheidsketting staarden een paar nieuwsgierige ogen me aan. Toen ik haar blik ontmoette, wilde ze de deur weer sluiten. 'Hallo, wacht eens,' zei ik, 'niet dichtdoen.'

Ze deed de deur niet helemaal dicht. Haar neus was groot en spits boven de glimmende ketting, haar huid oud en gerimpeld. Ze had blauwzwarte, pientere ogen en ik dacht: de in de regel kwieke dame op de begane grond, altijd op haar plaats, altijd behulpzaam.

Ik kwam meteen ter zake. 'Pardon, maar u weet zeker niet waar mevrouw Sørensen van de verdieping hierboven is?'

Ze schudde haar hoofd en keek me nieuwsgierig aan. 'Waar gaat het om?'

'Ik moest haar de groeten overbrengen, van een oude kennis...'

'Zooo?' Ze leek me niet te geloven.

'Is ze vaak lang weg?'

Ineens zei ze: 'Ze had gisteren ook bezoek. Misschien heeft die de groeten al overgebracht.'

'Wie was er toen?'

'Dat weet ik niet. Maar het was een man. Ik heb hem alleen van achteren gezien, toen hij wegging.'

'Hoe zag hij eruit? Had u hem wel eens eerder gezien?'

'Nee. Het was donker. Het was avond en hij zag er heel gewoon uit. Een hoed en een jas, keurige kleren.'

Er ontlook een vaag gevoel van onrust tussen mijn schouderbladen. 'Geen bijzonderheden? Is u nog iets speciaals opgevallen?'

'Ik weet niet...'

Aarzelend zei ik: 'Er was niet iets... met de manier waarop hij liep?'

Ze leek na te denken. Toen klaarde haar gezicht op. 'Jawel, nu u het zegt... ik geloof dat hij met zijn ene been trok. Ja, hij liep een beetje mank!'

Het ene ogenblik zweette ik en had ik het warm, het volgende ogenblik stond ik te rillen en had ik het koud. Mijn lippen waren stijf toen ik zei: 'U heeft zeker niet toevallig de sleutel van haar woning?'

'Nee, een sleutel!' Ze schudde geïrriteerd haar hoofd. 'En de conciërge is in dienst van de gemeente, dus die krijg je ook nooit te pakken. Nee, u zult moeten wachten tot ze terug is.' Ze wilde de deur dichtdoen.

Ik ademde langzaam uit. 'U heeft dus gezien dat ze is weggegaan?'

'Nee, dat kan ik niet zeggen.'

'Nou... zou u zo vriendelijk willen zijn om met me mee naar boven te gaan? Ik denk dat ik de deur moet openbreken. Er kan haar iets zijn overkomen.'

'Openbreken? Ik geloof dat je gek bent, man! Dan bel ik

de politie.' De deur sloeg voor mijn neus dicht, maar ik hoorde geen geluiden binnen. Ze stond vlak achter de deur te luisteren.

Ik zei tegen de gesloten deur: 'Doet u dat.' Toen liep ik de trap weer op.

Het leven gaat in cirkels, grotere en kleinere. Met gewisse tussenpozen kom je in situaties terecht waarin je tegen jezelf zegt: dit heb ik eerder meegemaakt.

Toen ik voor Olga Sørensens deur stond, beleefde ik weer het ogenblik voor de deur van Hjalmar Nymark, een paar weken tevoren.

Ook deze deur bood geen problemen. Ik gebruikte dezelfde methode: schopte het ruitje in, stak mijn hand naar binnen en opende het slot met behulp van de draaiknop.

De deur ging open, en de deur ernaast ook. De man die daar stond, was twee meter lang en droeg rode bretels. 'Wat moet dat, verdomme?' vroeg hij.

'Belt u meteen de politie, voordat ik het doe', zei ik, terwijl ik moedig naar hem omhoogkeek.

'Ik heb verdomme niets met de politie te maken', antwoordde hij, verdween naar binnen en sloeg de deur met een harde klap achter zich dicht.

Ik haalde mijn schouders op en ging de woning binnen. De gang was donker en vrij kort. Langs een van de wanden stonden een paar oude, suède laarsjes en een paar regenlaarzen en aan een kapstok hingen een grijsbruine mantel en een oud jasschort.

Ik haalde voorzichtig adem. De woning stonk naar bier en verwerpelijker zaken.

Ik opende de eerste deur die ik tegenkwam. Dat was de keuken. In de gootsteen stond een stapel borden en glazen en op de vloer lagen een paar lege bierflesjes. Er stond een ongeopend conservenblik met erwten midden op de tafel.

Het zag er onvoorstelbaar eenzaam uit, een symbool van een mistroostig feestmaal.

Ik liep terug naar de gang en opende de volgende deur, naar de kamer. Meer deuren hoefde ik niet open te doen.

Het zag eruit alsof er een feest had plaatsgevonden. Overal lagen lege flessen. Een leunstoel lag omver op de vloer en de versleten salontafel was tegen een rafelige sofa aan geschoven. Er lag een asbak ondersteboven op de vloer en de grijze as vormde samen met de platgedrukte sigarettenpeuken een rommelig patroon op de vaalbruine vloerbedekking.

Een vrouw met grijs, warrig haar en een ingevallen, gekweld gezicht lag met haar rug half tegen een bruinzwart ladenkastje. Een van de scherpe hoeken van het kastje vertoonde een donkere, kleverige vlek, met een paar lange, grijze haarlokken erin. De stijve vingers van haar rechterhand omklemden de hals van een fles. Ze staarde star omhoog naar het plafond, alsof ze rechtstreeks de eeuwige supermarkten in keek, op zoek naar de bierafdeling.

Als dit Olga Sørensen was, had de benedenbuurvrouw gelijk gehad. Dan waren de groeten al overgebracht.

31

Ik liep de trap weer af naar de parterre en belde aan. Er werd niet opengedaan. 'Hallo?' riep ik tegen de deur. 'Heeft u de politie al gebeld? Zo niet, dan kunt u dat nu doen.'

Geen antwoord. Waarschijnlijk stond ze vlak achter de deur te trillen van angst, doodsbang voor wat ik me in mijn hoofd zou halen.

De dichtstbijzijnde telefoon was in de snackbar aan het einde van de Ekrengate. De eigenaar kwam uit Haugesund, maar ik mocht de telefoon toch gebruiken. De dienstdoende agent bij de meldkamer zei dat ze meteen een wagen zouden sturen. Ik ging terug naar de Kirkegate en bleef voor het huis staan wachten.

De auto kwam en Dankert Muus stapte uit. Toen hij mij in de gaten kreeg, draaide hij zich om naar de auto en zei: 'Wie heeft die melding aangenomen? Waarom hebben ze niet verteld dat Veum degene was die belde? De doodgraver, noemen we hem.'

Hij keek me nors aan. Hij droeg nog steeds dezelfde oude jas en ook zijn hoed had zich niet verplaatst. De blik die hij me toewierp had die van een kannibaal op streng dieet kunnen zijn. 'Wie heb je nu weer om zeep geholpen, Veum?'

Ik knikte naar het huis. 'Kom maar mee.'

Ik wees de weg naar de eerste etage. Toen we de parterre passeerden hoorde ik de deur weer op een kier opengaan, maar ik draaide me niet om.

Dankert Muus werd vergezeld door Peder Isachsen, vaal-blond en zoals gewoonlijk zuur kijkend. Ze pasten bij elkaar. Geen van beiden vond mij aardig. 'Veum is een soort necrofiel, als je dat woord kent', hoorde ik Muus achter mijn rug tegen Isachsen zeggen. Toen we boven bij de deur kwamen, snauwde hij: 'Wie heeft er hier ingebroken?'

Ik keek hem afgemeten aan. 'Als ik dat raam niet had ingeschopt, zou ik haar niet hebben gevonden.'

'Dus het was je bedoeling om haar te vinden?' Er lichtte een boosaardige blik in zijn ogen op. 'Het is toch niet een van die heroïnehoertjes van je, hè?' Tegen Isachsen verklaarde hij: 'Veum doet het met minderjarigen. En met lijken. Een man met een ruime belangstelling.'

'Ze heet Olga Sørensen en ze is minstens zestig, en...'

'Je wilt ze met de jaren ouder?'

'Ze was de vriendin van Sjouwer-Johan, die in 1971 is verdwenen. De zaak werd geseponeerd. Ze heeft gisteren bezoek gehad van een man die mank liep. Er werd ook een manke man gesignaleerd bij het huis waar Hjalmar Nymark is vermoord.'

'Is *vermoord*?'

'Ja, maar *die* zaak is ook geseponeerd, is het niet?'

Er zakte een gordijn voor zijn ogen. 'Zullen we naar binnen gaan of blijven we hier onzin staan uitkramen?' Hij trakteerde Isachsen op nog een zijdelingse opmerking: 'Je hoort het, hij heeft het draaiboek al klaar, de hele theatermachinerie staat gereed.'

We gingen naar binnen. De vrouw had zich niet verplaatst. Ik kon haar nu beter bekijken. Ze droeg een wijde, bruine broek en een geelbruine trui waar nog iemand bij in had gepast. Haar gezicht was streperig van de grauwwitte groeven en haar gebit hing los in haar ingevallen mond.

Muus legde een grote, zware hand op mijn borst en stapte de kamer in. 'Jij blijft buiten, Veum.'

Hij bleef net over de drempel staan. Hij liet zijn blik zoekend door de kamer glijden. Toen plukte hij een halfopgerookte sigarettenpeuk uit zijn jaszak, stak hem tussen zijn smalle lippen en hield er een aansteker bij. Muus was het type dat zijn zakken altijd vol met sigarettenpeuken had. Het was ondenkbaar om hem een nieuwe, lange, witte sigaret aan te zien steken. Het zou bij zijn grauwbleke gezicht vloeken.

Van achteren zag het eruit als een sfeerfoto uit een Amerikaanse misdaadfilm uit de jaren veertig. Muus in regenjas en hoed, met een blauwe rookwolk boven zijn hoofd. Verder het armoedige interieur en het vrouwenlichaam op de vloer, dat weliswaar niet tegemoetkwam aan de schoonheidseisen van Hollywood, maar dat na afloop van de opnames hoogst waarschijnlijk een welverdiend figurantenhonorarium in ontvangst kon nemen.

Behalve dat deze scène nooit af zou zijn. Net als bij de film werd hij steeds opnieuw opgenomen, tot niemand meer precies wist hoe het eigenlijk moest zijn. Zeker was alleen dat de dame werkelijk dood was, dat het geen film was en dat Dankert Muus zich nooit met Humphrey Bogart zou kunnen meten, zelfs nauwelijks met Edward G. Robinson.

Muus draaide zich langzaam om. 'Vertel me nu eens, voor eens en voor altijd: wat had je hier te zoeken, Veum?'

'Zoals ik net al zei...'

'En graag meteen de definitieve versie, alsjeblieft. Ik ben niet van plan om meer met je te praten dan absoluut noodzakelijk is. Je kent mijn relatie tot lijken. Die is niet dezelfde als de jouwe.'

'Nee, jij was toch degene die altijd te laat komt, is het niet?' zei ik zacht.

'Nog eentje van dat kaliber en je verdwijnt voor de rest

van de dag achter de tralies', antwoordde hij. 'Dat gebeurt misschien toch wel, maar...'

Ik hief mijn handen afwerend op en hij hield in. 'Zoals ik al zei: de dame was de vriendin van Sjouwer-Johan, die in 1971 is verdwenen, *op hetzelfde moment* dat een man die Harald Wolff heette werd vermoord. Harald Wolff, die waarschijnlijk identiek was aan de massamoordenaar Rattengif in de oorlog, en die bovendien misschien betrokken was bij de tragische brand van de Pauw-fabriek in 1953.'

Muus maakte een kauwbeweging met zijn mond. 'Luister, Veum. Misschien en waarschijnlijk, 1971 en 1953, nou vraag ik je! Ik vraag naar de reden van je aanwezigheid hier, niet om een geschiedenisles.'

'Nou goed. Ik was hier vandaag, omdat ik wat speurwerk verricht naar die twee zaken. Naar de brand in 1953 en, met name, die verdwijning in 1971. *Daar* wilde ik Olga Sørensen tenminste naar vragen.'

'Olga Sørensen? Heet ze zo?'

'Zo heet in elk geval degene die hier woont. Maar dat kun je vragen aan de dame die op de begane grond rechts woont. Zij vertelde me dat mevrouw Sørensen gisteravond bezoek had gehad van een man die mank liep.'

'Sommige mensen houden van lijken, anderen houden van mensen die mank lopen, wat is daar mis mee?'

'Luister, Muus. Harald Wolff liep mank. Sjouwer-Johan liep mank. Gisteravond was hier een man die mank liep. Bij het huis waar Hjalmar Nymark *stierf* werd een man gezien die mank liep. Vind je dat niet merkwaardig?'

'Goed, dan zijn we een natie van manklopers, en wat dan nog? De een loopt mank, de ander wordt privédetective. Geef mij die eersten maar.'

'Maar...'

'Nu we het er toch over hebben, Veum. Is het tegenwoordig komkommertijd in de detectivebranche? Ik bedoel, aangezien je naar 1953 terug moet om iets te vinden om je neus in te steken?' Hij keek even opzij naar Isachsen, om te zien of hij het publiek op zijn hand had. Dat had hij: Isachsen lachte beleefd, maar droog.

'En 1971, Muus. Dat is minder lang geleden.'

'Nee, tien jaar slechts. Maar op jouw kalender is dat waarschijnlijk niet zo lang. Dat zal wel ongeveer de tijd zijn tussen de keren dat jij een honorarium kunt incasseren, hè?'

'Ik vind het in elk geval opvallend. En ik raad je aan het wat grondiger te onderzoeken. Uit te zoeken wie hier gisteren is geweest, bijvoorbeeld.'

Hij zei rustig: 'Dat doen we heus wel, Veum. Je hoeft ons niet te vertellen hoe we ons werk moeten doen. Wij deden dit werk al toen jij nog in de luiers lag, dus daar hoef je niet mee aan te komen.'

Hij draaide zich om en liep een paar passen de kamer in. Met de punt van zijn schoen trapte hij tegen een paar lege flessen. Hij bleef wijdbeens midden in de kamer staan. Nadat hij het tafereel nog eens had gadegeslagen keerde hij zich weer naar me om. 'Zoals ik de situatie inschat, is het waarschijnlijk een ongeluk. De dame heeft een biertje te veel genomen. Ze is dronken omgevallen, met haar hoofd tegen de punt van dat kastje daar.' Hij wees naar de bloederige vlek. 'En dat was fataal.'

'Precies. Een ongeluk. Dat was nu juist het kenmerk van Harald Wolff. Ongelukken.'

'Maar zei je zo juist niet dat Harald Wolff in dat beruchte jaar, 1971, is vermoord?'

'Ogenschijnlijk is hij vermoord.'

'Je hebt een rijke woordenschat, Veum. Misschien en waarschijnlijk en ogenschijnlijk. Maar als puntje bij paaltje komt, dan betekent het allemaal hetzelfde, nietwaar? Ik niet weten, witte man dom in hoofd zijn, ja?'

'Jullie zouden je aan moeten melden voor Latijns-Amerikaans dansen, jullie twee,' zei ik scherp, 'jullie zouden een fraai paar vormen.'

Hij negeerde me en richtte zich tot Isachsen. 'Komen de anderen eraan? De lijkschouwing zal aantonen hoeveel promille ze in haar bloed had en wat de doodsoorzaak is geweest. Als we nog even met de buren praten en de technische bewijzen hier verzamelen, dan hebben we de situatie, denk ik, wel onder controle.'

Isachsen knikte.

Ik zei: 'En vergeet niet dat Olga Sørensen een belangrijke getuige had kunnen zijn, in een zaak die plotseling weer actueel begint te worden.'

'Moet ik nou ook nog raadseltjes oplossen, Veum?' vroeg Muus vermoeid.

'Als zij meer wist van wat er in 1971 is gebeurd dan ze voorheen heeft verteld, zou het van doorslaggevend belang kunnen zijn om haar uit de weg te ruimen, nu er weer iemand in die zaak zit te neuzen.'

'Zelfs als die iemand niemand anders is dan ons aller Veum? Je moet je eigen invloed niet overschatten. En laat de bezorgdheid maar aan ons over. Jij verlaat deze plek, nu.' Hij werd plotseling nog norser. 'Ik wil niet dat je hier nog een seconde langer rondsnuffelt. Als je verder niks te melden hebt, verdwijn dan en laat dit hier over aan degenen die werk te doen hebben!'

'Goed, goed. Denk je me nog nodig te hebben, morgen?'

'Ik heb jou helemaal niet meer nodig, Veum. Waarom vraag je dat? Je was toch niet van plan om morgen naar het buitenland te vertrekken?'

'Nee, maar ik ben morgen de hele dag bezet. In verband met een zaak.' Ik lette erop niet te vertellen dat het in feite, in mijn optiek, nog steeds om dezelfde zaak ging, maar nu met het accent op 1953. De volgende dag was het 1 september: de enige dag in het jaar dat Hagbart Helle in Bergen was. En die gebeurtenis wilde ik niet mislopen.

'In vredesnaam, Veum, zolang je mij niet in de weg loopt, mag je tot Sint Juttemis bezet zijn. Ik weet je heus wel te vinden, als ik je nodig mocht hebben. Aan de juiste kant van de beklaagdenbank, van mij uit gezien. Je kunt zelf wel bedenken aan welke kant dat is. Een prettige dag nog, Veum. Van wanneer dateert die zaak, 1947?' Hij grinnikte zo, dat hij bijna zijn sigarettenpeuk inslikte, en Peder Isachsen viel hem vreugdeloos bij. Het tweestemmige gelach volgde me door de gang, maar bij de buitendeur was het al verdwenen.

Ik was dus weer te laat gekomen. Voor de tweede keer in korte tijd was iemand me voor geweest. Een man die mank liep. Ik nam dat gegeven niet zo licht op als Muus blijkbaar deed. En ik wist zekerder dan ooit tevoren dat er nog meer lijken begraven lagen. Het werd alleen steeds moeilijker uit te vinden waar ik moest graven.

Ik ging naar huis, maakte wat te eten en zat daarna met een glas aquavit in mijn ene hand en een boek in de andere in mijn woonkamer, zonder een woord te lezen. Ik had meer dan genoeg om over na te denken.

De kamer om me heen was stil en doods. Zo stil en doods als een kamer alleen kan zijn wanneer je er ooit de liefde in hebt bedreven met de vrouw die echt iets voor je betekende.

32

Toen de eerste ochtendvlucht uit Kopenhagen op Flesland was geland en de passagiers op weg waren naar de aankomsthal, liep ik naar de informatiebalie en zei: 'Pardon, maar zou u Hagbart Helle kunnen vragen om zich bij de balie te melden?'

Er zijn van die jonge mannen die nog niet genoeg baardgroei hebben voor hangende tuinen, maar die in plaats daarvan een onaanzienlijk, donzig snorretje op hun bovenlip aanleggen, als twijfelachtige bevestiging van het feit dat ze de geslachtsrijpe leeftijd hebben bereikt. De jongen achter de informatiebalie behoorde tot die categorie, maar was schijnbaar toch oud genoeg om deze vraag al eens eerder gehoord te hebben. Hij observeerde me van mijn warrige ochtendhaar tot aan mijn ongepoetste schoenen en zei: 'Je bent zeker van de pers?'

Ik zei niets, liet alleen doorschemeren dat ik op een antwoord wachtte, niet op vragen.

'Hoe het ook zij,' ging hij verder, met een spottende blik in zijn ogen, 'dat maakt ook eigenlijk niets uit. Hagbart Helle is ruim een uur geleden op Flesland aangekomen, met zijn privéjet. Hij is allang verder gereisd.' Zijn glimlach was nu helemaal boven water verschenen, als een haaienvin bij een openbaar badstrand.

'Veel geblaat voor weinig wol', mompelde ik en draaide

me om, opdat hij mijn beteuterde gezicht niet zou zien. Als puntje bij paaltje kwam, zou ik misschien zelf ook zo'n snorretje moeten cultiveren.

Ik dronk een kop koffie in het restaurant, terwijl ik wachtte tot de klok het tijdstip naderde waarop andere mensen achter hun bureau plaatsnamen en de ochtendkrant openvouwden. Haastige mannen met zwarte stresskoffertjes liepen in optocht naar het eerste vliegtuig met bestemming Oslo. De lucht was al warm, dus ze droegen hun lichte jassen nonchalant over hun arm. Er was geen enkele vrouw bij. Ze zouden 's avonds weer terugkeren, dus er was geen enkele reden om hun secretaresse mee te nemen.

Om een uur of negen belde ik de textielfabriek van de broer van Hagbart Helle en vroeg naar bedrijfsleider Hellebust. Een ochtendfrisse vrouwenstem antwoordde dat de bedrijfsleider vandaag helaas niet aanwezig was, maar dat ik de administrateur kon spreken. Ik vroeg of ze wist waar de bedrijfsleider was, maar als de perfecte telefoniste die ze was, antwoordde ze alleen dat hij 'elders' was. Ik bedankte, hing op en verliet de telefooncel.

Toen ik weer naar de stad reed, was de hemel hoog en open. Het uitgestrekte landschap van Fana lag er als een groene lappendeken bij en aan de horizon, die bij elke kilometer die ik aflegde dichterbij kwam, verrezen de bergen rond de stad. Tussen de bergen, boven donkergroene, welige boomtoppen, hing een lage nevel. Daar lag ongeveer de piek waar ik naartoe ging.

Paradis, zo is in alle bescheidenheid de stadswijk genoemd die je passeert voordat je het centrum van Bergen echt nadert. Niet helemaal zonder reden, ook al zou je het gebied kunnen uitbreiden tot Kloppedal en Hop in het zuiden en tot Fjøsanger in het noorden. Deze wijk, gelegen op de helling die afloopt naar het Nordåsvann, is een van de mooiste van heel Bergen, met deftige villa's van diverse jaargangen, ingepakt in een groene, wollige deken. Sommige straten dragen de namen van scheepsreders.

Aan een stil straatje, ongeveer in het midden van de wijk, lag de villa van de broer van Hagbart Helle. Toen ik mijn oude, grijze Morris aan de overkant van de straat parkeerde, viel hij vrijwel weg in de schaduw van de bomen. In teruggetrokken tuinen sproeide het rood van de eerste berberissen van dat najaar en boven de donkergroene hagen tekende het silhouet van een bloedbeuk zich dreigend af tegen de heldere, blauwe septemberhemel, als een boom in een Griekse tragedie.

Ik stapte uit mijn auto en slenterde de straat een stukje af.

Een groot, zwart smeedijzeren hek sloot de ingang naar Hellebusts villa af. Door het hek zag ik een grindpad dat zich in tweeën splitste. Rechts lag een witgeschilderde garage met twee zwarte deuren en aan de linkerkant, teruggetrokken achter kromme appelbomen en lijvige rododendronstruiken lag het huis zelf: breed, wit en met glimmende, zwarte dakpannen. Voor het huis was een breed terras, verlaten. De terrasdeuren stonden halfopen en ik hoorde verre stemmen en het gerinkel van bestek tegen borden. De bewoners van dit huis behoorden waarschijnlijk tot het soort mensen dat met mes en vork ontbeet.

Op het hek hing een bordje, waarop stond: *De hond bijt.* Ik zag noch hoorde een hond, maar liep toch door. Voorlopig verkende ik slechts. Al snel bereikte ik het einde van het doodlopende straatje. Ik draaide me om en liep terug naar de auto.

Er stonden niet veel huizen aan de straat en de tuinen waren groot. Hier woonden mensen die ondanks grote vermogens weinig belasting betaalden, die een plezierjacht hadden liggen in een botenhuis aan het Nordåsvann en van wie de echtgenotes 's morgens naar een discussieclubje gingen en 's middags liefdadigheidsbazaars organiseerden. Onwillekeurig trok ik mijn stropdas recht. Ik was bang dat ik hier meer opviel dan tussen bingospelers, middelbare rokkenjagers en clochards. Hier zou waarschijnlijk naar mijn legitimatie worden gevraagd.

Ik keek op mijn horloge. Het was nog vroeg, maar ik zag geen reden om uit te stellen waar ik voor gekomen was. Het was om het even of ik Hagbart Helle tijdens zijn ontbijt of tijdens het diner stoorde.

Het zware hek knarste zachtjes toen ik het openduwde en het witte marmergruis knerpte onder mijn voeten toen ik het lange tuinpad opliep, langs sierlijk aangelegde bloemperken met vroege herfstbloemen, maar er kwam nog steeds geen hond aangerend om te bewijzen dat hij beet.

Het tuinpad leidde niet naar het terras en ik was niet van plan om iemand onnodig te irriteren door over het gazon te lopen, dus ik volgde het pad naar de zwarte, gewelfde voordeur en drukte de bel in.

Het meisje dat opendeed was ergens in de twintig, had lang, blond haar en droeg een zwarte jurk en een wit schortje. Haar ogen waren blauw als bevroren viooltjes en haar stem klonk nogal koel toen ze zei: 'Wat wenst u?'

Ik zei stoer: 'Ik zou Hagbart Helle graag spreken.'

'Heeft u een afspraak?'

'Nee, helaas. Ik heb hem niet eerder te pakken kunnen krijgen, maar...'

Ze begon de deur dicht te doen. Ik zette mijn voet in de deuropening en ging verder: '...ik weet zeker dat hij met me wil praten.'

'Dat zeggen ze allemaal', zei ze. 'Wilt u alstublieft uw voet weghalen?' Ze keek omlaag naar mijn schoen, met een blik alsof ze een dode kat zag.

'Wat is er?' klonk een donkere, volle stem achter haar.

Ik keek achter haar de grijswitte hal in, met wanden van natuursteen en witte kalk in de voegen. Er dook een man achter haar op.

Het was een jonge man, jonger dan ik. Hij was lang en goedgebouwd, had kortgeknipt, blond haar en een gezichtsteint die op veel buitenleven duidde. Zijn huid was bruinverbrand en hij had sterke, witte tanden. Zijn ogen waren zo blauw en doorschijnend als buitengewoon delicaat porselein, maar waren meteen ook het enige wat breekbaar aan hem leek. Hij leek uit goedgetrainde spieren en een sterke wil te bestaan en ik trok voorzichtig mijn voet terug, voor het geval hij hem van me af zou pakken.

'Wie bent u?' vroeg hij. 'Kan ik u ergens mee helpen?' Hij had een Oost-Noors accent en de typische vlakke manier van praten die kenmerkend is voor het nageslacht van de gegoede burgerij uit westelijk Oslo.

Ik ging over op de Bergense variant van dezelfde taal, ontwikkeld, duidelijk gearticuleerd en brouwend, met een fikse vleug aristocratie erin. 'Goeiendag. Mijn naam is Veum en ik zou heel graag enkele woorden wisselen met de heer Hagbart Helle.'

'En waar zou dat over moeten gaan?'

'Pardon, ik verstond uw naam niet?'

Hij keek me afgemeten aan. 'Mijn naam is Carsten Wiig en ik ben Helles persoonlijke secretaris. U kunt vrijuit tegen mij spreken. Maar ik kan me zo indenken dat u van de pers bent.'

'In het geheel niet', zei ik, op een toon alsof ik mijn vingers nooit met drukinkt bevuilde. 'Ik ben zelfstandig ondernemer.' Wat op zich een correcte benaming was, al zou ik op grond van mijn aanslagbiljet nauwelijks enig krediet krijgen, noch bij Wiig, noch bij andere belangstellenden.

'Zo', zei hij en keek me vanonder vermoeide oogleden afwachtend aan. Hij was goed gekleed, in een spierwit overhemd dat zijn koperbruine gezichtskleur accentueerde, een licht, grijsgeruit, zijden chokertje sierlijk in de halsopening, een blauwe blazer en een grijze, keurig geperste broek, en zijn zwarte schoenen waren zo goed gepoetst dat daarin de weerspiegeling van zijn overhemd was te zien.

'Het gaat om een fabriek die Hagbart Helle ooit heeft geleid, hier in de stad. De Pauw-fabriek. Verf.'

Zijn gezicht bleef onbewogen. 'Ja?'

'Daar moet ik wat inlichtingen over hebben.'

'Ik ben bang dat Hagbart Helle zich niet langer bezighoudt met zaken die zo ver terug in de tijd liggen.'

Ik ging onverdroten verder: 'Maar ik weet zeker dat het hem zal interesseren te horen... dat het hem persoonlijk zal interesseren te...'

Hij onderbrak me, op een iets hogere toon en met een fractie meer stemgeluid: 'Ik ben bang dat ik Hagbart Helle niet lastig kan vallen met zaken die zo ver terug in het verleden liggen. Ik kan u verzekeren: Hagbart Helle is vandaag uitsluitend vanwege een privéaangelegenheid in de stad. Vandaag is een van de uiterst zeldzame vakantiedagen die hij zichzelf gunt en ik kan uw bezoek onmogelijk tegen hem noemen, met geen woord. Begrijpt u dat?'

'Nee.'

'Nee? Wat bedoelt u met... nee?!' Zijn gezicht kreeg een nog frissere kleur. Hij verscheen nu helemaal in de deuropening, alsof hij me wilde verhinderen naar binnen te glippen. Het meisje was verdwenen.

Ik zei voorkomend: 'Nee is feitelijk een van de woorden waarvan de meeste mensen al op zeer jonge leeftijd de betekenis leren begrijpen. Het is mogelijk dat jullie, die op Holmenkollen opgroeien, er niet aan gewend zijn dat woord in het wild tegen te komen, maar aan deze kant van het land verbinden we het in feite met een vorm van ontkenning. Nee, dat betekent... Begrijpt u dat? Nee, dat begrijp ik niet. Ik wil nog steeds heel graag met Hagbart Helle spreken.'

Hij boog zich naar voren en torende zeker vijf centimeter boven me uit. 'Hoort u eens, Veum, of hoe u ook heet. Wij komen uit het internationale zakenleven en dat wordt niet bevolkt door zondagsschoolfrikken. *Don't play Bogart with me*, daar heb je de ruggengraat niet voor. Als ik zou willen, dan vouwde ik je op, stopte je in een envelop en stuurde je zonder afzender naar Zuid-Patagonië. Dus daag me niet uit, hè, Veum?'

Ik keek hem strak aan. 'Ik heb genoeg over Helle om hem bij de politie aan te geven.'

'O ja? Waar wij vandaan komen, kopen we politiemensen in de supermarkt.'

'In Bergen niet.'

'O nee? Ik heb andere berichten gehoord. Bovendien ken ik Helles verleden goed genoeg om te weten dat daar geen vuiltje in te vinden is. Denk je dat hij anders ieder jaar hierheen zou komen? En nu hebben we genoeg beleefdheidsfrasen gehad, Veum. Leuk je gesproken te hebben. Adieu.'

Hij legde een brede hand op mijn borst en duwde me hard naar achteren.

Ik tuimelde van de trap af en kon nog net op de been blijven. Toen ik mijn evenwicht weer had hervonden, had hij de deur achter zich dichtgedaan en stond hij wijdbeens op het bordes voor de deur, met zijn armen losjes langs zijn lichaam en zijn vuisten licht gebald.

Ik had vanzelfsprekend kunnen proberen hem te passeren. Ik had ook kunnen pogen een cementmixer te verleiden. Het resultaat zou hetzelfde zijn geweest.

'Ik kom terug', beloofde ik hem, draaide me om en liep zonder om te kijken het grindpad af. *'Tell them, Valdez is coming!'*

'Vergeet dan je tweelingbroer niet, en je oom uit Amerika', riep hij me na. 'En neem Bromsnor ook mee.'

Ooit stond ik bekend als de bonte hond. Nu voelde ik me keer op keer een geslagen hond. *De hond bijt*, stond er op het hek. Nu begreep ik wie ze bedoelden.

33

Ik stapte in de auto. Ik bleef naar het zwarte smeedijzeren hek zitten staren. Na een tijdje stapte ik uit en bleef ik tegen de carrosserie geleund staan. Ik was onrustig maar er gebeurde niets.

Zulke afgelegen villawijken hebben hun eigen sfeer.

Aan de ene kant hebben ze iets aantrekkelijks: grote, groene tuinen die stilletjes voor zich uit liggen te ademen, huizen met veel kamers en zachte tapijten, terrasdeuren half opengeslagen naar een geur van appels en herfstrozen, naar de klanken van alle vogels van de wereld. Je bevindt je in een oase, oneindig ver verwijderd van de drukte en het gejakker van alledag.

Aan de andere kant is dat het juist: ergens lijkt het of de hele wijk in stilstaand water is gedompeld. Verkeer hoor je alleen in de verte, geen stoomhamers die tegen weerspannige scheepsrompen slaan, geen giftige verfdampen die je neusgaten prikkelen. Misschien wandelt er in de loop van de dag eens een in het groen geklede postbode langs je hek. Twee keer per week komt een grote, grijze vuilniswagen je vuilnisbakken legen, maar die komt gewoonlijk zo vroeg dat je nog niet eens bent opgestaan. Andere beroepsbeoefenaars zie je zelden. Het enige lawaai is afkomstig van je poedel, als die een rondzwervende kat ontdekt, maar dat is snel over.

Het was dus niet zo gek dat ze niet van privédetectives in de straat hielden. Iets verderop in de straat kwam een vrouw uit een poort. Ik zag dat ze me in de gaten kreeg, op het moment dat ze, gekleed in een kort, grijs bontjasje in dezelfde kleur als haar langharige hondje dat ze aan de lijn had, het tuinhek uitkwam. Ze begon te wandelen, maar zette haar voeten behoedzaam neer, alsof ze op onveilig ijs liep. Haar benen waren mooi, haar rok zwart. Toen ze naderbij kwam, schatte ik haar ergens in de veertig, blond en knap en zonder zichtbare gebreken. Ze paste bij de keurig gekapte gazons en de regelmatige hagen. Maar ze zag me al niet meer. Ik was in lucht opgegaan, met de Mini en alles erbij. Als een geest uit *Duizend-en-een-nacht* was ik vlak voor haar ogen verdampt. Haar blik was star en zo helder als water toen ze me passeerde. Ik kuchte zacht en aan de zijkant van haar hals spande een spiertje zich, maar ze liep gewoon door.

Misschien had ik haar na moeten fluiten. Maar dat deed ik niet. Ik was bang dat ze flauw zou vallen.

Ik liep weer een stukje de straat in, passeerde het hek en keek naar het huis. Het lag er nog net zo stil en teruggetrokken bij, en niets duidde erop dat iemand van plan was naar buiten te komen.

Ik liep terug naar de auto, ging achter het stuur zitten en draaide het raampje open. In september is het licht hetzelfde als in april, maar toch is er iets anders. In april stroomt het helder en wit tussen de kale boomkruinen omlaag en de mensen heffen hun gezicht en snuiven naar de zomer, met vrolijke, optimistische ogen. In september bevat het licht een droevige, gouden nuance en sijpelt het moeizaam door de boomkruinen, waar de bladeren de eerste herfsttinten al dragen. September is net een rijke man, met zijn zakken vol geld, maar slechts ouderdom en dood in het vooruitzicht. Op het visitekaartje van september heeft iemand met doorzichtige inkt *weemoed* geschreven.

September, dat is de geur van bleekrode rozen. Op een nazomeravond, oneindig veel jaren geleden, had ik met een meisje dat even oud was als ik naast me op een tuintrap gezeten, en in de vervoering van het ogenblik had ik de bijna witte rozenblaadjes over haar donkere haar gestrooid. Ik herinnerde me de geur van de rozen nog steeds – bijna beter dan ik me haar kon herinneren.

De liefde verwart en verwondert. Met regelmatige tussenpozen stuit je erop, draai je eromheen, laat je je erdoor vangen, tot je er weer door wordt verjaagd. En de liefde dirigeert het spel: je volgt zonder na te denken en gehoorzaamt zelfs het geringste teken. Een vrouw komt je leven binnen, begeeft zich door een aantal jaren ervan, als een lichtgeklede verschijning in een donkere kamer, en dan ineens heeft ze de kamer verlaten en de deur achter zich dichtgedaan, terwijl jij achterblijft, in het donker.

Als je 's morgens vroeg, in september, in een klein uitgevallen auto zit, kun je de meest wonderlijke associaties krijgen. Er was geen reden om juist nu dergelijke gedachten te hebben. Eigenlijk had ik iets belangrijkers te doen.

In het huis waar ik voor geparkeerd stond, bevond Hagbart Helle zich. Op de een of andere manier moest ik zien binnen te komen om een paar woorden met hem te wisselen. Ik had geen idee wat ik moest zeggen, maar ik wist wel waar ik wilde beginnen.

De vraag was alleen of ik überhaupt de gelegenheid zou krijgen. Er gebeurde iets. Achter het hek was de jonge Carsten Wiig tevoorschijn gekomen. Hij stond met zijn handen op het hek in mijn richting te turen, alsof hij het niet helemaal goed kon zien. De zon schitterde in zijn blonde haar, weerkaatste op zijn witte overhemd. Toen hij het hek uit kwam, gebeurde dat met lange, doelbewuste passen. Ik draaide mijn raampje een beetje dicht.

Het kan verstandig zijn om binnen te blijven, als je in een Morris Mini zit en iemand je eens even ernstig wil toespreken. De auto reikt bij degene die buiten staat niet verder dan heuphoogte, de betreffende persoon moet zich bukken om contact te krijgen met degene die erin zit en er is niet veel voor nodig voor hij zich in die houding nogal zot voelt. Carsten Wiig ging zich er in ieder geval niet vriendelijker door gedragen. 'Waarom zit u hier verdomme?' snauwde hij me over het half opengedraaide raampje toe.

Ik nam de tijd, trok demonstratief mijn schouders op en keek lui om me heen. 'Het uitzicht is niet bepaald slecht, voor wie van langzame Italiaanse films houdt. Dit zou er een van Antonioni kunnen zijn, uit het begin van de jaren zestig.'

'Van wie?' Hij had waarschijnlijk alleen van John Wayne gehoord.

'Een man die films maakt die hoofdzakelijk uit pauzes bestaan. Maar fraaie pauzes, wel te verstaan. Zoals deze straat.'

'Hoort u eens, hoe u ook maar heet...'

'Veum, is de naam.'

'U, Veum... of u verdwijnt onmiddellijk, of ik bel de politie.'

'Onmiddellijk? U belt de politie?'

'Ja.'

'Dat kan interessant worden. Dan kunnen we net zo goed met zijn allen met Hagbart Helle gaan praten.'

Zijn gezicht werd harder. 'Als u niet... dan hebben we daar andere methodes voor.'

Ik schonk hem een van mijn vage glimlachjes, vluchtig als vrolijke belastingambtenaren. 'O ja? Kun je er een paar voor me tekenen?'

Hij boog zich voorover en probeerde het portier open te maken. Ik duwde het met geweld open, tegen zijn knieën.

Hij verloor zijn evenwicht. Ik sprong uit de auto, sloot het portier achter me en stond meteen voor hem.

We staarden elkaar aan. Zijn gezicht was rood, zijn vuisten waren gebald.

'Wat sta je te dralen?' vroeg ik. 'Kun je niet tekenen?'

Hij ontblootte zijn tanden, maar zonder te glimlachen. 'Het is dat ik Helle geen last wil bezorgen, anders zou ik je eens een paar buitenlandse trucjes laten zien. Ik ben nog niet klaar met je, dus ik zou maar oppassen als ik jou was. Eén ding kan ik je wel vertellen: Hagbart Helle blijft tot zijn terugreis in dit huis. Hij komt niet buiten het hek en je hebt geen enkele mogelijkheid om hem te spreken. Dus als je niet de hele dag wilt verspillen, raad ik je aan je tijd beter te besteden. Ik kan je verzekeren... er is hier niemand die vindt dat je de straat mooier maakt.'

Ik keek verwonderd om me heen. 'O nee? Zeker omdat ik geen blazer heb... of omdat ik geen lid ben van de Koninklijke Noorse Automobielclub? We leven in een vrij land, Wiig, daar moet het althans op lijken, en ik ga en sta precies waar ik wil en zo lang ik dat wil.'

'Goed.' Zijn handen ontspanden, maar zijn blik bleef even hard. 'Maar kom straks niet vertellen dat ik je niet gewaarschuwd heb.' Toen draaide hij zich om en liep net zo doelbewust terug als hij was gekomen.

Ik ging weer in de auto zitten en bleef de boel in de gaten houden. Er verstreek een halfuur, en nog een.

In een poging wat schot in de zaak te brengen, startte ik de auto, reed demonstratief langs het hek om te keren, draaide de auto en gaf extra gas toen ik de straat uitreed. Maar ik parkeerde direct om de hoek en hield in de achteruitkijkspiegel de uitrit in de gaten. Ze zouden me niet ongezien passeren.

De vrouw die hier passeerde, was ongeveer tien jaar jonger dan de vorige, ze had donker haar en ze zat in een lage, zilverkleurige sportwagen, die zonder veel geluid te maken voorbijstreek. Ik zag haar in een flits: ze deed me aan een gezicht denken. Het was in diezelfde zomer, lang geleden, maar de rozen waren nog niet verbleekt en de seringen bloeiden nog. Dit meisje was blond en haar naam had een Bijbelse klank: Rebecca. Met lange nek en ernstig gezicht had ze op de stoel naast me gezeten, plotseling waren we alleen in de kamer en we waren net achttien. Zonder iets te zeggen, maar met het duidelijke gevoel voor elkaar bestemd te zijn, hadden we ons langzaam naar elkaar toe gebogen en elkaar gekust, lang. Buiten had het vlak tevoren geonweerd, de straten waren nat en de tuinen net zo kopergroen en weelderig als waar ik nu door werd omgeven. Ik sloeg met mijn hand tegen het stuur. Het kwam door de tuinen. Want zo is de liefde ook: de herinneringen verbleken met de jaren, de wonden sluiten zich en je vindt een soort vrede met jezelf; maar plotseling worden ze weer opengereten, plotseling beleef je hetzelfde weer, sterker en duidelijker dan ooit. Kleine stukjes van het verleden dat je altijd met je meedraagt.

Maar ik had herinneringen die verser en pijnlijker waren dan Rebecca en ik was niet in de stemming om die nu op te frissen. De groene tuinen begonnen zich op te dringen, de zon was witter geworden. Het dreunde blauw van de ongenaakbare hemel en ik voelde me ineens vermoeid, terneergeslagen. Het had geen nut om hier te zitten wachten, op iemand die nooit zou komen. Ik besloot er de brui aan te geven. In eerste instantie. Maar we zouden nog een partijtje spelen, voor de avond om was, dat bezwoer ik mezelf.

Ik startte de motor en liet de auto de weg terugvinden naar de belangrijkste verkeersader naar Bergen. We dreven met de stroom mee stadinwaarts, terwijl rondom ons het lawaai toenam. Op Nygårdstangen lag een soort klein Manhattan op ons te wachten, een misplaatst wijkje in een bouwstijl die de Amerikanen allang achter zich hadden gelaten. Ik vond een parkeerplaatsje op de Festplass en legde het laatste stukje naar het politiebureau te voet af. Daar vroeg ik naar Hamre.

34

Hamre leek geïrriteerd en gestrest en hij maakte me erop attent dat hij het bijzonder druk had. Er liepen smalle groeven van zijn neusvleugels omlaag en zijn lippen spanden zich over de opeengebeten tanden. Op zijn bureau lagen stapels documenten en uit de papierwinkel stak hier en daar een foto.

'Weet je wel wat voor dag het vandaag is?' vroeg ik.

'...en ik heb al helemáál geen tijd om raadseltjes op te lossen!' beëindigde hij een zin die hij nooit was begonnen.

'Het is geen raadsel. Het staat op de kalender', antwoordde ik.

Hij liet zich in zijn stoel vallen, haalde een haastige hand door zijn haar en staarde me aan. Ik zei: 'Oké. Het is 1 september. Hagbart Helle is vandaag in de stad. *Die dag* is het.'

Hij zag er meteen nog vermoeider uit. 'Ach, *dat* verhaal weer. Het spijt me, Veum. We hebben geen nieuwe aanwijzingen gevonden... en niets in het dossier geeft ons maar de allerminste aanleiding om een man als Hagbart Helle lastig te vallen. Denk niet dat ons dat niet dwarszit. Ik zou niets liever willen dan die zaak opgehelderd zien.' Zacht voegde hij eraan toe: 'Al was het maar om van verdere bezoekjes van jou verschoond te blijven.' Luider zei hij: 'Maar je ziet hoe het er hier voor staat. De zaken stapelen zich op en we hebben eenvoudigweg niet de capaciteit om ze allemaal even grondig te onderzoeken als we zouden willen. En nu moeten we ook nog op komen draven om vragen over politiegeweld te beantwoorden. Alsof er überhaupt ook maar iemand aan twijfelt dat dat bestaat.' Hij keek me beschuldigend aan. 'Maar niet de hele dag, 365 dagen per jaar. Niet *iedere* dag. Wij hebben meer te doen dan met de lift op en neer te gaan en beschonken herrieschoppers bont en blauw te slaan. Of je het gelooft of niet.'

'Ik beschuldig jullie nergens van.'

'Nee. Als jij hier had gewerkt, zou je ook in de annalen voorkomen. Dat weten we allemaal. Maar juist daardoor ken je ook de keerzijde van de medaille. Wij komen zelf ook geweld tegen, en niet zo'n beetje ook, en wij hebben ervoor gekozen om met dit ongezellige beroep ons brood te verdienen.'

'Goed, goed. Ander onderwerp, aangezien je het zo druk hebt. Hoe staat het met Hjalmar Nymark?'

'Ik heb het je al eerder gezegd. Die aanrijding was een vervelend geval, maar dat was niet de oorzaak van zijn overlijden. In ieder geval niet direct en het zou in de rechtszaal nooit standhouden. Jij bent de enige die beweert dat er iets crimineels aan zijn dood kleeft, maar we hebben helemaal niets gevonden dat erop duidt dat je gelijk hebt.'

'En hoe zit het met die dode van gisteravond?'

'Wat? Wie?' Hij zag er oprecht verbaasd uit.

'Die vrouw, Olga Sørensen, die ik dood heb aangetroffen in haar woning in Sandviken.'

'O ja. Het ziet ernaar uit dat ze in dronken toestand is gevallen. Dat soort ongelukken komt voor.'

'Inderdaad, ja', zei ik stuurs. 'Er gebeuren steeds meer ongelukken rond deze zaak. Doet het je ergens aan denken? Olga Sørensen was de vriendin van Sjouwer-Johan, de man die in 1971 is verdwenen, het jaar waarin Harald Wolff naar men aanneemt werd vermoord. En Harald Wolff is ook de schakel tussen al deze misdaden... tijdens de oorlog, via de brand aan de Fjøsangervei, tot wat Hjalmar Nymark dit jaar is overkomen.'

'Maar Harald Wolff is dood! Hou toch op, man!'

'Dat vraag ik me af. Voor mij ziet het eruit alsof hij nog rondwaart. Stel je voor dat... stel je voor dat hij in 1971 niet werd vermoord, maar dat Sjouwer-Johan in zijn plaats werd weggewerkt?'

'Tja, daar heb ik ook aan gedacht. Maar waar is hij dan gebleven? Er is sinds die tijd niets meer van Sjouwer-Johan vernomen, en ook niet van Harald Wolff. Er was maar één lijk, maar er zijn twee personen verdwenen. Kun jij dat verklaren, Veum?'

'Nee.' Na een korte pauze voegde ik eraan toe: 'Nog niet. Maar luister. Ik heb met Brandmerk gesproken, Olai Osvold, de enige overlevende van Pauw. Jij had toch een schets van de fabriek, of niet?'

Hij keek vertwijfeld om zich heen. 'Ergens onderin deze stapel.' Hij aarzelde een ogenblik. Toen stond hij op. Ik wist het en ik had het altijd geweten: Jakob E. Hamre was een bekwaam politieman en hij liet geen enkele vraag onbeantwoord.

Hij doorzocht een stapel, en nog een, en nog een. Uiteindelijk stuitte hij op de juiste map. Hij trok hem ertussenuit, een paar andere mappen vielen op de grond. Ik bukte me en pakte ze voor hem op, terwijl hij degene die hij in zijn hand had opensloeg. Even later trok hij er een blauwdruk uit: de bouwtekening van de Pauw-fabriek. Hij gaf hem aan me en ik boog me geestdriftig over het grote, uitgevouwen vel papier. Ik vond de productiehal al snel. De uitgang ging via een trappenhuis en het trappenhuis had maar één uitgang. Met andere woorden: als Brandmerk gezien had dat

Holger Karlsen de productiehal had verlaten en dat direct daarna Harald Wolff was binnengekomen, dan moesten die twee elkaar in het trappenhuis zijn tegengekomen. Met als enig onderscheid dat Holger Karlsen nooit verder was gekomen, terwijl Harald Wolff tijd had gehad om de productiehal in te gaan, Brandmerk op te halen en hem mee naar buiten te trekken – en bovendien moest hij daarbij Holger Karlsen in het trappenhuis zijn gepasseerd.

Met de bouwtekening in mijn hand vertelde ik Hamre wat Brandmerk me had verteld.

Hij knikte. 'Dat is niets nieuws, Veum. Het staat hier allemaal. En het klopt helemaal. Dat is precies zoals hij *vertelde* dat het was gebeurd, toen ook. Alleen... de verklaring van Harald Wolff is anders. Die zit er ook bij. Twee beweringen tegenover elkaar, maar aangezien Osvold ernstig gewond was en minder toerekeningsvatbaar was dan Wolff, die geen enkele verwonding had, was er geen aanleiding de zaak verder te onderzoeken. Toen niet en nu niet.'

Ik voelde een steek in mijn maag. 'Heb je die verklaring daar... die van Harald Wolff?'

Hij knikte en bladerde tot hij ze vond. Met een zekere plechtigheid nam ik het oude referaat in ontvangst, vouwde het open en las Harald Wolffs gestenografeerde verklaring, over wat er was gebeurd toen hij de brandende fabriek in rende:

In de deuropening van de productiehal kwam ik Holger Karlsen, de voorman, tegen. Hij was slechts licht gewond. Hij riep tegen me: Neem Osvold mee, hij ligt verderop. Ik ga naar Martinsen. Ik knikte slechts en haastte me naar binnen. Osvold was bewusteloos en het was moeilijk om hem naar buiten te krijgen. Toen ik de deur opende en hem naar buiten trok, zag ik dat Holger Karlsen op weg was naar binnen. Het was zwart van de rook en ik zag hem alleen als een donkere schaduw in de rook. Dat was het laatste wat ik van hem zag. Later hoorde ik dat ze hem hadden gevonden, dat hij Martinsen niet had kunnen redden en dat het hem ook niet was gelukt zelf naar buiten te komen. Dat heb ik mezelf vaak verweten, maar ik had niets kunnen doen, ik was immers met Osvold bezig...

Ik sloot mijn ogen. Het was alsof ik zijn stem hoorde. Die moet donker zijn geweest, een beetje hees misschien als gevolg van de rook die hij had binnengekregen, en met die karakteristieke tongval uit Midthordaland: *Dat heb ik mezelf vaak verweten...*

Het was duidelijk dat ze voor deze getuigenverklaring hadden moeten buigen, ook al kwam hij van een voormalig landverrader. En Fanebust had verteld dat ze hem flink onder druk hadden gezet, maar dat hij geen komma aan zijn verklaring had veranderd. Harald Wolffs versie van wat er in de brandende productiehal was gebeurd, zou naar alle waarschijnlijkheid blijven bestaan als de officiële versie. Tot de een of ander, op het allerlaatste moment, in een paar vergane protocollen ging zitten bladeren en hier en daar met een rechtvaardige vinger zou wijzen, streng zou kuchen en Harald Wolff strak zou aanstaren, voor hij begon te spreken.

Ik legde de papieren op Hamres bureau. 'Luister nog eens, dat sterfgeval van gisteren. Dat is te opvallend. Waarom zou Olga Sørensen uitgerekend nú vallen en aan haar verwondingen overlijden... uitgerekend nu er weer iemand in die oude zaken snuffelt? Het is niet... het kan niet alleen maar toeval zijn. Wordt die zaak ook niet onderzocht?'

'Jawel, natuurlijk, maar ik heb hem niet, Veum.'

'Muus?'

Hij glimlachte stijfjes. 'Precies. Je kunt proberen bij hem iets te weten te komen.'

'Dat heeft geen zin.'

Dezelfde gespannen glimlach. 'Ik weet het.'

'Dus... je weet dat een onderbuurvrouw heeft gezien dat Olga Sørensen de avond tevoren bezoek had, eergisteren dus... dat ze een man het huis heeft zien verlaten... een man die mank liep?'

'Nee... of ja. Het is vanochtend tijdens de werkbespreking genoemd. Maar zoals gezegd, Muus is de eindverantwoordelijke voor...'

'Maar verdomme, Hamre. Die manke vent is toch de schakel tussen dit geval en de dood van Hjalmar Nymark... en wat dat betreft ook de schakel tussen Harald Wolff en Sjouwer-Johan!'

'Maar...'

'Als je het zo bekijkt, is dit in feite een direct vervolg op de zaak Hjalmar Nymark. En die is nog steeds van jou, toch?'

'Die is van de *afdeling*, Veum. We hebben hier geen eigendomsrechten op de zaken waaraan we werken.'

'Neem het dan... met de *afdeling* op. Laat anderen oordelen. Vadheim bijvoorbeeld. Jullie zijn tenminste goede rechercheurs, verdomme, maar Muus...'

'We weten dat je niet met Muus kunt opschieten, Veum.'

'Nou... zou je het een kans willen geven, als ik het vraag?'

Hij zat achter zijn bureau en keek me aan. Een goedgeklede jongeman, een overwerkte afdelingschef van een bank misschien, of een gestreste consulent bij een reclamebureau. Maar uiteindelijk niets van dit alles. Inspecteur bij de recherche, met een bureau vol onopgeloste zaken. Rustig zei hij: 'Laten we het zo afspreken: ik bespreek het met Vadheim en misschien nemen we het op met de hoofdinspecteur. Ik zeg misschien, Veum. Oké?'

'Mooi.' Ik stond op. Hij liep om zijn bureau heen en vergezelde me naar de deur. Ik zei: 'Het spijt me dat ik zoveel van je tijd in beslag heb genomen.'

Hij glimlachte bleekjes. 'Dat is in orde.'

Ik deed de deur open en stond ongeveer oog in oog met Dankert Muus. Hij zag eruit alsof hij uit de onderwereld omhoog was komen stampen en alsof alle duiveltjes van het inferno hem op de hielen zaten. Toen hij mij in de gaten kreeg, werd zijn blik zo koud als vrieslucht boven een verlaten vlakte. En toen hij hem naar Hamre verplaatste, werd hij niet bepaald warmer. Zijn stem was fel en gesmoord toen hij zei: 'Heb je met Veum over het onderzoek gesproken?'

Ik draaide me om, om te zien hoe Hamre reageerde. Hij staarde Muus afgemeten aan. 'Ik heb met Veum gesproken over iets wat achtentwintig jaar geleden is gebeurd. Heb je daar iets op tegen?'

Muus keek hem woedend aan. 'Ik dacht dat jij wel wat beters te doen had.' Toen draaide hij zich om en stampte verder de gang door. 'Zacht ei!' blies hij, zodat zowel Hamre als ik het hoorden.

Hamre werd nog bleker en zijn mond veranderde in een smalle potloodstreep in zijn gezicht. Toen knikte hij gespannen en sloot de deur.

Verderop in de gang sloeg een andere deur hard dicht. Een ogenblik was ik helemaal alleen. In een kamer ergens in de buurt werd zoekend op een schrijfmachine geschreven, een aarzelende liefdesbrief van een aspirant in het vak. Ik zocht mijn weg naar beneden en naar buiten.

35

In de deur ontmoette ik de namiddagzon, mild en warm. Ik bleef op het bordes voor het politiebureau staan. Voor me lagen het oude en het nieuwe raadhuis. Het oude met zijn spitse gevel was net een lilliputhuis tussen het postkantoor en alle bankgebouwen. Het nieuwe vormde met zijn lelijke, betonnen gevel een misplaatste jakobsladder die nergens heen voerde, een toren van Babel voor wollige taal en bureaucratie. Het rees dertien verdiepingen boven de stad uit, alsof het iets belangrijks was, maar dat laatste werd door de meeste mensen betwijfeld. Mooi was het in elk geval niet.

Ik liep door het centrum naar Nordnes. Langs de laan die vanaf het klooster omhoogvoerde, begonnen de bomen al geel te worden. De bladeren die al waren gevallen, kleefden aan het asfalt. Doodskussen van de zomer, geel als een koude poolzon.

Ik liep langs Fredriksberg naar het Nordnespark, langs het zeebad helemaal naar de punt. De lucht werd killer en de zon zakte. Hij hing nog relatief hoog aan de hemel, maar er steeg een witte nevel op, die kortere dagen en lagere temperaturen aankondigde. Ik passeerde de landpunt en boog weer af in de richting van het centrum. Hier, aan het einde van het Nordnespark, lagen beneden aan het water, achter de opslagschuren, de oude boothuizen. Nog steeds steeg de onmiskenbare geur van gedroogde vis op, ondanks het feit dat het vele jaren geleden was dat de grote ladingen gedroogde vis hier gelost werden.

En hier beneden, achter deze schuren, had op een koude winterdag in januari 1971 een man het leven verloren. Ik liep naar de omheining en keek omlaag. Er stond een vrachtwagen geparkeerd. Het hek was open, maar er hing een stevige ketting met een hangslot aan, zodat het 's avonds kon worden afgesloten. Was die er in 1971 ook al geweest? Had iemand de sleutel gehad?

Ik trachtte me het voorval voor te stellen: een man die in elkaar werd geslagen en getrapt, tot hij stierf, ineengedoken en bloedend op de aangestampte, vuile sneeuw. De man die later werd geïdentificeerd als Harald Wolff. Een landverrader die zijn lot niet langer had kunnen ontlopen, zesentwintig jaar nadat in Noorwegen de oorlog was afgelopen.

Maar was het echt zo gegaan? Of was er iemand anders vermoord? Het volgende onschuldige slachtoffer? En waar was in dat geval de man die de naam Harald Wolff droeg?

Tien jaar waren er sindsdien verstreken. De sporen die er geweest moesten zijn, waren allang verdwenen. Tien winters lang was de sneeuw gevallen en weer gesmolten, de zon had geschenen en de regen had gespoeld. De sporen waren koud, zo koud als ze maar konden zijn. Op deze plek was niets meer te halen en met de zon aan mijn rechterzijde liep ik verder naar de stad.

Bij de Nykirke sloeg ik rechtsaf. Ik wilde een paar dingen aan Sigrid Karlsen vragen.

Toen ik het huis naderde, keek ik omhoog naar haar raam, maar er was geen teken van leven. Ik keek op mijn horloge. Ze zou thuis moeten zijn.

De buitendeur stond open, alsof iemand vergeten was hem dicht te doen, en ik ging naar binnen. Toen ik op de eerste verdieping kwam, zag ik dat de deur naar haar woning ook op een kier stond.

Er voer een schok door me heen. Er klopte iets niet.

Ik drukte op de bel en klopte tegelijkertijd hard op de deur. Die ging langzaam open.

De hal was een chaos. De kleine commode was omgevallen en iemand had de laden eruit getrokken en de inhoud in het rond gestrooid. Tegen de muur lag de spiegellijst, kapot. De scherven van de gebroken spiegel lagen over de vloer verspreid, als lichte kijkgaatjes omlaag naar een andere wereld.

Ik zette mijn voeten voorzichtig tussen de brokstukken. Met kou in mijn lichaam zei ik dunnetjes: 'Hallo?' Niemand antwoordde. Alles was stil.

36

Ik deed voorzichtig de deur naar de keuken open. Mijn hart bonsde luid in mijn keel. Daar was het net zo'n rotzooi. De kalender was van de wand getrokken en in de gootsteen gesmeten. De foto van het spelende kind met de hond was verfrommeld op het aanrecht gegooid. De draagbare radio lag ondersteboven op de vloer. Een stukje zwart plastic dat er was afgebroken lag ernaast. De keukenstoel was omgegooid. Onder het aanrecht lag een plastic zak met afval. Aardappelschillen en eierdoppen lagen over de vloer verspreid. Bovendien rook het sterk naar schoonmaakmiddel, maar ik kon niet ontdekken waar de geur vandaan kwam.

De deur naar de woonkamer stond halfopen. Het was donker binnen, maar de verwoestingen daar waren, voor zover ik kon zien, minder erg. Het televisietoestel was omgegooid en het stopcontact in de wand erachter was losgetrokken. Er lag een bloempot in scherven op de vloer. Een van de gordijnroeden hing scheef, zodat de gordijnen aan één kant de vloer raakten. Een handvol boeken uit de boekenkast lag dwars door de kamer. En in een van de leunstoelen, ineengedoken en met haar gezicht in haar handen, zat Sigrid Karlsen, als het ware vastgevroren. Ze bewoog niet. Alleen aan het zwakke beven van haar schouders was te zien dat ze leefde.

Alsof je iemand in een intieme situatie verrast – alleen

was het verdriet in plaats van liefde. Het een kan net zo pijnlijk zijn als het ander. En het is nooit gemakkelijk om daar als buitenstaander in verzeild te raken.

Ik bukte me en pakte de radio op, zette hem op het aanrecht en schoof hem beslist tegen de muur, om door middel van de geluiden aan te geven dat er iemand was. Toen liep ik langzaam naar de deur en bleef met hulpeloze handen naar haar staan kijken. Haar kruin vertoonde een grijze zon. Wat ik van haar nek zag, was wit en naakt. Ze droeg een lichte, grijze jurk met een simpele ceintuur als een touw om haar middel geknoopt. 'Mevrouw Karlsen?' vroeg ik behoedzaam. 'Ik ben het, Veum.'

Ze nam haar handen niet van haar gezicht weg. Maar ze rechtte haar rug ietwat, dus ik begreep dat ze me had gehoord.

Ik bleef staan wachten.

Langzaam spreidde ze haar vingers en tussen haar lange, witte vingers door kon ik haar ogen zien. Die waren donker, roodomrand. Haar wangen vertoonden dunne strepen waar de tranen langs waren gestroomd. Haar bril zag ik niet. Mijn blik gleed automatisch over de vloer, maar daar lag niet meer dan ik vanuit de keuken had gezien.

'Wat is er gebeurd?' vroeg ik en wees om me heen, alsof ze eraan zou kunnen twijfelen wat ik bedoelde.

Ze schudde haar hoofd. Haar mond antwoordde geluidloos: niets. Haar lippen waren paars, onder een dun laagje lippenstift.

'Niets?' vroeg ik, zonder speciale intonatie. Meneer Niets is even langs gekomen? zei een donkere stem ergens binnenin me. Meneer Niets heeft alleen even de hele woning omgekeerd en is daarna weer verdwenen. Een gast uit het verleden – een vluchteling naar de toekomst? 'Wie?' hoorde ik mijn eigen stem zeggen.

Ze keek me weer zwijgend aan. Haar handen gingen nu omlaag. Haar gelaatstrekken waren ontstellend naakt. Ze kon niets verbergen, niet met die uitdrukking. Meteen herinnerde ik me twee details die me bij mijn vorige bezoek waren opgevallen. De commode in de gang: van een hoek was de verf afgeschraapt. En de spiegel: die was gebarsten.

Ik zei voorzichtig: 'Dit is niet de eerste keer, nietwaar?'

Ze schudde stil haar hoofd. Er was een wit zakdoekje in haar hand opgedoken. Ze veegde voorzichtig onder haar ogen, over haar wangen, omlaag naar haar bovenlip.

'Is het iemand die je kent... een man?'

Ze keek me verschrikt aan, bloosde en schudde ontkennend haar hoofd. 'Dat is het niet', zei ze iel. Het was een benauwde stem, gekweld en anders dan de vorige keer.

Ik wist het antwoord voor ik de vraag stelde: 'Je dochter?'

Haar ogen vulden zich met tranen. Haar lippen begonnen te trillen. Het zakdoekje kwam weer tevoorschijn.

Ze huilde. Ik liep de kamer in, stil als op mos. Ik ging naar het raam en keek neer op de straat. De klinkers waren plat en afgesleten. De huizen hadden vermoeide gevels. Zulke kleine huizen, zoveel mensen, zoveel dingen die je niet weet.

'Is ze... heeft ze dat vaker?'

'Het... het komt ineens over d'r. Niet zo vaak. Ze is in behandeling geweest en het gaat goed... op haar werk. Daar functioneert ze, maar dan, ineens... ze moet het toch ergens kwijt, hè? De artsen zeiden dat ze schizofreen was. Ze gebruikt medicijnen, maar...' Haar handen fladderden geluidloos rond, als vlinders op een plotselinge winterse dag.

'Ik zie het aan haar ogen, als ze thuiskomt. Dan gebeurt het gewoon. Ze is te sterk voor me, ik ben niet tegen haar opgewassen... Dan gooit ze alles om wat ze tegenkomt, trekt alles van de muur, gooit het kapot en... verdwijnt. Tegen de avond komt ze terug, dan is het over. Als het te erg wordt, gaat ze zelf... naar de kliniek. Dan krijgt ze een poosje sterkere medicijnen, komt terug... mijn lieve, kleine Anita... mijn kindje.'

Onze ogen ontmoetten elkaar. Ja, kleine kinderen worden groot, maar voor hun ouders blijven ze altijd klein, vooral als ze problemen hebben. 'Hebben ze... hebben de artsen wel eens gezegd wat de oorzaak zou kunnen zijn?'

'Dat ze haar vader zo vroeg heeft verloren, en de manier waarop. En al het lelijke dat daarna werd gezegd. Ze moest zich ergens verbergen en vluchtte... daarin.' Het klonk mechanisch, een nuchtere constatering van feiten. Maar in de manier van uitdrukken lag veel ingehouden razernij. En de boodschap bereikte me: Anita Karlsen, die slechts vier jaar was geweest toen Pauw afbrandde, was nóg een slachtoffer van die ongelukzalige gebeurtenis.

Sigrid Karlsen was opgehouden te huilen. Ineens balde ze haar vuisten en stond op. 'Ik ga maar eens opruimen.'

'Ik zal je helpen', zei ik snel.

Ze keek me strak aan. 'Ik doe het liever alleen.' Toen zei ze vergoelijkend: 'Ik wil niet dat er iemand is, als Anita terugkomt. Ze, ze schaamt zich altijd zo, erna.'

Ik knikte. 'Ik snap het.'

'Was er iets speciaals?' vroeg ze. 'Aangezien je hierheen bent gekomen.'

'Ja, er was vast iets. Maar ik ben het vergeten. Ik ben eerlijk gezegd nogal geschrokken.' Even was ik bang geweest hetzelfde aan te treffen als de avond ervoor bij Olga Sørensen. 'Ik wil alleen zeggen, mevrouw Karlsen, dat ik nog steeds met de zaak bezig ben en ik raak er meer en meer van overtuigd dat jouw man in het geheel geen schuld had aan wat er toen is gebeurd, en ik geef het niet op voor deze zaak tot op de bodem is uitgezocht. Zeg dat maar tegen Anita, wanneer je denkt dat het zo uitkomt... zeg haar maar dat ik weet dat haar vader onschuldig was.'

Ze keek me met droevige ogen aan. 'Wat helpt dat nou, nu nog? Maar evengoed bedankt.'

'Ik kom terug wanneer ik onweerlegbare bewijzen van mijn gelijk heb', zei ik met vaste stem. Ik merkte dat ik *wanneer* zei en niet als, en ik wist dat ik de waarheid sprak. Al moest ik naar de hel afdalen om Harald Wolff daaruit naar boven te halen, ik zou erachter komen wat er destijds werkelijk was gebeurd. Voor Anita en haar moeder. En ik kreeg steeds sterker het gevoel dat ik daar niet zo ver voor hoefde te zoeken.

De afrekening naderde, langzaam maar zeker, voor een zeker persoon. Vele jaren te laat, maar toch...

Buiten was het begonnen te schemeren. De contouren vervaagden. En 's nachts komen de wolven tevoorschijn: zowel die in een roedel jagen, als de eenzame jagers.

37

Het donker viel nu snel in en in de grote villatuinen werden de lampen ontstoken. Het licht viel laag over tuinen met vochtige aarde onder het herfstgele gras. Zodra de zon weg was, werd het snel koud.

Ik parkeerde ditmaal op flinke afstand, in de volgende zijstraat, en legde het laatste stuk naar het huis van Hagbart Helles broer te voet af. Ik liep vlak langs de haag, om buiten het gezichtsveld van het huis te blijven.

De haag die de tuin van de weg scheidde, was dicht en vol doornen. Het smeedijzeren hek was aan twee solide, natuurstenen zuilen bevestigd, die deel uitmaakten van de haag.

Ik ging op mijn hurken zitten en bestudeerde het hek nauwgezet. Ondanks het bordje was er ook nu geen hond te bekennen. Ik probeerde te ontdekken of er een alarminstallatie in verbinding met het hek stond, maar er waren geen zichtbare tekenen. Toch was ik bij lange na niet zeker.

Ik liep het hek voorbij en volgde de haag verder. De volgende villa lag er meer open bij, achter een lage houten omheining met rozenstruiken ertegenaan. De haag van bedrijfsleider Hellebust liep door rond zijn landgoed. Na goed om me heen gekeken te hebben, stapte ik over de omheining en volgde ik de haag verder, langs de achterzijde van de garage.

De haag was nog steeds even dicht. Achter het huis helde

de tuin langzaam omlaag naar het oude spoorwegtracé dat niet langer in gebruik was. Op één plek vertoonde de aarde een verlaging, als van een oude bedding, een kleine ruimte onder de haag.

Ik keek om me heen. Het was merkwaardig stil. Aan de hemel, tussen uiteengescheurde wolkenformaties, hadden de sterren gaatjes in het zwarte firmament geprikt. De berg Løvstakken strekte zijn ranke profiel naar het westen en boven de bergrug zag ik een laat vliegtuig de landing op Flesland inzetten, geluidloos, bijna als een visioen.

Ik zakte op mijn knieën, boog mijn hoofd en perste me onder de haag door. Toen was ik op het landgoed. Ik bleef rustig staan luisteren, ineengedoken.

Er klonken zwakke geluiden uit het huis, dat achter een groepje vruchtbomen lag, en een tuinzitje dat uit een tafel, rieten stoelen en witte tuintegels bestond. Er kwamen geen tandenblikkerende waakhonden op me af, er klonk geen driftig geblaf om te waarschuwen dat er een ongewenst personage naderde.

Ik richtte me voorzichtig op en liep in een boog op het huis toe. Ik bereikte de zijmuur. Boven mijn hoofd bevonden zich drie ramen op een rij, twee ervan waren geheel donker, achter het derde scheen een warm, flakkerend licht, als van een open haard. Dat raam lag het dichtst bij de voorzijde en ik nam aan dat het bij de woonkamer hoorde.

Het raam lag boven ooghoogte en ik liep eronderdoor naar de hoek. Ik spiedde eromheen. Het betegelde terras baadde in het licht van de grote ramen die direct, via een schuifdeur, toegang tot de tuin gaven. Een met rotstuin-planten begroeide glooiing voerde omhoog naar het terras. Toen ik mijn hoofd iets naar voren stak, zag ik dat de zware, bruine velours gordijnen gedeeltelijk waren dichtge-trokken. Waarschijnlijk zou ik de grote ramen ongezien kunnen bereiken.

Ik bewoog me voorzichtig door het tuinperk naar boven, vermeed op de keien te stappen en trok me er niets van aan dat ik een paar plantjes plattrapte.

Boven op het terras bleef ik staan, met open mond ademend. Ik had het goed gezien. De velours gordijnen maskeerden me. Niemand riep iets naar buiten. Maar ik hoorde hun stemmen door het glas heen: monotoon en contourloos, zonder dat ik de woorden kon onderscheiden. De grote ramen bestonden uit dubbel glas dat in beide richtingen isoleerde.

Ik ging helemaal tegen het raam aan staan en bewoog me voorzichtig naar de opening tussen de gordijnen. Ik verplaatste me behoedzaam, centimeter voor centimeter, ik hield mijn hoofd naar achteren en mijn lichaam zo plat mogelijk tegen het raam.

Nu was ik bij de rand van het gordijn. Door mijn hoofd langzaam te draaien kon ik schuin de kamer inkijken.

De verlichting was onrustig en flakkerend. Een paar discrete wandlampjes vormden het enige rustige element binnen. Op een grote eettafel stond een zevenarmige kandelaar met lange, witte kaarsen. De vlammen flakkerden naar de hoge, smalle stoelleuningen. De stoelen waren leeg.

Ik bewoog mijn hoofd nog iets naar voren.

Het licht werd sterker, rood en goudachtig. Ik kon de witgekalkte open haard nu zien. Het oppervlak was ruw, gepleisterd. Voor de haard stonden drie fauteuils met hoge rugleuningen en een laag tafeltje met een brede sofa ervoor, alles in een warm, roodbruin velours. Op het lage tafeltje stonden een ijsemmer, flessen waar koolzuur in danste en een keur aan dure soorten drank. Rond het tafeltje, in het licht van de haard, zaten zes mensen.

Ik kende er één van. Met rechte rug en zijn onmiskenbare profiel naar de warmte van de haard gekeerd, zat Carsten

Wiig te luisteren. Naast hem zat een jonge vrouw, zo mooi als de meeste jonge vrouwen van dansende vlammen worden, maar met een grote bril en een iets te stijf glimlachje om haar opgetrokken lippen. In een hoekje apart zaten twee vrouwen in een vertrouwelijk gesprek gewikkeld. De ene was eind zestig en had wit haar, de ander was heel wat jonger, met een bruinverbrand gezicht en gebleekt haar.

Een van de twee oudere mannen in de kamer was een gezette, beetje pafferige man, met een rood gezicht en geelwit, dun haar, dat steil achterover was gekamd. De ander was Hagbart Helle.

Hagbart Helle zat in scherp profiel tegen de witte wand. Ik had hem nooit herkend als Ove Haugland me die onduidelijke foto niet had laten zien.

Zijn magere, pezige gezicht had iets roofvogelachtigs en meedogenloos: een grote haviksneus, stekende, donkere ogen en een markante, stramme trek rond zijn mond en kaakpartij. Hij was zo iemand die altijd op zijn hoede is, die alle onregelmatigheden registreert – of mogelijke verdiensten. Zijn huid was roodbruin verbrand, maar de rimpels waren duidelijk zichtbaar en hij zag er ouder uit dan ik had gedacht. Nu pas drong het tot me door dat Hagbart Helle een bejaarde man was, drieënzeventig jaar oud. De carrièrejacht en het succes hadden hem weliswaar gehard, maar hij had de tijd niet kunnen kopen. De jaren halen ons allemaal in, zowel rijk als arm.

Toen ontdekte ik dat er binnen nog een levend wezen aanwezig was. Voor de haard hief plotseling een grote, zwarte dobermannpincher luisterend zijn kop op. Had hij mijn hart horen kloppen? Of had hij plotseling lucht gekregen van iets vreemds, iets wat hier niet thuishoorde?

Toch was het niet de dreigende hondenkop die me weerhield.

Slechts één raam en een schuifdeur scheidden me van Hagbart Helle, maar ineens zag ik in dat het geen zin had. Het raam tussen ons was slechts een symbolische scheiding, het had net zo goed van beton kunnen zijn.

De mensen binnen, in hun maatkleding, met hun dure drankjes, hun mahoniebruine, met velours beklede meubelen, hun massieve zilveren kandelaars, hun duizendtonners op de zwijgende oceanen, van de tropen tot Alaska, hun bankrekeningen in Zwitserland, hun vakantiehuizen op de Seychellen en hun orchideeëntuinen rondom hun woningen in de Caraïben: zij bevonden zich buiten mijn reikwijdte.

Mensen als Sjouwer-Johan, Brandmerk, Reuze-Olsen en soortgelijken, die snaaiden een paar flesjes bier, en als ze het nog eens deden, dan werden ze achter slot en grendel gezet. Mensen als Hagbart Helle legden fabrieken stil, sloten economische transacties die gewone mensen, als ze het überhaupt begrepen, als zwendel zouden bestempelen, of maakten het grootste deel van hun inkomsten onder talloze pseudoniemen over naar onzichtbare investeringen in ontelbare schijnfirma's verspreid over de hele wereld. En ondertussen leidden ze hun leven in de zon of bij flakkerende haardvuren, ver van het lawaai en het gedruis van machines, ver van alle zorgen. Zij hadden de macht die het geld hun gaf en er was een ander maatschappelijk bestel, een ander systeem nodig om hen te bereiken.

De enige kans om ze te grijpen, was door met concrete, tastbare bewijzen op de proppen te komen. En die had ik niet. Ik had ternauwernood een theorie.

Ik keek verlangend naar Hagbart Helle, dacht aan alle vragen die ik hem had willen stellen, de beweringen die misschien een reactie hadden kunnen ontlokken, voordat de waakhond me naar mijn strot vloog. Maar diep in mijn hart wist ik ook dat het zinloos was. Hagbart Helle had zichzelf uit gevaarlijk vaarwater naar de grote, stille wateren gemanoeuvreerd. Hij had internationale bestuursvergaderingen beteugeld, en vechtlustige collega's... Hij liet zich niet provoceren. Hij zat veilig daarbinnen, in zijn comfortabele fauteuil, met een half glas whisky-soda in zijn hand en een enigszins stijve glimlach om zijn eerzuchtige mond. Hij had zijn doel bereikt. Hij had het gemaakt.

Zijn broer was anders. Yngvar Hellebust was een gewone, Noorse kapitalist, zonder zichtbare ambities. Wat uiterlijk betreft zou hij een belastingambtenaar kunnen zijn, maar toevallig leidde hij een middelgroot en – naar zijn vrijstaande woning te oordelen – bloeiend textielbedrijf. Toch lagen er lichtjaren tussen hem en Hagbart Helle: het verschil tussen provincie en metropool, tussen jongensclub en maffia.

Of was het misschien toch de hond die me tegenhield? Hij had zijn kop, op de krachtige, zwart met bruine nek, nog steeds opgeheven. Hij had sterke kaken en scherpe tanden. Van nature was hij een jager en een moordenaar. Ik had weinig zin om buiten in de herfstige duisternis een wedstrijdje met hem te rennen.

Net zo langzaam als ik gekomen was, trok ik me terug.

Ik wierp nog een laatste blik op Hagbart Helle. Toen bewoog ik me stilletjes weg van het raam, stapte langzaam door de rotstuin omlaag, sloop stil langs de huismuur, langs de tuinmeubelen en de kromme vruchtbomen, en dook weer onder de haag door.

De nacht verdichtte zich tot een donkere zak om me heen. Ik had geen idee hoe ik nu verder moest.

38

Die nacht ging ik niet naar huis.

Ik reed over de Fjøsangervei naar het centrum, maar het was onmogelijk te zien waar de verffabriek van Pauw had gestaan. De wonden waren geheeld. Nieuwe huizen waren opgetrokken.

Ik parkeerde de auto op de Tårnplass en wandelde naar kantoor. Ik aarzelde een ogenblik voor de ingang van Hjalmar Nymarks stamcafé, maar liep door.

Binnen tastte ik me een weg door het donker, trok de onderste la van mijn bureau open, schroefde de gouden dop van de nieuwe, doorzichtige fles, schonk een glas in – en dronk.

Ik dronk niet veel, niet meer dan een gewoon waterglas, en ik nam er de tijd voor. Het smaakte naar maneschijn en mijn tong kronkelde zich als een slang die bezig was te vervellen. Ik dronk op alle gemiste kansen, alle getorpedeerde idealen. Ik dronk op iedereen die voorbij was gekomen, mensen die ik gekend had en die weer in het donker waren verdwenen. Ik dronk op nieuw opgerichte grafstenen, op oude branden en gedesillusioneerde aftochten. Proost, dappere man van eer, proost!

Later – 's nachts – ging ik de stad in. Het was na middernacht en op straat heersten de schaduwen, de schaduwen en de haastigen, met neergeslagen blik. Ik had geen haast, en mijn ogen waren waakzaam.

Ik liep Nordnes op, langs de hoge, betonnen gevels aan de Strandgate, naar het park. Weer passeerde ik de plaats waar op een avond in januari 1971 een manklopende man was vermoord. Maar ik bleef niet staan. Ik liep door. Vanaf de landpunt kwam een man in een bruine jas, met een grijze baard en een airedaleterriër aan de lijn me tegemoet. Andere mensen kwam ik niet tegen.

Het water lag er zwart en verlaten bij. Er was geen schip te zien.

Ik liep weer terug naar de stad, langs het zeebad, stil en verlaten, als een aandenken aan de zomer die er nooit helemaal was geweest, omhoog langs de Stuurmansschool en de Nordnesschool.

Toen ik op dat tijdstip van de dag door de stad wandelde, was het net alsof ik door een tentoonstelling over mijn eigen leven liep. Van het Nordnes van mijn jeugd liep ik de Galgebakke af naar Strangehage en Skottegate, en plotseling kwam ik bij een van de nieuwste beelden op de tentoonstelling: het huis waar ik Hjalmar Nymark dood had aangetroffen. Maar deze nacht bleef ik niet staan.

Ik wandelde verder, langs Nøstet, naar Møhlenpris, over de kromme, witte rug van de Puddefjordbrug. Aan de overzijde, in Gyldenpris, had ik in mijn zeer jonge jaren een meisje gekend, met blauwe poëzie in haar blik, maar zoveel blues in haar hart dat ze in een psychiatrische inrichting eindigde, waar ze haar vonden toen ze zich op het toilet had opgehangen.

Rond Viken en via de Danmarksplass naderde ik vanuit het zuiden weer het centrum, over de oude Nygårdsbrug en langs het ziekenhuis dat de naam Florida had gekregen, maar niet omdat er aan die kant van de stad meer zon was. Voor het busstation waren twee jongelui in leren jasjes in een gevecht gewikkeld, aangevuurd door een wanordelijke groep supporters. Er stopte een politiewagen bij de stoep, waar een paar agenten uit sprongen, als behoedzame vleermuizen in hun zwarte uniformen.

Ik liep verder, door Marken, de Øvregate en verder richting Sandviken. Voor de kelderwoning van Reuze-Olsen bleef ik even staan, maar alles was donker en stil, geen Bacchus-stemmen die me naar binnen riepen. Ik liep naar de vlieghaven en bleef weer staan. Het universum stond op zijn kop. De sterren lagen te schitteren in het water en boven de stad welfde zich de zwarte zee. De Skoltegrunnskai vormde een grijswitte barrière tussen hemel en zee, en op de oeverstenen onder aan de helling stond ik.

Ik haalde diep adem. De lucht was koud en rook naar wier en afgewerkte olie. De uren waren verstreken, de lichten rondom me waren gedoofd, alles was stil.

Op de terugweg naar het centrum, via de Sjøgate, kon ik midden op straat lopen. Er passeerde geen enkele auto, hoewel ik midden in de file liep die hier enkele ochtenduren later vanuit Åsane zou staan. Het was bijna luguber: alsof ik in de stad aankwam en iedereen ineens dood was. Niet door een atoomoorlog, maar door een plotselinge pest. En ik was de enige overlevende. De stad was van mij, van mij alleen.

Bij de Skutevikstorg liep ik een stukje omhoog naar de Nye Sandviksvei, waar ik een paar seconden voor een wit, houten huis bleef staan. Alle ramen waren donker, er drongen geen geluiden naar buiten. Ze sliep, samen met de haren.

Ik daalde weer af naar de Skoltegrunnskai. Weer stuitte ik op de zee. Overal in deze stad stuit je op de zee. Die was deze nacht als een bondig haiku-gedicht: Zwart / is de zee / in september. De bolders staken als nieuwsgierige zeehondenkoppen van de kademuur omhoog en luisterden naar het onhoorbare gedicht. Het vrachtschip dat bij de Festningskai had aangelegd vertoonde roestvlekken in de verf. Ik wreef automatisch over mijn gezicht. Mijn baardstoppels waren stekelig geworden.

Het centrum was nu dood. Het was het stilste uur van de dag, tussen vijf en zes in de ochtend. De laatste nachtwandelaars waren naar huis gegaan en voor de mensen die om zeven uur op hun werk moesten zijn was het nog te vroeg. Voor het standbeeld van Ludvig Holberg stond een eenzame taxi met een verlicht bordje op het dak. Op de trappen voor de Vleeshal zat nóg iemand die het had overleefd, een man in een vuile, grijze jas, met zijn gezicht tussen zijn knieën verborgen. Andere tekenen van leven zag ik niet.

Ik zette mijn rusteloze wandeling voort. Onder het lopen overpeinsde ik wat ik wist, van de geruchten over Rattengif tijdens de oorlog, de brand bij Pauw, de moord op Harald Wolff en de verdwijning van Sjouwer-Johan in 1971, tot aan de gebeurtenissen van de laatste maanden: de aanrijding van Hjalmar Nymark, vervolgens zijn dood, en nu het 'ongeluk' van Olga Sørensen.

Bergen was in de tussentijd veranderd. In 1953 was het een aanmerkelijk kleinere stad geweest dan nu. In Fyllingsdalen, achter een berg waar nog geen tunnelgat doorheen was geboord, lagen de velden destijds weids en groen tussen de verspreide boerderijen waar zich een idyllisch landweggetje tussendoor slingerde. In de andere richting, via Åsane, deed je er een dag over om naar Salhus of Steinestø te rijden, en je ging naar Kjøkkelvik of Flesland en zei met een zuiver geweten dat je 'op het land' was. De vliegtuigen naar het oosten vertrokken nog vanaf het vliegveld in Sandviken en er reed een boemeltreintje naar Nesttun. Het oude, bakstenen postkantoor in het centrum lag naar de Allehelgensgate, recht tegenover het vuilgroene, oude politiebureau, en in zuidelijke richting strekte de bebouwing zich slechts uit tot de barakken op Landås. Wanneer er een voetbalwedstrijd in het stadion was, stond de wijk niet helemaal vol geparkeerde auto's, maar was er na afloop van de wedstrijd een ware pelgrimstocht terug naar het centrum en zagen de trams eruit alsof ze door kolossale zwermen bijen waren aangevallen: de mensen hingen zelfs aan de buitenkant. En mijn vader zou nog een paar jaar tramconducteur zijn. Nordnes vertoonde nog altijd grote littekens van de branden tijdens de oorlog. Ik was elf jaar oud en zorgeloos. Hjalmar Nymark daarentegen was tweeënveertig en in de kracht van zijn leven, Konrad Fanebust was op de top van zijn roem, als politicus tenminste. Elise Blom was eenentwintig jaar oud, een stralende, jonge vrouw, met hoge verwachtingen van het leven. Holger Karlsen was vijfendertig en de trotse vader van een dochter van vier, zijn vrouw was nog gelukkig en Hagbart Hellebust was een doelbewuste en daadkrachtige man van vijfenveertig. Ze waren stuk voor stuk verschillend, in een kleine stad, in 1953. Sommigen werden toen al door een catastrofe getroffen, anderen moesten nog achtentwintig jaar wachten. Zelfs de onschuldige, kleine elfjarige uit Nordnes was op wonderlijke wijze bij deze tragedie betrokken geraakt. En Bergen zou nooit meer dezelfde stad worden als in 1953.

Van Nordnes tot Sandviken, van Fjøsanger tot Nøstet: de sporen kruisten elkaar overal, als de sporen van rondzwervende dieren op een uitgestrekte hoogvlakte. Maar sommige sporen hadden elkaar een kwart eeuw geleden gekruist, andere pas enkele dagen geleden. De meeste sporen waren koud, maar sommige kon je nog steeds volgen...

Beneden op Nøstet is een klein cafeetje. Het is een van de eerste die 's morgens vroeg opengaan. Daar zocht ik tegen de ochtend toevlucht en boven een kop gloeiend hete, roetzwarte koffie, in gezelschap van een handvol andere nachtelijke wolven, kwam ik daar bij mijn positieven.

Hun gezichten waren getekend. We hingen boven onze mokken, zwijgzaam als de nacht die achter ons lag, gesloten als de ochtend om ons heen. De meesten gingen naar hun werk, maar sommigen hadden geen doel. In het halfuur tussen zeven en halfacht vormden we een soort gemeenschap, in de lege ruimte tussen wakend doorgebrachte nacht en werkdag.

Daarna was de betovering verdwenen en waren de mokken leeg. Een smal randje koffie bleef op de bodem achter en we stonden op en liepen met gebogen hoofd de deur uit.

Buiten was de stad vol lawaai. De dag had ons weer ingehaald.

39

Ik ging naar huis, naar mijn nietige woning, stal een paar uur van de dag, uitgeput op de bank, douchte lang en voelde me precies goed genoeg om te beseffen dat ik gedeprimeerd was.

Een hond die al achtentwintig jaar begraven is, ligt goed verborgen, of is in vergevorderde staat van ontbinding. Er viel niet veel meer te vinden.

Onderweg naar kantoor kocht ik de kranten. Toen ik de deur opendeed, hoorde ik de telefoon overgaan, maar het gerinkel stopte voor ik had kunnen opnemen, en toen ik de hoorn naar mijn oor bracht, was alleen mijn oudste en meeste trouwe gesprekspartner daar: de zoemtoon.

Ik sloeg een van de kranten open en liet mijn blik over de voorpagina glijden. Rechts onderaan vond ik een tweekoloms berichtje onder de kop: MYSTERIEUS STERFGEVAL IN SANDVIKEN. Uit de tekst bleek dat 'maandagavond laat een achtenvijftig jaar oude vrouw dood was aangetroffen in haar woning in Sandviken' en dat er met betrekking tot de doodsoorzaak nog steeds enige 'onduidelijkheden' waren. Veel duidde erop dat er sprake was van een ongeluk, maar desondanks zocht de politie als getuige 'een man, waarschijnlijk tussen de vijftig en zestig jaar oud, gekleed in een grijze jas en een donkere hoed, die licht met zijn ene been trok'. Deze man, of personen die hem hadden gezien, werd verzocht zich zo spoedig mogelijk met de politie in verbinding te stellen. Verder kon de politie de pers niets concreets mededelen.

Ik bladerde snel de andere kranten door. Die hadden niet veel meer te melden. De kranten uit Oslo waren nog niet gearriveerd: die hadden gewoonlijk meer fantasie, maar gaven uiteindelijk niet veel meer informatie. Hier had ik vast en zeker het meeste wat over de zaak bekend was.

Ik las het bericht nog eens door. Dat de opsporing überhaupt in de krant was gekomen, was op zich al een lichtpuntje. Dat kon betekenen dat Hamre of Vadheim, eventueel de hoofdinspecteur zelf, een doorbraak ten opzichte van Muus had bewerkstelligd. Dat er verder niets stond, betekende niet dat de politie niet over meer gegevens beschikte, maar wat ze niet aan de pers vertelden, zouden ze mij waarschijnlijk ook niet vertellen.

Ik legde de kranten opzij en belde Konrad Fanebust op. Van zijn secretaresse vernam ik dat hij naar een vergadering in Kopenhagen was en pas 's avonds laat of met het eerste vliegtuig van de volgende dag terug werd verwacht. Ik bedankte voor de informatie en hing op.

Buiten voor mijn ramen sloeg een nieuwe dag zijn vleugels uit, met een gouden septemberzon op de veren. De huizen staken scherp af tegen de berghelling en boven de boomtoppen hing een bruine waas, alsof er een heel dun net overheen was gelegd. De herfst wierp zijn netten uit. Binnenkort zouden we er met zijn allen in liggen spartelen.

De telefoon ging weer over. Ik nam op. 'Hallo?'

Geen antwoord.

'Hallo? Met Veum.'

Er werd opgehangen. Er klonk een klik en kort daarop was de zoemtoon er weer. Ik keek naar de hoorn, alsof die me iets kon vertellen. Of het was iemand die verkeerd verbonden was, of iemand die de lust tot spreken was vergaan.

Vijf minuten later hoorde ik de deur van mijn wachtkamer opengaan.

Ik wachtte af of er iemand zou aankloppen, maar er gebeurde niets. Mensen gedragen zich verschillend wanneer ze een privédetective opzoeken. Sommigen stormen naar binnen, zonder erbij na te denken dat je misschien net je lievelingsblondje op schoot hebt. Anderen komen je wachtkamer binnen en gaan bij wijze van spreken in het behang op. Om die te vinden, is het net of je een verborgen figuur in een zoekplaatje moet opsporen. Weer anderen nemen keurig netjes op een stoel plaats en nemen een fatsoenlijk, oud weekblad ter hand, ongeveer alsof ze bij de dokter zijn, terwijl weer anderen gewoon aankloppen.

Ik liep naar de deur en maakte hem open. Ik had net zo goed voor een bulldozer open kunnen doen.

De man die me opwachtte, stond met zijn benen iets uit elkaar. Hij was breed en atletisch gebouwd en enigszins gedrongen, kenmerkend voor voormalige gewichtheffers. Hij had een blauwe, gebreide muts over zijn voorhoofd getrokken, boven een bleek, vierkant gezicht met lichtblauwe ogen en fletsgrijze baardgroei. Hij was sportief gekleed, in een korte jopper, een blauwe spijkerbroek en soepele, bruine laarzen, maar ik had weinig zin om als sporttoestel te dienen.

Voor ik mijn mond kon opendoen, had hij zijn grote vuist al in mijn maag geplant. Als een giechelende danslerares sloeg ik dubbel en alsof hij de tango danste, schopte hij met zijn knie tegen mijn slaap. Ik zag alles al in tweevoud en toen zijn vuist nogmaals neerdaalde, precies op de overgang tussen nek en schouder, vouwde de hele kamer zich als een Chinese waaier samen, en daarna was alles weg.

Maar voor de eerste slag me raakte had ik één detail opgemerkt: hij was niet alleen. Door de geribbelde ruit naar de gang zag ik het silhouet van een andere persoon, donker en onduidelijk door het glas.

40

Voetstappen die komen en voetstappen die gaan, die als golven over je heen spoelen, als je straalbezopen langs het strand
ligt. Heen en weer, heen en weer.

Branding die je zwak wiegt: heen en weer, heen en...
'Veum?'

De zee spoelt. Zwart is september. Zelden is de zon.

'Veum!' Een stem. Hij komt me bekend, maar niet ge-
liefd voor. Ik kan hem niet thuisbrengen.

Ik open mijn ogen en staar naar de versleten, bruine vloer.
Mijn stem is gebroken, mijn tong gegalvaniseerd. 'Hallo?'
Het roept een echo in me op, afschuwelijk en grotesk: 'Hal-
hal-lo-hal-lo-halloooooo...'

Ik ben misselijk. Er ligt een grote, zware steen op mijn
maag en het doet pijn. Ik heb een buil op mijn slaap en mijn
nek voelt aan alsof hij een eigen leven leidt, losgescheurd
van het mijne.

'Kom op, zeg! Wat is hier aan de hand?' Die stem...

Een Oost-Noorse tongval. Wanneer heb je voor het laatst
iemand uit Oost-Noorwegen getroffen, Varg? Nee. Nee.
Het was omgekeerd. Hij trof mij.

Krachtige vuisten draaiden me om. Ik kreunde. Het plafond kwam afgrijselijk dichtbij. Het zag eruit alsof het wel
een sopje kon gebruiken.

'Zo, ben je wakker?'

De stem klonk verder weg, het grote hoofd werd kleiner en duwde het plafond omhoog. De kamer werd hoger, maar ik bleef op de bodem van een grote, schemerige jampot liggen. Ik had dat gezicht eerder gezien.

Ik kwam met een ruk overeind, draaide me om en bleef op handen en voeten staan, met mijn hoofd tussen mijn armen. Dat leek wel een vuurbal, maar als ik het heel stil hield, koelde het af. De voetstappen bewogen zich van me af, om me heen, in een verwarrend, galmend patroon. Soms waren ze in mijn hoofd, dan ineens waren ze weer buiten op de gang.

Een kort, onvriendelijk lachje. 'Wat zie jij er grappig uit.' Ik lachte. Haha. Zo voelde ik me ook. Koning der narren. Lieveling van de rattenvanger.

Ik kroop naar de muur, althans waar ik dacht dat die was, en richtte me langzaam op, met vlakke handen steun zoekend. *Oh, oh, oh, oh, Mrs. Robinson!* De stemmen druppelden als een meertonige klank door mijn hoofd, als cirkels in het water. *Heaven knows a place for those who pray, hey, hey, hey...*

Mijn knieën voelden aan alsof ze het elk moment konden begeven, maar ze hielden het vol. Ik bleef staan en keek om me heen, alsof ik de kamer voor het eerst van mijn leven zag: de lambrizering die tot taillehoogte reikte, het oude behang erboven, de stoelen langs de wand, de tafel met de glimmende, ronde poten en de oude weekbladen die op de tafel lagen.

Met zijn handen in de zakken van zijn modieuze, witte broek, ruim rond de dijen, smal bij de enkels, en gekleed in een soepel, beige colbertje, een wit overhemd en een brede, roodgeruite stropdas stond Carsten Wiig naar me te kijken, met enigszins opgetrokken wenkbrauwen en een zurig glimlachje op zijn lippen. Omdat ik me zo wit als een laken en zo zwak als een espenblad voelde, leek hij nog bruiner en gezonder dan de vorige keer dat ik hem had gezien. Zijn kortgeknipte haar glom om het hardst met zijn feilloze gebit. Hij was de eerste prijs in een wedstrijd waar ik me nooit voor had aangemeld. Nu hoefde ik alleen nog op de oorkonde te wachten.

'Hallo-o?' zei hij glimlachend. 'Kom ik over? Is er iemand thuis?' Op een andere toon zei hij: 'Godallemachtig Veum, je ziet eruit alsof je door een sneltrein bent overreden!'

Ik staarde hem alleen maar aan, door rafelige gaten in de mist die me omgaf.

'Heb je misschien met vuur gespeeld, Veum?' Er klonk een vage dreiging uit zijn woorden. Nu kwam de aap uit de mouw. Zo groggy was ik nu ook weer niet en ik geloofde niet in toeval. Ik had een schim door het raam gezien en ik twijfelde er niet aan wie dat was geweest.

Hij kwam naderbij. 'Hebben ze lelijk tegen je gedaan, Veum?'

Hij stond nu vlak voor me. Ik kon de verbrande stukjes huid op zijn neus en zijn jukbeenderen zien: roder dan al het bruine. Hij sprak nu heel zacht, onverschillig, alsof wat hij zei hem eigenlijk niet interesseerde: 'Weet je, mensen als Helle hebben veel invloed. Wat hier is gebeurd, God mag weten wat het is, brengt me wel op een idee, als het ware.'

Als het ware, vormde mijn mond honend, maar er kwam geen geluid uit.

'Er zou je iets ergers kunnen overkomen. Als je niet wat voorzichtiger wordt.'

Pauzes als in een slechte Tsjechov-voorstelling. Ik had zin om te vertrekken.

'Denk je ook niet? Als je de volgende keer bezoek krijgt, Veum... dan is het nog maar de vraag of je überhaupt nog op kunt staan. Daarna.'

Toen draaide hij zich abrupt om, alsof hij misselijk van me werd. Hij liep naar de deur. In de deuropening draaide hij zich weer om. 'Beterschap, Veum. En vergeet mijn raad niet. Toeval bestaat niet in dit leven.' Een korte blik op zijn horloge, een ironische buiging en toen was hij verdwenen.

De deur sloot achter hem en ik staarde naar het geribbelde glas en naar mijn naam die er in spiegelbeeld op stond. Ik voelde mezelf ook nogal achterstevoren, zoals ik daar stond.

Langzaam maar zeker slaagde ik erin me naar mijn kantoor terug te slepen. Ik liet de deur naar de wachtkamer op een kier staan, ten teken dat men gewoon binnen kon komen. Als het me eenmaal gelukt was in de stoel achter mijn bureau plaats te nemen, was ik niet van plan bij het minste of geringste weer op te staan.

Ik ging zitten. Het uitzicht was veranderd. Het perspectief was scheef, met een merkwaardige wanverhouding: de huizen tegen de berghelling waren plotseling groter dan die op de kade en er lag een grappige rode kleur over alles, van een ondergaande zon, of van de vuurgloed van een uitbarstende vulkaan. Buiten op de kade hoestten de auto's bloed.

Ik bleef naar buiten zitten staren tot het daglicht aanzwol en bij me binnenviel. Het rood verdween en alles werd wit. Ik legde mijn hoofd op het bureau en werd wakker toen de telefoon rinkelde.

Ik pakte de hoorn op en luisterde zonder iets te zeggen. Het tikken van een munttelefoon.

We hielden het zwijgen vol, aan beide uiteinden van de draad. Toen klonk een metalige luidsprekerstem op de achtergrond: 'Flight 92-' De hoorn werd snel opgehangen.

Ik knikte langzaam. Het was Carsten Wiig. Hij was op Flesland en wilde controleren of ik nog leefde. Ze wilden niet nog meer 'ongelukken' op hun geweten hebben. Ze wilden in ieder geval niet meer opzien baren dan ze al hadden gedaan.

Ik had de boodschap begrepen. Als ze me uit de weg hadden willen ruimen, dan hadden ze de man met de muts alleen gestuurd. Ik had hem nooit eerder gezien en gokte erop dat hij uit Oslo was gerekruteerd. Carsten Wiig was zelf meegekomen om zich ervan te overtuigen dat ik niet harder werd aangepakt dan gepland. Nu belde hij vanaf de luchthaven om te controleren of ik weer op de been was. Hij kon tevreden rapport uitbrengen aan Hagbart Helle.

De vraag waar ik echter mee bleef zitten was: betekende dit dat ze echt iets te verbergen hadden, nu nog, na achtentwintig jaar? Of was het iets wat korter geleden was gebeurd, niet meer dan een maand, in een flat aan de Skottegate? Om nog maar te zwijgen over afgelopen maandag. Of was het slechts een demonstratie van hun macht?

Er waren een paar uur verstreken en het dutje aan mijn bureau had me goed gedaan. Buiten was het perspectief weer normaal. Ik had kracht genoeg om me te bukken, de fles aquavit en het glas uit de onderste la te pakken en een heldere borrel in te schenken.

Ik nipte voorzichtig aan het glas. De warmte breidde zich langzaam uit, als olie op water.

Ik liet mijn schouders rollen. Mijn nek was nog beurs en mijn bovenarm voelde stijf aan. Mijn slaap klopte en ergens onder in mijn maag bonkte een doffe pijn. Maar ik voelde me een stuk beter dan enige uren tevoren en ik begon weer te denken.

Ik bleef met mijn glas in mijn hand zitten. De dag hobbelde op wankele krukken verder door me heen. Er is niet veel voor nodig om iemand naar de knoppen te helpen. Ik zou me op bont moeten richten, in plaats van blond. Een zaak voor bontjassen, geen detectivebureau.

Omstreeks halfvier hoorde ik de deur van mijn wachtkamer opengaan. De deur werd weer dichtgedaan en lichte, vrouwelijke voetstappen doorkruisten de wachtkamer, tot ze in de deuropening verscheen.

Het duurde een paar seconden voor ik haar herkende. Toen schoof ik de aquavitfles opzij, alsof die daar absoluut niet thuishoorde, en zei: 'Wat een verrassing!' En ik had genoeg tegenwoordigheid van geest om op te staan terwijl ik dat zei.

Het was de tandartsassistente van de praktijk naast me. Ze droeg een turquoise cape, bloosde als een zonsondergang en wist niet goed waar ze haar handen moest laten. Ze was erg jong. Ze leek schemering en zonneschijn in mijn kamer te brengen – tegelijkertijd.

Ik liep om mijn bureau heen, nog een beetje onvast op mijn benen.

Ze zei: 'Je zei dat ik... moest komen kijken... naar het uitzicht.' Ze keek een beetje schuins naar me op. Toen ik te dichtbij kwam, stapte ze opzij en liep snel naar het raam. 'Jaha', zei ze.

Ik bleef midden in de kamer staan. 'En wat betekent... jaha?'

Ze lachte. 'Dat betekent... hetzelfde uitzicht als bij ons.'

'Had je iets anders verwacht?'

'Je zei...' Ze onderbrak zichzelf en keek naar mijn glas. 'Wat is *dat* daar?'

Ik glimlachte vaag. 'Het ziet eruit als water.'

Ze keek me achterdochtig aan. Het late middaglicht maakte haar gezichtstrekken nog zachter, wat me deed denken aan een andere vrouw die daar wel eens bij het raam had gestaan. Haar wangen waren nog steeds even rood en haar ogen waren donker, haar wenkbrauwen zwart en vol. Ik vroeg me af hoe oud ze was – negentien, twintig misschien.

Ik kwam dichterbij. Er speelde een vaag glimlachje rond haar lippen. Ik zei: 'Je bent... jij bent het type waar iedereen verliefd op wordt, nietwaar? Dat weet je, iedereen zegt het...'

Ze keek me met grote, glanzende ogen aan.

Ik ging verder: 'Net als Ingrid Bergman in *Casablanca*.'

'Wie?' Ze zag er verward uit.

'O... een vrouw waar je gemakkelijk...'

'Ik heb het gezien,' zei ze, 'het uitzicht.' Met een stralende glimlach liep ze langs me, zo nabij dat ik haar zoete bloemengeur kon ruiken. 'Dank je wel.'

Ze bleef bij de deur staan en keek om zich heen. 'Waarom doe je het licht niet aan?'

Maar ze wachtte niet op antwoord. Ik hoorde haar voetstappen door de wachtkamer naar buiten gaan, hoorde de deur die achter haar dichtsloeg, haar voetstappen in de gang, de liftdeur, de machinerie, en uiteindelijk: de stilte.

Ik zag mezelf in de spiegel. Toen greep ik mijn glas aquavit, hief het naar mijn spiegelbeeld en zei: *'Here's looking at you, kid.'* Ik leegde het in één teug, liep naar de schakelaar en deed het licht aan. Niet veel later ging ik naar huis

41

September heeft dagen die op goudkleurige honing lijken, ochtenden met zware zon voor je ramen. September is net een rijpe minnares: met ronde vormen en nazomerwarmte in de aderen. De zon toont zich in kleuren die nog niet de kille gloed van oktober dragen. Het zijn dagen waarop je langzaam wakker moet worden en waar je de tijd voor moet nemen.

Ik at een afgemeten ontbijt voor een raam dat nodig moest worden gezeemd. De regen van de zomer had bleke vlekken op het glas achtergelaten. Buiten wapperde het wasgoed monter. Een radio liet Duitse schlagermuziek horen. Op de nok van een dak hielden de vogeltjes krijgsraad: tijd voor een reisje naar de Middellandse Zee – of september in Noorwegen? Er zijn altijd keuzes te maken, beslissingen te nemen.

Ik belde weer naar Konrad Fanebusts kantoor. Ja, Fanebust was terug. Nee, hij zat nu in bespreking. Of ik niet zo vriendelijk kon zijn mijn naam te noemen, dan kon ze die noteren en dan kon Fanebust terugbellen zodra hij tijd had.

Ik vroeg haar allervriendelijkst nu een paar woorden met hem te kunnen wisselen. Ik vroeg haar hem de groeten van Veum te doen en te zeggen dat ik iets uitermate belangrijks met hem te bespreken had. *Uitermate.*

De dame kwam een paar minuten later terug, enigszins

buiten adem. Ja, ze had met Fanebust gesproken en als ik om halfdrie langs kon komen, zou hij proberen even tijd voor me vrij te maken.

Ik zei: 'Heeft u de laatste voorspellingen omtrent de ondergang van de wereld niet gelezen? Om halfdrie kan de wereld zijn vergaan en bovendien zijn er dit jaar parlementsverkiezingen.'

Ze zei: 'Heeft u de kranten niet gelezen? De afspraak is om halfdrie. Tot ziens.'

'Tot ziens.'

Onderweg naar kantoor kocht ik de kranten. *Crisis in scheepvaart*, stond er op de ene voorpagina. Crisisberaad in Kopenhagen, luidde een andere. *Nieuwe faillissementen?* heette het op de derde. De formuleringen waren verschillend, ze betekenden hetzelfde: Konrad Fanebust had belangrijker zaken aan zijn hoofd dan branden van achtentwintig jaar en verdwijningen van tien jaar geleden.

Bovendien waren er zoals gezegd parlementsverkiezingen. Dit jaar hadden alle politici campagnetechniek in de VS gestudeerd. De kandidaten van links reden op groene fietsen naar de verkiezingsbijeenkomsten, de mensen van centrumlinks plantten struiken op schaarse grasveldjes, de progressieve kandidaat voor het premierschap deelde rode rozen uit op de Torgalmenning en de conservatieve kandidaat liet zich door de Noorse Omroep filmen in een hoogst amicaal gesprek midden op de groentemarkt van Stavanger, een beetje stijf glimlachend misschien, maar het gebeurde toch. Dit jaar beloofden ze allemaal meer dan ooit tevoren en iedereen wist dat ze minder dan ooit zouden kunnen waarmaken. Het was hoogseizoen voor oude cynici. De optimisten waren ondergedoken.

Vanaf kantoor belde ik Vegard Vadheim. Ik vroeg of er nog nieuws was in verband met het opsporingsbericht dat ze hadden laten uitgaan. Hij antwoordde dat hij daar niet op kon antwoorden, maar dat er niets te melden was. Ik bedankte en hing op.

De ochtend ging in stilte voorbij, als een bescheiden begrafenisganger. Uit de aangrenzende praktijk klonk het gonzende geluid van de tandartsboor. Ik dacht aan de assistente die nerveuze patiënten een servet om de hals deed, amalgaam mengde en nieuwe afspraken maakte. Als ik ooit een behoorlijk honorarium kreeg, moest ik zelf misschien ook maar eens een afspraak maken. Met haar.

Om vijf voor halfdrie was ik bij de secretaresse van Konrad Fanebust. In de hal was ik langs twee jonge, kortgeknipte en goed geklede mannen gelopen, die fluisterend in een ernstig gesprek gewikkeld waren, de een met een stapel documenten in zijn hand, de ander met een aantal landelijke kranten. Op het moment dat ik hen passeerde, vielen ze stil. Nog voor ik de receptie was binnengegaan, kwam het gesprek weer op gang.

Fanebusts secretaresse keek op toen ik binnenkwam. Ze keek op haar horloge. Dat was van goud. Ze was vandaag in het groen: groene rok, moskleurig twinset, barnsteenkleurig sieraad om haar hals. 'Uw naam was Veum?' constateerde ze.

Ik glimlachte. 'U vergeet nooit een gezicht.'

Ze zei droog: 'Het staat hier op mijn blocnote.'

'Mijn gezicht?'

'Uw naam.' Ze draaide Fanebusts nummer en meldde dat ik er was. Ze legde de hoorn neer en zei: 'U kunt naar binnen gaan, meneer Veum.'

'Dank u zeer.'

Ik deed de deur open. Konrad Fanebust zat net als de vorige keer te schrijven aan zijn bureau. Hij wees me dezelfde stoel aan en ging door met schrijven, als een volmaakte reprise. Niet zoals in films, waar je je de scènes volkomen anders herinnert dan ze in werkelijkheid waren. Dit was een getrouwe kopie, ofwel een zeer goede imitatie.

Hij zag er hooguit iets vermoeider uit dan de vorige keer. Het was moeilijk uit te maken of dat door de crisis in de scheepvaartindustrie kwam of door de nachtelijke uren in Kopenhagen. Maar de rimpels waren een fractie dieper en zijn glimlach iets meer gespannen, toen hij zijn vulpen keurig terzijde legde, het briefpapier in dezelfde map als de vorige keer legde, zijn handen voor zich op tafel vouwde en zei: 'Ja... Veum. U had mij iets belangrijks te vertellen. Wil dat zeggen... u heeft hem toch niet gevonden?'

'Wolff?' vroeg ik luchtig.

'Ja?'

'Nee.' Ik sloeg hem nauwlettend gade. 'Had u dat verwacht?'

'Wat bedoelt u... verwacht? U zei toch zelf... u dacht toch dat hij misschien toch nog in leven was?'

'Ja. Ik wist misschien niet beter. De vraag is intussen: hoeveel wist u, Fanebust?'

Zijn gezicht werd een fractie roder. Toen nam hij zijn vingers van elkaar, maakte een gebaar naar mij, als een soort verzoek om me nader te verklaren en legde vervolgens zijn ellebogen weer op het bureau en zette zijn vingertoppen precies tegen elkaar.

Ik zei: 'U had me moeten vertellen dat u Sjouwer-Johan kende... of Johan Olsen, om zijn burgerlijke naam te gebruiken.'

Zijn gezicht verried niets. 'Johan Olsen?'

'U heeft hem in januari 1971 opgezocht. Kort voordat hij verdween.' Ik boog me voorover. 'Ik heb betrouwbare getuigenverklaringen, Fanebust, het heeft geen zin iets te verbergen.'

Hij zei: 'Wat zou ik te verbergen hebben? Johan Olsen is een heel gewone naam en ik kan best toegeven dat ik iemand heb gekend die zo heette. Maar wat heeft dat hiermee te maken?'

'Vertelt u eerst eens hoe u hem kende. Hij verkeerde niet bepaald in uw kringen.'

'Nee, maar Johan was een van mijn strijdmakkers in de oorlog. Hij hoorde niet tot de vaste kern, zoals Hjalmar Nymark, maar hij was er ook bij. Hij was een goede kameraad. Iemand waar je op kon vertrouwen. Helaas ging het na de oorlog niet zo goed met hem. Hij was niet de enige, er waren er meer die psychische problemen kregen en aan de drank raakten. Het ging slecht met Johan. Soms, als ik kon, hielp ik hem een handje. Ik bezorgde hem bijvoorbeeld die baan op de kade, maar uiteindelijk kon je niet meer op hem vertrouwen en draaide hij volledig door. Het is best mogelijk dat ik hem in januari 1971 heb opgezocht. Dat kan ik me niet herinneren. Ik kwam niet vaak bij hem thuis, maar het gebeurde wel.'

'Waarom kwam u bij hem thuis, als u daar kwam?'

Hij keek me koeltjes aan. 'Oude vriendschap. Als je samen onder zulke omstandigheden hebt gevochten, zoals Johan en ik, dan probeer je het contact te onderhouden. Hoe moeilijk dat soms ook is.'

'Maar toen verdween hij dus.'

'Ja, dat kan ik me nog herinneren.'

'Dat kunt u zich herinneren. Heeft u ooit iets ondernomen om hem te vinden?'

'Ik? Dat liet ik aan de politie over. Wat vindt u dat ik had moeten doen? Een privédetective in de arm nemen?'

'Ach...'

'Mensen verdwijnen, Veum. Als je ouder wordt, verdwijnen mensen. Sommigen gaan dood. Anderen verhuizen naar andere steden, andere landen, ontglippen de samenleving en verdwijnen. Anderen verdwijnen gewoon, zomaar. Ze blijven misschien in dezelfde stad wonen, maar je ziet ze nooit meer. Misschien is het toeval, het lot, weet ik veel. Als ik nu aan mijn leven terugdenk, hoeveel van mijn vrienden heb ik dan nog? Hoeveel van mijn strijdmakkers zijn er nog? Je moet bedenken... we hebben toen een paar jaar onder zeer hoge druk geleefd en dat gaat je niet in de koude kleren zitten. Veel van ons zijn te vroeg gestorven.'

'Maar de verdwijning van Johan Olsen was iets anders, of niet soms?'

'Ja', zei hij abrupt. 'Misschien', voegde hij er toen snel aan toe.

'Ja... misschien?' herhaalde ik, langzaam en vragend.

Konrad Fanebust zat rechtop achter zijn bureau, smal en mager. Zijn gezicht was benig, zijn haar wit. Hij leek het skelet van een beeldhouwwerk dat nog geen vlees en contouren had gekregen. Hij keek afwezig en peinzend. Toen was hij ineens weer terug op zijn kantoor. 'Waarom komt u nu ineens met Johan Olsen op de proppen, Veum?'

Ik zei: 'Er is een dode vrouw gevonden, maandagavond, in Sandviken. U heeft het vast in de krant gelezen.'

Hij knikte langzaam.

'Die vrouw was Olga Sørensen, de vriendin van Johan Olsen, de vrouw met wie hij samenwoonde. Op de avond dat ze stierf, werd er een man bij haar huis gezien. Een man die mank liep.'

Hij sloeg me gade, gespannen en waakzaam. 'U bedoelt dat... dat betekent dat...'

Ik wachtte op de rest, maar die kwam niet. Toen zei ik: 'Wat is er eigenlijk met Johan Olsen gebeurd, in 1971?'

'Hij...' Hij beet op zijn tong.

'Ja?'

Konrad Fanebust bekeek me indringend. Zijn blik gleed over me heen, bestudeerde mijn zakken, knopen, helemaal omlaag naar mijn schoenen en weer omhoog. Toen legde hij zijn handen plat op het bureau, boog zich een beetje naar voren en zei met zachte stem: 'Hij heeft het land verlaten. En ik heb hem geholpen.'

'Zo?' Ik wachtte.

'Ja, ik had werkelijk een speciale reden, die keer, in januari. Hij was naar me toe gekomen, ten einde raad aangaande zijn levenssituatie, om het plechtig te zeggen. Hij voelde zich doortrokken van de alcohol, weggezakt in een treurige relatie, deel uitmakend van een armoedig en deprimerend milieu. Hij wilde eruit... weg van alles. En hij wilde alle banden verbreken. Wilde niet dat zij iets zou weten, die vrouw, niemand. En vroeg mij om hulp. Een oude strijdmakker... Ik kon geen nee zeggen.'

'Nee?'

'Nee! Ik had relaties, in andere landen. Spanje, Portugal, mogelijkheden te over. Dus ik heb hem geholpen... het land uit, een ticket voor hem geregeld, iemand om hem op te vangen en genoeg geld om de eerste tijd het hoofd boven water te kunnen houden.'

'Een lening?'

'Noem het liever schuld. Ereschuld. Ik was het hem verschuldigd. Ik was aan de zonzijde beland, terwijl hij in de schaduw had moeten leven, op de bodem van de samenleving.'

'En later?'

'Later wat?'

'Ja, u heeft toch wel contact met hem gehouden?'

'Nee, dat was de voorwaarde. Van *zijn* kant. Alle banden moesten verbroken worden. Noorwegen had voorgoed voor hem afgedaan.'

'Bijna alsof hij dood was?'

'Ja, en dat dacht men immers ook. Dat doel was dus bereikt.'

'En dat deed u... kosteloos?'

'Zoals gezegd! Wat had hij me moeten geven... als vergoeding?'

Ik hield zijn blik vast. We staarden elkaar aan. Zijn ene ooghoek trilde bijna onzichtbaar en ik voelde hoe mijn eigen ogen smaller werden.

Ik doorbrak de stilte: 'Sjouwer-Johan had relaties in het havenmilieu. Hij had aan de sleutel van die poort op Nordnes kunnen komen.'

'Waar op Nordnes?'

'Waar Harald Wolff in elkaar werd geslagen. De sporen in de sneeuw lieten duidelijk zien dat daar op z'n minst twee personen bij betrokken waren.'

Zijn ogen werden star en hard. Zijn mond werd een stugge, grijze trampoline, waar de woorden als snelle acrobaatjes uit sprongen: 'Juist, ja. En wat dan nog? Had hij het niet verdiend soms?'

42

In vergaderingen had Konrad Fanebust wel zwaardere strijd geleverd en hardere noten gekraakt dan ik was, dus hij hervond snel zijn kalmte. Met een zachte, meegaande stem zei hij: 'Oké, ik geef het toe, wij hebben Rattengif gedood, Johan Olsen en ik.'

Hij maakte een sigarettenetui open, nam er een sigaret uit en bood mij er vervolgens ook een aan. Ik bedankte en hij stak de sigaret op. Toen leunde hij achterover in zijn stoel met de hoge rugleuning. In de glazen deurtjes van twee van de boekenkasten gloeide de sigaret in een dubbele reflectie op. Op een bepaalde manier waren we niet langer alleen. We zaten gezellig bij elkaar, er werd gerookt en een enkeling had iets op te biechten. En we waren elkaar gaan tutoyeren.

Konrad Fanebust zei: 'Ik zal je het hele verhaal vertellen, Veum, zoals het is gebeurd. Maar dit is de enige keer dat ik het vertel en ik zal het nooit herhalen. Mocht je van plan zijn om deze zaak verder uit te zoeken, dan is dat op eigen risico. Dus zoals gezegd... uitsluitend voor jouw informatie. Het is geen lang verhaal.'

'Goed, ik ben een en al oor', zei ik en maakte een weids armgebaar.

'Zoals ik al zei, toen we elkaar de vorige keer spraken: we wisten dat Harald Wolff Rattengif was, maar we hadden geen bewijzen. De jaren verstreken en oude strijdmakkers stierven, maar Harald Wolff liep vrij rond, springlevend en met het zuiverste geweten ter wereld. En de verbittering over juist dat feit groeide alsmaar, dag na dag. Rattengif was een opdracht die we niet hadden afgemaakt, als je me begrijpt. Tijdens de oorlog hadden we besloten dat het onze belangrijkste opdracht was om hem uit de weg te ruimen en dat we wraak zouden nemen als we hem na de oorlog te pakken zouden krijgen. Maar je weet hoe het ging. Toen de vrede kwam, werden we allemaal zo vreselijk geciviliseerd, als het ware. Tja, en Hjalmar was een dienaar van de rechtvaardigheid. Zonder bewijzen had het geen enkele zin. Tastbare bewijzen. Maar hoe moesten we daar in godsnaam aan komen? Dus...'

'Ja?'

'Daarom ging ik naar Johan. Ik legde hem het idee voor. Om het recht in eigen hand te nemen en Rattengif voor eens en voor altijd uit de weg te ruimen. We zouden hem naar een afgelegen plek lokken en hem daar zijn verdiende loon geven. En Johan deed mee. Hij stelde die plek op Nordnes voor, omdat het tegelijkertijd zowel centraal als afgelegen lag en omdat... ja...' Een knikje naar mij. 'Hij had een sleutel.'

'Maar hoe kregen jullie Wolff daarheen?'

Hij glimlachte verwrongen. 'We deden hem een aanbod waar hij geen nee op kon zeggen. Vijftigduizend, voor zijn oude vaardigheden. We lieten doorschemeren... Johan onderhield het contact... dat hij ons door oude relaties was aanbevolen en ik wist wel zoveel van het nazimilieu dat we het verzoek geloofwaardig over konden brengen. Ik wist dat hij van weinig geld moest rondkomen, hij werkte toen ook als bode en... tja, hij kwam.'

'En wat gebeurde er toen?'

Hij grijnsde. 'We deden wat we ons hadden voorgenomen.

Tijdens de oorlog had ik al aan behoorlijk wat brute dingen meegedaan, maar toen was het noodzaak. In zekere zin waren we terug in de tijd, daar achter die boothuizen, oog in oog met onze oude aartsvijand. Johan hield hem van achteren in de gaten, ik kwam uit de schaduw tevoorschijn zodat hij mijn gezicht kon zien. Het sneeuwde een beetje, lichte vlokken, het was steenkoud en er stond een snijdende wind van zee. Ik zag dat hij me herkende. Hij wilde schreeuwen, maar ik gaf Johan een teken en die sloeg hem neer, van achteren, met een ijzeren stang.'

'En toen hebben jullie gehakt van hem gemaakt?'

'We hebben hem niet gemarteld, zoals zijn soort vaak met onze kameraden deed, in de oorlog. Maar we hebben misschien iets van onze agressie op zijn lijk losgelaten... toen hij al dood was.'

'Het klinkt niet erg fraai.'

'Oorlog is nooit fraai, Veum.'

'Nee, zeker niet als hij een kwarteeuw na dato wordt uitgevochten.'

'Voor ons was het nog steeds oorlog, Veum. Voor ons is die eigenlijk nooit afgelopen.'

'Tja, je zult mij geen oordeel horen vellen. Ik... en vervolgens heb je Johan Olsen dus geholpen het land uit te komen?'

'Ja, op die voorwaarde heeft hij me geholpen.'

'En sindsdien heb je niets meer van hem gehoord?'

'Geen woord.'

'Wie heb je dit nog meer verteld?'

'Niemand, Veum. Alleen jij en ik weten het.' Het klonk bijna als een dreigement.

'En Johan Olsen', zei ik.

'En Johan Olsen', zei hij en knikte.

'Maar wat heeft dit verdorie met Hjalmar Nymark te maken? Er zijn te veel losse eindjes, Fanebust. En Olga Sørensen... stel dat Johan Olsen is teruggekomen uit het buitenland? Hij liep immers mank. Zou hij jou dan niet opzoeken? Of Olga Sørensen?'

Konrad Fanebust zei: 'Ik heb je dit verteld, Veum, omdat ik denk dat je op een dwaalspoor zit. Dit heeft hoe dan ook niets met Hjalmar Nymark te maken. Hij is er nooit bij betrokken geweest, op geen enkele manier. Hij had geen flauw idee van hoe het in elkaar stak. Ik denk dat je de zaak van een andere kant moet bezien... nu je in ieder geval buiten beschouwing kunt laten wat er in 1971 is voorgevallen. Je weet nu ten minste wat er toen is gebeurd.'

'Maar waarom... waarom vroeg je mij zo nadrukkelijk of ik wilde proberen Harald Wolff te vinden? Waarom deed je alsof je geloofde dat hij nog leefde?'

'Luister, Veum... ik speel dit spel al jaren, het gaat automatisch. Samenzwering is de leus. Zo hebben we overleefd. Je geeft een slag nooit gratis uit handen. En de feiten stonden immers aan jouw kant. Hjalmar is inderdaad onder verdachte omstandigheden gestorven en je kon net zo goed op Harald Wolff jagen als op een andere schim. Als je degene vindt die Hjalmar heeft omgebracht, ben ik nog steeds bereid je honorarium te betalen.'

Ik keek hem strak aan. 'Ik weet niet of ik dat kan aannemen.'

'O nee?'

'Het zou de indruk kunnen wekken dat je me betaalt om m'n mond te houden.'

'En wie zou dat weten, behalve jij en ik?'

'Precies. Ikzelf.'

Hij gaf geen antwoord, maar keek me korzelig aan vanaf zijn plaats achter het grote bureau.

Ik had niets meer toe te voegen. En ik had meer dan genoeg voor mijn kiezen gekregen. Eén raadsel was opgelost, maar er stonden er nog meer te wachten.

Ik zei: 'Heb je wel eens zaken gedaan met Hagbart Helle?'

'Niet dat ik weet, Veum', zei hij luchtig. 'Maar in ons vak... hij bezit immers schijnfirma's bij de vleet. Dan is het moeilijk om je handen schoon te houden. Maar als je de kranten hebt gezien... we worden in de gaten gehouden. We kunnen ons momenteel niet veel misstappen veroorloven.'

'Wel eens iemand ontmoet die Carsten Wiig heet?'

'Nooit. Wie is dat?'

'Een vent die grafredes houdt voor lijken die er nog niet eens zijn.'

'O. Nou, als je me wilt verontschuldigen, Veum...' Hij strekte zijn hand uit naar de map. 'Ik moet nog wat papieren doornemen. Dus... bedankt voor je bezoek... en veel succes verder. En denk eraan...'

'Ja?'

'Wat ik je nu verteld heb, is nooit gezegd. Begrepen?'

'Daar moet je maar van uitgaan, Fanebust. Tot ziens.'

'Tot ziens.'

Voor ik de deur achter me had dichtgetrokken, hoorde ik het krassen van de vulpen op het papier. Hij verdeed zijn tijd niet. En zijn secretaresse verkwistte haar glimlachjes ook niet. Ze pasten goed bij elkaar.

43

Ik at wat in de stad. In het Chinese restaurant met uitzicht op de markt serveerden ze royale porties tegen een acceptabele prijs en het volume van de oriëntaalse muziek die via de luidsprekerinstallatie klonk, was zodanig dat je jezelf nog kon horen denken. En ik had veel om over na te denken. Ik begon een patroon te ontwaren.

Na het eten wandelde ik snel naar de Wesenbergsmau, waar ik aanbelde bij het huis van Elise Blom. Er werd niet opengedaan. Dat gaf me twee voor de hand liggende mogelijkheden. Aan de derde wilde ik liever niet denken. Ik ging eerst naar de bingohal.

Ik liep de steile trap op en keek vanaf de deur naar binnen. Er heerste eenzelfde stemming als laatst: een geconcentreerde, bijna onderdanige overgave aan de getallen die uit de hese luidsprekers schuurden. Het viel me weer in dat het misschien juist het gemis aan religiositeit in de rest van de maatschappij was waardoor al deze zalen zo vol zaten. Het ritueel van het bingospel en de magie van de getallen bevredigden misschien wel een diepgewortelde oerbehoefte bij de mensen die er kwamen. De felle neonreclames vormden misschien de glasschilderingen van deze tijd, de eeuwig variërende getallenreeksen een Latijnse liturgie en de bingogastvrouwen de hoge priesteressen van de twintigste eeuw.

Elise Blom was er niet.

Ik liep naar beneden, de straat weer op.

Toen ik de trap van het restaurant dat we hadden bezocht op wilde gaan, was de grote, brede portier net bezig een zeer benevelde vrouw naar buiten te loodsen. Ze waren halverwege de trap en ik bleef naar ze staan kijken.

De portier droeg zo'n vuilgroen uniform dat je vaak ziet in dit soort etablissementen, als een soort privépolitiekorps. De vrouw droeg een smakeloze, blauw met roze jurk met een soortement kap over haar schouders. Ze had een donkere pruik op haar hoofd, die in haar dronkenschap echter een beetje scheef was komen te staan en in haar nek staken een paar lokken van haar echte haar naar buiten. Haar roodgeverfde mond was uitgelopen en ze gebruikte hem om de sappigste scheldwoorden op de onverstoorbare portier af te vuren. Toen er nog twee, drie treden waren te gaan, rukte ze zich plotseling los, maakte een misstap en tuimelde omlaag. Ik deed snel een stap naar voren en ving haar op.

Ze landde als een zak aardappelen in mijn armen en mijn vingers zakten helemaal in haar weg, alsof sommige aardappels de opslag niet hadden overleefd.

Ze bleef in mijn armen hangen, terwijl ze langzaam haar blik probeerde te focussen. Ze rook sterk naar bier en het duurde nogal lang voor ze me herkende. Het was Elise Blom.

De portier liep de trap alweer op, alsof hij aannam dat ik nu de verantwoording voor haar op me zou nemen. Hij keek niet eens meer om.

Toen ze eindelijk haar blik had scherpgesteld, probeerde ze hetzelfde met haar stem. Haar vlakke gezicht met de hoekige omtrekken getuigde van een toenemende graad van herkenning en ik voelde hoe ze trachtte weer stevig op haar benen te komen, om niet van mij afhankelijk te zijn. Haar stem kwam struikelend omhoog uit de diepte: 'Ve-um?'

Ik knikte.

'Jij verdsomdse klootsjak!'

'Dat klinkt alsof het zo uit je hart komt.'

Ze vertrok haar mond. 'Het komt sjo uit m'n reet!'

'Dat bedoelde ik. Bij sommige mensen zit het daar.'

Ze keek wazig naar me op. 'Wat moet je nou weer? Heb je nog niet genoeg ellende aangericht? Al die... al die sjmeerlapperij over Harald vertellen. Het was allemaal gelogen wat je zei dat hij in de oorlog had gedaan. Zo was hij niet.'

'Misschien niet,' zei ik, 'maar ik wilde je nog wat vragen. Als je naar huis wilt, kun je wel wat hulp gebruiken... Laten we iets afspreken: ik breng je naar huis en onderweg geef je antwoord op mijn vragen.'

Ze keek me achterdochtig aan. 'En waar gaan die over? Die vragen?'

'Geld.'

Ze zag er nog achterdochtiger uit 'Geld? Ik heb geen geld!'

'Nee,' zei ik luchtig terwijl ik de deur naar de straat opendeed, 'maar in 1955...'

Ze greep mijn arm en strompelde samen met me de stoep op.

'In 1955 had je wel geld.'

'Hoezo?'

'Je hebt een huis gekocht. Van een baantje als jongste kantoorjuffrouw tot huiseigenaar. Hoe heb je dat gedaan?'

'Hoe heb je dat gedaan?' aapte ze me na en zette koers naar de dichtstbijzijnde straathoek. Ze zocht steun bij de muur en na een paar passen bleef ze staan. Haar hoofd zwaaide heen en weer, haar blik slingerde op en neer. Het was duidelijk dat ze duizelig was en ik liep naar haar toe, klaar om haar te ondersteunen. Ze greep me bij mijn elleboog en trok me mee.

'En je collega, juffrouw Pedersen. Die had opeens geld genoeg om zich in Spanje te vestigen. Nog voordat ze met pensioen ging.'

Ze liep verder, maar ze klampte zich nu aan mijn arm vast. We zwaaiden de hoek om en liepen in de richting van de markt. Haar blik stond iets helderder. De frisse lucht deed haar goed. 'Ze had gespaard', zei ze tegendraads.

'Zoveel?'

Ze gaf geen antwoord. We staken de Strandgate over en toen we de hoek met de Strandkai bereikten, kwam een bevrijdend briesje ons tegemoet. Ik voelde mijn haar opwaaien, terwijl haar pruik als een dode vos op haar hoofd lag.

De markt was schoongespoten en nat. Op een paar plaatsen spiegelden we ons in de plassen: twee merkwaardige, verwrongen figuren, vanuit kikvorsperspectief gezien.

Ik zei: 'Twee kantoordames, allebei in dienst van een bedrijf dat afbrandde... volgens sommigen doordat de directie niet naar de waarschuwingen van de vertrouwensman van het personeel wilde luisteren. Waarschuwingen die hij volgens eigen zeggen op het kantoor heeft geuit... en die heel goed door juffrouw Pedersen en door jou konden zijn gehoord. En door Harald Wolff. Maar de vertrouwensman kwam bij de brand om en geen van jullie heeft ooit bevestigd dat hij iets had gemeld. Maar ten minste twee van jullie sprongen er met onverwachte financiële winst uit, om het nog maar niet over Hellebust zelf te hebben.'

Ze draaide haar hoofd langzaam naar me toe en keek me aan. 'Hellebust stond borg voor een lening, toen ik het huis kocht. De rest van het geld had ik van een... had ik geërfd.'

Ik staarde scherp terug. Ze keek een andere kant op. Het kon door de drank komen. Maar het kon ook zijn dat ze loog.

'Had Harald Wolff misschien geld?' vroeg ik. 'Uit de oorlog?'

Ze gaf geen antwoord.

We liepen zwijgend verder. Ze zag er somber uit. We staken Bryggen over, de Rosenkrantzgate en kwamen in de Øvregate. Ze had een aparte uitdrukking op haar gezicht gekregen, alsof ze een besluit had genomen.

Toen we bij de steeg voor haar huis kwamen, maakte ze zich los van mijn arm en leunde met haar rug tegen de muur van het huis. Ze legde haar hoofd in haar nek en keek me lonkend aan, met een hopeloos soort zinnelijkheid. Als ze dacht me te kunnen verleiden, had ze de verkeerde pruik uitgekozen – en de verkeerde dag. Maar waarschijnlijk moest ze alleen even ergens tegenaan leunen. Ze zei: 'Als je mee naar binnen gaat, zal ik je wat laten zien... papieren. Ik kan het bewijzen.'

'Oké.'

Ik zei niet dat een bewijs van het feit dat Hellebust werkelijk borg had gestaan voor haar lening, niet automatisch in haar voordeel was. Maar het kon evengoed interessant zijn haar papieren te zien.

Ze maakte haar handtas open, die tot dan toe een eigen leven had geleid aan haar pols en zocht enkele minuten naar de sleutel. Toen ze hem uiteindelijk vond, had ze nog eens een paar minuten nodig om de plaats van het sleutelgat te bepalen.

Ik wachtte geduldig.

Ten slotte kreeg ze de deur open. Ik volgde haar snel, voor het geval ze zich had bedacht of mijn aanwezigheid misschien was vergeten.

We kwamen in een donker, schemerig trappenhuis. Ze zocht naar de lichtschakelaar zonder hem te vinden en liep toen, in het donker, voor me uit naar boven. De trap kwam uit op een smalle overloop, waar ze een ouderwetse deur opendeed naar de kamers op de eerste verdieping. We kwamen binnen in iets wat ooit een hal was geweest: bruinge-schilderd en donker. Er was een grote kast in een hoek ge-drukt en aan de wand recht tegenover ons hing een stoffige, geborduurde afbeelding van een huis met een Noorse vlag ervoor.

'We gaan naar de woonkamer', zei Elise Blom en deed een andere deur open. Die was al jaren niet geolied. Het geknars klonk als het gekraak van oude boomtakken in harde wind.

De kamer was eenvoudig en Spartaans ingericht. Er ston-den een paar groene planten voor de ramen, waar grauw-witte vitrages voor waren getrokken. Op een secretaire stond een oud souvenir van een reis naar Duitsland: een minia-tuur biervat, gemaakt van keramiek, waaraan langs de rand zes kleine bierpullen hingen. Ik had er niet van opgekeken als er *Greetings from Deutschland* op had gestaan. Er hingen wat oude familieportretten aan de wand boven de secretaire, maar ik herkende geen van de gezichten.

In de hoek naast de secretaire stond een oud televisie-toestel, met ertegenover een ouderwetse, gecapitonneerde sofa met grijsgroene bekleding en enkele kussens met Har-dangerborduurwerk erop. Voor de sofa stond een lage salon-tafel en onder de tafel lagen een paar kranten. Ik zag de naam van een ervan: *Volk en vaderland*.

Elise Blom was naar het raam gelopen. Ze bleef nu op eigen kracht op de been, maar wankelde nog een beetje en haar blik dwaalde nog steeds hulpeloos rond, alsof ze iets zocht, of iemand.

Ik volgde haar blik.

In een van de wanden was een grote deuropening naar de volgende kamer. Midden in die kamer stond een eettafel met rechte poten en zes eetkamerstoelen eromheen. Aan het hoofd van de tafel zat een man, met zijn gezicht naar ons toe. Zijn ellebogen steunden op het tafelblad en hij had zijn krachtige handen samengebald rond de greep van een groot pistool. Hij had het pistool op mij gericht en ondanks het feit dat de foto's die ik van hem had gezien vijfendertig jaar oud waren, herkende ik hem moeiteloos. Het was Harald Wolff.

44

Het was een van die ogenblikken in het leven waarop alle dingen als het ware op hun plaats lijken te vallen. Tegelijkertijd stond alles stil. Ik had een intens gevoel van onwerkelijkheid.

Elise Blom had een sigaret gepakt. Ze stopte hem tussen haar lippen en stak hem met trillende handen aan. Ze stond en profil voor het raam, met haar schouders onnatuurlijk hoog opgetrokken, als een marionet die ergens aan was blijven haken.

De handen van Harald Wolff trilden niet. Hij hield het pistool rustig en stevig vast. Ik stond als aan de grond genageld, onbeweeglijk. Afgezien van de beweging op het moment dat Elise Blom haar sigaret aanstak, vormden we een verstilde – en onwaarschijnlijke – driehoek.

Ik was me er pijnlijk van bewust dat wat hij in zijn hand hield naar alle waarschijnlijkheid een Luger was: de uiteindelijke schakel tussen de persoon Harald Wolff en de onbekende moordenaar die Rattengif werd genoemd. De projectielen die ze uit mijn lichaam zouden peuteren, konden in een envelop worden gestopt met op het etiket: *het ultieme bewijs*. Maar ik zou daar niet meer bij zijn.

Toen hij sprak lieten Harald Wolffs ogen me geen seconde los, maar hij richtte zich niet tot mij. 'Wie is dat in godsnaam, Elise?' bromde hij met een versleten en krassende oudemannenstem, die al vele decennia geleden zijn zegje had gedaan.

Ik staarde hem strak aan, terwijl hij sprak. In een mensenmassa zou ik hem uit duizenden hebben herkend. Hij had nog steeds hetzelfde paardengezicht, met dezelfde grove trekken, en zijn haar was op precies dezelfde manier achterover gekamd als op de foto die ik in mijn binnenzak had. Het was in de tussentijd alleen helemaal grijs geworden: wolfsgrijs. De groeven in zijn gezicht waren dieper, de trek om zijn mond bitterder en zijn huid was bleek en flets, zoals bij mensen die langdurig gevangen hebben gezeten. Iets wat hij de afgelopen tien jaar blijkbaar ook was geweest. Hoe oud was hij? Ik maakte snel een berekening en kwam tot de conclusie dat het antwoord zevenenzestig was. Hij had de pensioengerechtigde leeftijd bereikt. Momenteel zag het er niet naar uit dat ik die ooit zou halen.

Niet alleen de handen van Elise Blom trilden, haar stem was ook niet erg vast toen ze hakkelde: 'D-d-dat is d-die p-p-privé-d-detective waar ik je o-o-over heb v-verteld...'

Zijn ogen werden nog killer, boven het derde, zwarte oog dat hij in zijn hand hield.

'Een privédetective?' spuwde hij uit. Hij had een rollende r. Even gleden zijn ogen met een ongelovige blik opzij, naar Elise Blom. Toen hij mij weer aankeek, vermoedde ik iets anders, nog zwarters in zijn blik. Het was angst, bodemloze angst, en dat deed een rilling door mijn lichaam gaan. Niets is gevaarlijker dan een angstig roofdier.

Elise Blom schreeuwde: 'Ik heb het voor jou gedaan, Harald! Je moet...' En toen kwam, zo zacht dat ik het bijna niet kon horen: '...naar de dokter.'

De donkere angst breidde zich uit, verspreidde zich over zijn gezicht, naar zijn bleke mond, de grauwwitte huid onder zijn ogen, de droge huidplooien aan de zijkant van zijn hals. De handen die het pistool vasthielden trilden een heel klein beetje en ik zag dat Harald Wolff nog slechts een schaduw was van wat hij ooit moest zijn geweest.

Moeiteloos zag ik hem als jonge jongen voor me, op het boerderijtje in de buurt van Ulven, in de donkerste bossen die het district Bergen rijk is, waar de sparren zo hoog en donker zijn, dat je een geboren puritein moet zijn om je er thuis te voelen. Ik zag hem voor me, in een wijde, grijze broek die met bretels over een ontbloot bovenlichaam werd opgehouden, blootvoets buiten op het veld, terwijl hij met de zeis sloeg, heen en weer, heen en weer. Zijn sterke bovenlichaam glom van het zweet en het maakte niets uit dat hij een beetje met zijn ene been trok: het was bijna natuurlijk daar buiten op het hooiland. Zijn kuif was lang en warrig, maar in zijn nek en boven zijn oren was zijn haar opgeschoren. Een enkele keer bleef hij staan en staarde hij naar de blauw met witte zomerhemel, die als een lokkende belofte boven de Ulven-bergkam hing. Dan maaide hij door.

Ik had er ook geen moeite mee om me hem later voor te stellen, toen hij naar de stad was verhuisd, waar hij ineens een bruin overhemd kreeg en nieuwe vrienden met frisse, rode wangen. Waar hij vrolijke liedjes zong en een echt doel in het leven had: het land redden van de bolsjewieken, het wereldcommunisme een halt toeroepen. Zijn hele verschijning, daar aan de andere kant van de tafel, had iets gebogens, iets wat zijn dubieuze aard benadrukte. Je kon je voorstellen hoe hij tijdens de oorlog zijn duistere afspraken met representanten van de bezetter maakte. Je kon hem met de kraag van zijn jas omhoog zien staan, verdekt opgesteld in een portiek of in een steegje achteraf, terwijl de Gestapo zijn nachtelijke invallen deed, volgens zijn raadgevingen en aanwijzingen. En je kon hem behendig en vaardig in scène zien zetten wat later als 'ongelukken' geclassificeerd zouden worden.

Zoals hij daar zat, bevond hij zich in een mausoleum voor zijn eigen geloof. Achter hem, aan de wand boven een commode, hingen twee grote foto's. De een was van Adolf Hitler, de ander van Vidkun Quisling, allebei in uniform. Op de commode stonden twee driearmige kandelaars met lange kaarsen erin, die nu niet waren aangestoken, maar die als het ware een altaar vormden voor de twee leidersfiguren in zijn leven, de twee die hem langs de lange, bochtige weg hadden geleid, die naar een schemerige kamer en een wanhopige vrouw voerde, en naar de confrontatie met een man die hij nog nooit had gezien.

De kamer was bruin van kleur: het behang was oud en beduimeld, de vloerbedekking versleten, de oude eettafel had strepen in de lak. Het gezicht van Harald Wolff hoorde thuis in die omlijsting, alsof hij zelf net zo dood was als de twee op de foto's.

'Je bent een stomme idioot, Elise. Nu heb je alles verpest.' Er was een lege klank in zijn stem, een onheilspellende toon die weinig goeds beloofde, noch voor haar, noch voor mij.

Ik zei, en dat waren de eerste woorden die ik uitbracht: 'Wat scheelt je, Wolff?'

Een flikkering in zijn ogen. 'Dus je weet wie ik ben?' Ook zijn blik beloofde niet veel goeds.

Ze viel in: 'Hij moet naar de dokter. Ik heb het tegen hem gezegd, allang, dat hij niet moest blijven rondlopen als... hij...' De tranen stroomden nu over haar wangen en haar ogen hingen aan zijn gezicht. 'Hij bloedt vanbinnen. Er komt bloed uit hem. Hij wordt langzaam opgegeten, maar omdat... omdat hij ooit... ooit heeft besloten om te... om te...'

'Om onder te duiken?' vroeg ik.

Hij trok zijn mond iets samen.

'Ja,' hikte ze, 'daarom kon hij niet ineens weer tevoorschijn komen.'

'Ze zouden naar mijn naam vragen. Die vervloekte communistische bureaucratie, het ziekenfonds zou vragen wie ik ben. Maar ik heb geen naam. Ik ben dood.'

Ik zei: 'Maar toch niet dood dus. Nog niet.' En alsof het nu pas echt tot me doordrong: 'Jij werd in 1971 helemaal niet vermoord.'

Zowel zijn blik als zijn stem getuigden nu van openlijke hoon. 'Nee, ik ben in 1971 niet gestorven.'

Plotseling werd het stil. Elise Blom stond met haar handen voor haar gezicht te huilen, een zacht, onderdrukt gesnik. Ik schudde de kaarten en probeerde de patience nog een keer uit te leggen. Toen ik begon te praten, ging het over 1953: 'Het plotselinge geld bracht me op het spoor.'

'Welk geld?' bromde hij, bijna tegen zijn wil.

'In 1953... en de jaren erna. Het geld dat Elise Blom in staat stelde dit huis te kopen. En het geld dat haar collega, juffrouw Pedersen, in staat stelde om zich in Spanje te vestigen, als een soort vervroegd pensioen. Als we jou meerekenen, Wolff, en Holger Karlsen, die dood was, en Hagbart Hellebust, die het minst van allen zin had om iets te zeggen, was er verder niemand op het kantoor toen het werd gezegd.'

'Wat werd gezegd?' vroeg Wolff.

Elise Blom was gestopt met huilen. Haar handen waren nu naar haar mondhoeken en haar onderlip gezakt. Ze staarde me met grote, betraande ogen aan.

Ik verplaatste voorzichtig mijn gewicht van mijn ene been naar het andere. 'Toen Holger Karlsen over achterstallig onderhoud kwam klagen en vertelde dat er mogelijk lekkage was in de productiehal.'

Ze staarden me aan zonder iets te zeggen. Zij waren niet langer de spoken. Nu was ik het, alsof Holger Karlsen zelf ineens springlevend bij hen was. 'Of heb ik het misschien niet bij het juiste eind? En een paar dagen later ontplofte de boel. Jij had vroeger al aardig wat te verduren gehad, Wolff, en je wist welke druk je op Hellebust kon uitoefenen als je het goed aanpakte. Je voerde tijdens de brand een reddingsactie uit, maar je zorgde er wel voor dat Holger Karlsen er niet levend uit kwam. Na de brand, toen Hellebust terug was uit Oslo, kon je hem de rekening presenteren. Je kon een zorgeloze tijd tegemoet zien. Maar je had twee handlangers nodig. De ene had je in de persoon van Elise Blom, en juffrouw Pedersen was half verblind van de loyaliteit die secretaresses nu eenmaal voor hun chefs voelen. Of misschien was zij ook gewoon blij met het geld dat ze op kon strijken. Het enige wat ik niet helemaal begrijp, is *jullie* relatie. Jij was jong en mooi, destijds,' richtte ik me tot Elise Blom en keek daarna weer naar hem, 'terwijl jij een vent van middelbare leeftijd was, veroordeeld wegens landverraad.'

Elise Blom hief haar hoofd enigszins op. De rode vlekken in haar gezicht verbleekten en wat daaronder was, was koud als ijs. Haar stem bevatte een eigenaardige tederheid toen ze hem aankeek. 'Ik hield van hem. Ik zou absoluut alles voor hem hebben gedaan.' Na een korte pauze voegde ze eraan toe: 'Later zijn we met elkaar vergroeid, in een manier van samenleven die denk ik alle geliefden kennen. De warmte veranderde in alledag, de geheimen werden bittere banden tussen ons.'

'En er is niets dat twee mensen hechter bindt, dan duistere geheimen omtrent gezamenlijke overtredingen', zei ik. 'Na de eerste jaren en het aanvankelijke verzwijgen waren jullie voor altijd met elkaar verbonden. Je zat aan hem vastgeketend en als je jezelf wilde bevrijden, moest je zelf ook eerst naar de gevangenis. Als ze je überhaupt al zouden geloven, na al die tijd. Als er al iets te bewijzen viel.'

Plotseling glimlachte Harald Wolff, een brede, akelige

glimlach, met grote, gele tanden. 'Nee, want er kon niets worden bewezen. En er zal ook nooit iets bewezen kunnen worden. Er is hier in de afgelopen tien jaar geen mens in huis geweest... behalve... zij en ik. Ik kan je doodschieten en je in een kist op zolder opbergen, en daar kun je liggen rotten, jarenlang, en er wordt niets bewezen.'

'Maar dan ben je zelf ook dood!' zei ik. 'Als je bloedt, duurt dat niet lang meer... dan moet je hulp hebben. Begrijp je dat niet? Dat is het niet waard. Geef je liever aan en krijg de behandeling die je nodig hebt. Je bent nu al zo oud en als je zo ziek bent... niemand zou...'

'Ha! Laat me niet lachen. Degenen die tijdens de oorlog aan onze kant hebben gestreden, die ontkomen niet. Wij worden zo mogelijk tot het graf vervolgd. En als we dood zijn, worden we belasterd. De Führer... wat werd er over hem niet verteld? En de mensen die vandaag de dag zijn ideeën aanhangen, hoe worden die behandeld... door de pers, of door de meeste mensen? ...Hoe heette je ook weer?' onderbrak hij zichzelf.

'Veum', antwoordde Elise Blom.

'Varg Veum', zei ik, met nadruk op mijn voornaam.

Hij knikte zwak. De naam zei hem niets, maar misschien kende hij graag de namen van de mensen die hij doodde.

Ik zei: 'Weet je hoe ze je noemden, tijdens de oorlog...?'

Hij staarde me kil aan.

'Rattengif', zei ik.

Hij ontblootte zijn tanden weer. 'Ze kregen hun verdiende loon.'

'Maar Holger Karlsen...'

'Holger Karlsen was een verdomde bolsjewiek!' snauwde hij plotseling. 'Een uitgekookte zaniker die alleen maar over de arbeidsomstandigheden kwam klagen, zodat hij en de andere vakbondsbonzen weer een veer op hun hoed konden steken... en zodat de arbeiders vrij zouden krijgen, tegen volledige betaling. Weet je wel wat het het bedrijf gekost zou hebben, als ze de productiehal hadden gesloten en een algehele inspectie hadden uitgevoerd? Hellebust zei dat we geduld moesten hebben en dat het in de zomervakantie zou gebeuren, en toen vroeg hij mij om een oogje op Karlsen te houden, en hem in te lichten als er iets was.'

'Het deed je niks, toen je hem doodde?'

'Ik heb hem niet gedood. Het dak stortte in.'

Ik deed twee stappen naar voren en hij schreeuwde: 'Stop!' Het pistool zwaaide omhoog en wees recht naar mijn gezicht. 'Geen beweging! Ik knal je zo neer, Veum!' Zijn gezicht was woest, ruw en bruut, en ik twijfelde er geen moment aan dat hij meende wat hij zei.

Ik hief afwerend mijn handen op en deed weer twee lange stappen naar achteren. 'Ik wilde niet...' Toen bleef ik staan, mijn hoofd gebogen, als een schooljongen voor een strenge rector. 'Maar ik heb iemand gesproken die zelf in de productiehal was toen het ongeluk gebeurde... en ik weet dat jij Holger Karlsen buiten de hal bent tegengekomen. Daarna heeft niemand hem meer in leven gezien. Daar is maar één verklaring voor, Wolff.'

Hij snauwde honend: 'En wie heb je dan gesproken? Die zuiplap van een Osvold? Brandmerk? Hoe lang denk je dat hij voor de rechtbank stand zou houden?'

'We zouden de proef op de som kunnen nemen...'

'Nee, dat doen we verdomme helemaal niet, want wij tweeën gaan niet naar de rechtbank, Veum. De rechtbank is hier en nu, Veum, en de rechter, dat is deze hier...' Hij knikte naar het pistool. Het leek me een strenge rechter en ik had alleen mezelf als verdediger.

Ik richtte mijn blik op Elise Blom. 'Praat met hem. Breng hem bij zinnen. Wat scheelt hem... kanker?'

Ze keek met opgewonden ogen van mij naar hem en knikte zwak. 'Ik heb het geprobeerd, sinds... Het begon bijna acht maanden geleden, met verstopping en diarree, en nu heeft hij ook pijn en hij bloedt. Ik zie de vlekken als ik het bed opmaak en in zijn kleren. Hij gaat dood, ik weet het. Ik had gedacht dat jij... dat hij wel zou luisteren naar... dat hij, als hij eenmaal ontdekt was, als hij geen verstoppertje meer hoefde te spelen, dat hij zich dan wel zou laten opnemen. Ze zullen hem toch niets aandoen, ofwel? Als ze zien hoe ziek hij is?' Ze keek me met smekende ogen aan.

Onwillekeurig wendde ik mijn blik weer tot Wolff, aangezien hij degene was over wie we spraken.

Hij was anders gaan zitten. Hij zat nu meer voorovergebogen, alsof een plotselinge buikpijn hem ineen had doen krimpen en hij leunde tegen de rand van de tafel. Er was een dun, ziekelijk laagje zweet op zijn fletse gezicht verschenen en ik zag hoe zijn knokkels wit werden in de greep om het zware pistool. Zijn bittere grijns leek een verlengstuk van zijn mond naar zijn kaken en zijn ogen waren een beetje zweverig, flakkerend geworden. Het pistool was echter nog altijd even vast op mij gericht en de loop was nog steeds even donker.

Weer werd ik getroffen door het onverbiddelijke en onwaarschijnlijke van het noodlot: dat het hier moest eindigen, misschien voor ons beiden, misschien voor ons alle drie. Dit waren niet de mensen met wie ik gedacht had samen te sterven. Dit was niet de kamer waarin ik gedacht had dood te gaan.

'Maar in 1971', begon ik.

'Hou je bek!' beet hij me toe. 'Hou op met dat gezwets. Ik wil... niet.' Zijn stem brak even. 'Ik zal je over de brand vertellen. Het is niet gegaan zoals je denkt. Hellebust trok zich niets aan van de waarschuwingen. Hij was in het verzekeringsgeld geïnteresseerd, maar hij vond wel dat de mensen gered moesten worden. Iedereen, behalve...'

'Holger Karlsen.'

'Ik weet nog, op het moment van de explosie... Ik was ervan overtuigd dat iedereen binnen dood was, maar ik moest beslist naar binnen toe, ik *moest* zien hoe het met Holger Karlsen stond. En dat was maar goed ook.'

'Anders was hij eruit gekomen.'

'Anders was hij...' Hij zweeg en toonde zijn tanden, niet uit hoon deze keer, maar van pijn. Hij kreunde zacht. 'Verdomme!'

'Begrijp je niet dat je naar een dokter moet?' viel ik uit.

'Harald!' zei Elise Blom en liep naar hem toe.

Hij keek haar verwilderd aan. 'Blijf staan! Ik schiet, Elise.' Het pistool zwaaide naar haar, ik verplaatste mijn lichaamsgewicht, maar toen was de loop alweer op mij gericht. Ik bleef staan. Elise Blom viel op haar knieën en verborg haar gezicht in haar handen. In haar nek zag ik duidelijk de overgang tussen haar huid en de pruik. Het lusje van haar jurk was losgegaan en haar nek leek broos en kwetsbaar. Maar niemand aaide haar over haar haar. Niemand troostte haar.

Ik hield Harald Wolff nauwlettend in de gaten. Hij zat er nu bij als een gespannen veer, overeind gehouden door pijn en radeloosheid, met als enig houvast het zwarte, van olie glimmende pistool.

Ik kreeg kramp in mijn benen en ik vroeg me af hoe lang ik nog zo kon blijven staan. De spanning in mijn lichaam was naar onderen verplaatst en mijn beenspieren trilden. Mijn dijen en mijn onderlichaam deden pijn en in mijn maag maalde de doodsangst als een genadeloze trommel. Ik knikte blind naar de twee portretten die achter hem aan de wand hingen en zei: 'Je bent, na al die jaren, nog steeds dezelfde opvatting toegedaan?'

'We zijn met meer dan je denkt, Veum. We staan op het punt weer op te staan en we hebben de jeugd aan onze zijde. De kranten proberen het te verzwijgen, maar we groeien gestaag... in Duitsland, in Noorwegen, ja, zelfs in Engeland.'

'De oude aartsvijand?' vroeg ik mat. 'Het bolwerk van de democratie?'

'Wij zijn de ware democraten, Veum!' vlamde het in hem op. 'Wij vormen de echte toekomst, door ons wordt de mensheid gelouterd en herboren. Er is nu veel te veel vuil en ellende, vermenging van rassen en naties. Maar de mensen van de toekomst zijn rein en blank, herboren...'

'In een zuiveringsbad van bloed en vuur?'

'Een bevrijdend zuiveringsbad van ijzer. We zullen ze neersabelen, de dwergen en de bolsjewieken, de joden en de zwarten. Alle onwaardigen en onreinen moeten weg, verdwijnen...' Zijn ogen waren een ogenblik ver weg geweest, glazig, en ik had mijn lichaamsgewicht nogmaals verplaatst. Toen keerde zijn blik plotseling weer terug en de drie ogen staarden me aan, het ene koude, zwarte oog voorop, met de twee koortsige zwarte erboven. 'Misschien ben jij ook wel een jood, Veum.'

Ik wees met mijn hand naar mijn blonde haar. 'Zie ik er zo uit?'

'Of een bolsjewiek?'

Ik vermande mezelf en dwong zowel mezelf als hem weer in de werkelijkheid terug. 'Maar wat was in 1971...'

'Hou je bek, zei ik!' Het pistool trilde. 'Ik heb gezegd dat ik je over de brand zou vertellen. Na afloop ging het zoals ik had verwacht. Hellebust gaf ons wat we vroegen. Ik had natuurlijk een zekere reputatie en we waren het erover eens dat het niet bepaald slim zou zijn om het geld aan mij te geven. Maar Elise en ik waren al samen en ik vond het niet erg om door haar te worden onderhouden. Zij was namelijk nergens van op de hoogte. Zij was er niet bij toen Holger Karlsen kwam klagen. Alleen Hellebust, juffrouw Pedersen en ik waren er. En Pedersen at uit Hellebusts hand. Elise begreep wel dat er iets aan de hand was, maar ze nam aan dat het iets tussen Hellebust en mij was, dat nog uit de oorlog stamde. Zij nam me namelijk voor wie ik *was*, Veum... geen landverrader, zoals jullie me noemden, maar een martelaar voor de goede zaak, voor de toekomst.'

'Een martelaar voor de toekomst', herhaalde ik, haast zonder intonatie.

'En waarom denk je dat ik je dit allemaal vertel, Veum?' Zijn gele tanden werden weer zichtbaar. 'Nou?'

Ik haalde mijn schouders op en maakte een vragend gebaar met mijn handen.

Hij omklemde het pistool weer. 'Ik zie graag mensen sterven, Veum.' Na een gespannen, bijna pijnlijke pauze voegde hij daaraan toe: 'Maar ik zie het liefst hun angst, vóór ze sterven. Heb jij met iedereen afgerekend, Veum? Heb jij een geloof? Weet jij of je in de hemel komt of in de hel, als de dood je zo dadelijk opslokt?'

'Ja,' antwoordde ik, 'ik weet waar ik kom.'

'Zo, en waar is dat dan?' vroeg hij honend.

'Ergens waar jij nooit zult komen, Wolff, en nog verder. Want als jij bent leeggebloed, dan loop ik daar beneden op straat.' Ik wees met mijn hand naar het raam. 'En dan leef ik nog.'

'Dat denk je maar!' snauwde hij.

'Ik weet het zeker', zei ik en wierp mezelf vervolgens opzij. Maar ik haalde het raam niet. Ik struikelde over een vloerkleed en tuimelde blind tegen de muur, zakte door mijn knieën en hoorde de enorme knal achter me. Het zware projectiel sloeg in de wand op de plaats waar ik had gestaan en verbrijzeld stucwerk viel knarsend omlaag. Toen klonk er nog een knal en ik kroop ineen, als een embryo, als laatste bescherming tegen de dood, terwijl ik onbewust op het volgende schot wachtte, het laatste.

Maar er klonken geen schoten meer. Het enige wat te horen was, was het zachte, kermende gesnik van Elise Blom en de oorverdovende, dreunende stilte die volgt op dergelijke knallen in kleine ruimtes.

Na een tijdje richtte ik me op en keek met nieuwe, frisse ogen om me heen, alsof ik uit de dood was opgestaan.

De tweede keer had Harald Wolff de loop van het pistool in zijn mond gestoken en overgehaald. Het schot had op de wand achter hem een grijsrode, onregelmatige rozet van hersenmassa en bloed getekend, in het midden tussen de portretten van Adolf Hitler en Vidkun Quisling.

45

Ik liet het aan Elise Blom over om de politie of wie ze ook maar wilde op te bellen. Zelf verliet ik het huis met een katterig gevoel. De twee schoten zongen nog steeds in mijn oren en ik zag nauwelijks waar ik liep.

Harald Wolff was dood. Hij had me niets over Hjalmar Nymark verteld, of over al het andere. Maar dat was ook niet nodig. Ik kende de antwoorden nu.

Beneden op de Strandkai staat zo'n ongastvrije, rode telefooncel, die op bijna iedere kade in West-Noorwegen te vinden is. Zodra je voet aan wal zet, kun je het nummer kiezen van mensen die allang vergeten zijn dat je bestaat en terwijl de storm om je benen giert kun je dan naar de ingesprektoon luisteren.

Ik ging de cel binnen, wierp een munt in het telefoontoestel en draaide het privénummer van Konrad Fanebust. De vrouw die de telefoon opnam, zei dat Fanebust niet thuis was.

'Waar is hij dan?' vroeg ik.

'Op een receptie, in het raadhuis.'

Ik bedankte en hing op.

Enkele minuten later stond ik voor het raadhuis, die stuwdam van glas en beton, opgericht als een monument voor de grootheidswaanzin van de jaren zeventig. Bij de balie op de parterre vernam ik waar de receptie plaatshad.

Ik nam de lift naar de bovenste verdieping – de twaalfde – en ging af op het geluid van stemmen in de grote ontvangstzaal.

De ruimte was bijna halfvol mensen, verspreid over diverse groepjes die rond een lang, lopend buffet stonden. De bijeenkomst bestond uit min of meer actuele coryfeeën. Ik zag minstens twee door faillissement en belastingcontrole bedreigde reders, plus verscheidene andere representanten van scheepvaart en handel. In een groepje apart stonden twee reeds lang gepensioneerde burgemeesters van elkaars fletsheid te genieten. Een politicus van Socialistisch Links voorzag zichzelf ruimschoots van koud vlees, een bekende dame van de Arbeiderspartij lachte een lange, parelende lach die nooit scheen te eindigen, terwijl een gemeenteraadslid van de Christelijke Volkspartij, die consequent tegen alle aanvragen voor drankvergunningen stemde, naar de glans in zijn ogen te oordelen al zeker vier glazen rosé op had. Achter in de zaal stond de huidige burgemeester, slank en bruinverbrand, alsof hij kantoor hield in een solarium, en hij liet zich samen met een groepje kleine, vrolijke Aziaten door de pers fotograferen. Ik nam aan dat het een handelsdelegatie betrof en dat zij de directe aanleiding voor de receptie waren.

Konrad Fanebust stond enigszins terzijde met een lange, tweetandige serveervork in een schaal met vlees te prikken. Ik liep dwars door de zaal naar hem toe en hij keek op. Zijn gezicht verried slechts milde verbazing, maar zijn arm stokte in de beweging, en zo bleef hij staan, met in zijn hand de vork waar een enkel stukje rosbief aan hing.

Ik kon het niet meer opbrengen diplomatiek te zijn en flapte eruit: 'Harald Wolff was helemaal niet dood.'

'O nee?' Hij verbleekte langzaam. 'Heb je hem gevonden?'

'Ja.' Ik keek hem strak aan en zijn blik dwaalde af over mijn schouder.

'Maar Sjouwer-Johan, Johan Olsen, die is dood. Want *hij* is namelijk degene die in 1971 werd vermoord, in plaats van Harald Wolff. En jij en Harald Wolff hebben dat gedaan.'

Hij werd nog bleker. 'Luister, Veum, als je hier gekomen bent om...'

'Ik ben in ieder geval niet gekomen om rosbief te eten. Waar het in deze zaak om draait, is ondanks alles niet de brand in 1953, maar wat er bijna twintig jaar later is gebeurd, in 1971 en in 1972.'

'1972?'

'Wat de brand aan de Fjøsangervei betreft, was het merendeel de hele tijd al duidelijk, het was alleen onmogelijk om iets te bewijzen. Maar nu heb ik Harald Wolffs eigen bekentenis en...'

'Heeft hij bekend?' Hij keek me ongelovig aan.

Ik ging door, zonder antwoord te geven. 'Het eerste wat ik me afvroeg was: wie werd er beter van de moord op Hjalmar Nymark... want hij werd vermoord, in koelen bloede. Wie was dat? Niet Hagbart Helle, want die kon terugvallen op zijn gigantische vermogen in het buitenland. Niet Harald Wolff, als hij nog in leven was, want die was al eerder door de molen gehaald en hij wist dat er geen enkel bewijs was. En jij, die destijds de verantwoordelijkheid voor het onderzoek droeg, ook niet, al zou je reputatie een lelijke deuk hebben gekregen als iemand zou bewijzen wat jullie in 1953 niet konden. Maar wie maakt zich nou druk over prestige van dertig jaar geleden?'

Konrad Fanebust groette afgemeten een politicus die met een bordje vis in aspic langsliep. Zijn gezichtsuitdrukking sprak duidelijke taal: hij wilde niet meer mensen bij het gesprek betrekken. Hij straalde afweer en ingetogenheid uit, zoals hij daar stond, stram en met rechte rug, in zijn ene hand de onbeweeglijke vork en in de andere een leeg bordje.

Ik zei: 'Maar zowel Hjalmar Nymark als jij waren ervan overtuigd dat Harald Wolff werkelijk Rattengif was, zeker na de brand bij Pauw. En zeventien jaar later had jij de diensten van uitgerekend een man als Rattengif nodig.'

'Dit is belachelijk, Veum. Ik...'

'Zeventien jaar later, omstreeks 1970, begon het namelijk slechter te gaan met de firma waar jij mede-eigenaar van was. Of dat nu kwam door zaken die je zelf niet in de hand had, of doordat je iets te verbergen had... Hoe dan ook, je moest je compagnon kwijt.'

'Wiger? Maar hij...'

'Hij kwam om bij een brand, nierwaar? Ook een ongeluk misschien? Men zou wel eens op het idee kunnen komen om die zaak nader te onderzoeken, als er plotseling een duidelijk verband tussen Konrad Fanebust en Harald Wolff blijkt te bestaan. Een verband dat misschien pas in 1971 is ontstaan.'

'Dat verband bestaat niet', zei hij timide.

'O nee? Ik heb vanavond het bewijs gekregen... en door het gesprek dat wij eerder vandaag hadden. Toen vertelde je me namelijk dat Harald Wolff dood was, maar een paar uur later zat ik zelf oog in oog met Harald Wolff. Dus het was niet Harald Wolff die in 1971 werd vermoord, maar Sjouwer-Johan, je oude strijdmakker. Oude vriendschap betekende blijkbaar niets voor je, als het erom ging je positie te beschermen. Je had zelf de gelijkenis in lichaamsbouw gezien tussen Wolff en Sjouwer-Johan, en daar kwam nog de blessure aan hun been bij. En om Harald Wolff van de aardbodem te laten verdwijnen, *voordat* je hem nodig had, offerde je Sjouwer-Johan. Hij was immers toch niet veel waard?'

Hij was nu lijkbleek, met een paar opgewonden rode vlekken hoog op zijn wangen. 'Dan zou ik dus...'

'Je hebt Rattengif gebruikt om je compagnon kwijt te raken. Je hebt hem gekocht en de grens overschreden van wat ooit je idealen waren.'

'Dat is je reinste waanzin, Veum!'

'O ja? Laten we de rapporten van *die* brand dan ook eens bekijken. Samen met de politie. En dat afzetten tegen wat we nu weten.'

'Luister...'

'Want waarom zou je anders liegen, over dat *jij* samen met Sjouwer-Johan in 1971 Harald Wolff zou hebben vermoord? Je hebt ooit een heldhaftige strijd tegen het nazisme gevochten, Fanebust, maar het ziet ernaar uit dat je tevergeefs hebt gevochten. Het nazisme leeft. Maar echt gevaarlijk, tegenwoordig, zijn niet de knapen in nazi-uniform, of de oude nazi-nostalgici. Het gevaarlijkste nazisme komt tot uiting in de mensenverachting van jou en jouw soort. Het wordt alleen anders genoemd.' Mijn stem trilde nu. 'En dan betekent het leven niets. Dat van Hjalmar Nymark niet, noch dat van Sjouwer-Johan of van Olga Sørensen.'

'Ik laat niet...' Hij onderbrak zichzelf. 'De burgemeester gaat speechen.'

Ik dempte mijn stem. 'Ik ben hier niet gekomen om de speech van de burgemeester te horen. Hjalmar Nymark kwam bij jou en jij begreep dat hij iets op het spoor was, dat zijn oorsprong had in 1971: het verband dat niemand nog had gezien, tussen de zogenaamde dood van Harald Wolff en de verdwijning van Sjouwer-Johan. Jij wist dat de onthulling van wat er destijds was gebeurd, catastrofale gevolgen voor jou zou hebben. En daarom kwam je in actie. Eerst probeerde je hem aan te rijden, zonder succes. Maar bij de volgende poging had je meer geluk.'

'Ik heb hem niet vermoord! Ik heb hem gevraagd...' Hij klemde zijn lippen op elkaar en zweeg.

'Je hebt hem gevraagd te stoppen met zijn onderzoek, en toen...'

'Hij ging rechtop in bed zitten, hij wond zich verschrikkelijk op en zei dat hij alles doorhad... toen greep hij naar zijn hart... ik dacht niet... ik dacht alleen dat hij zich niet zo goed voelde.'

'Met de hulp van een arts zou hij het gered hebben. En jij nam de doos met al zijn materiaal mee. Ik bestempel dat als moord, Fanebust.'

'Maar jij bent geen jurist, Veum. Bovendien had ik geen idee waar Harald Wolff zat! Voor mijn part was hij allang dood. Ik heb toch gezegd dat ik je wilde betalen, als je hem vond.'

'Samenzwering, noemde je het niet zo? Dat was namelijk je angst, dat ik hem voor je zou vinden. Want je was hem uit het oog verloren, na dat klusje dat hij in 1972 voor je had opgeknapt...'

Hij voelde de grond onder zijn voeten wegzinken. 'Heeft hij *dat* ook bekend?'

Ik loog: 'Ja.' En zei op goed geluk: 'Want *toen* heb je hem werkelijk vijftigduizend kronen betaald, nietwaar?'

Zijn gezicht verloor de laatste contouren en hij wist dat de wedstrijd gelopen was. Nu wachtte nog slechts de eindjury. Hij zei: 'Ja, toen...'

'Maar ook Olga Sørensen was gevaarlijk, want zij was de enige die jou nog steeds met Sjouwer-Johan in verband kon brengen, *voor* hij verdween, in 1971. Daarom vermoordde je haar ook, zonder te weten dat ze het allang aan anderen had verteld. Ik wist het al, dus je hebt haar voor niets vermoord. En nu staan we hier, met zijn tweeën.'

In de zaal achter ons ging de burgemeester verder met

zijn speech, in onvervalst Bergens en met de intonatie van een computer. Het stemgeluid van Konrad Fanebust was ook niet om over naar huis te schrijven, toen hij zei: 'Is er nog meer, Veum?'

Ik schudde mijn hoofd. 'Nee, op het ogenblik niet. De uiteindelijke versie moet de politie maar voor haar rekening nemen. Daar gaan we nu naartoe.'

'Wil je niet eerst iets eten?'

Een moment verplaatste ik mijn blik naar het buffet. Daarmee kreeg hij de ruimte die hij nodig had en met geweldige kracht stak hij de spitse vork in mijn maag. Ik sloeg dubbel en greep met beide handen het ronde heft vast. De pijn was acuut en heftig. Ik verloor mijn evenwicht en viel op mijn knieën. Ik voelde dat mijn vingers nat werden en toen ik omlaag keek, zaten ze vol bloed.

De zaal draaide om me heen en het laatste wat ik zag, voor ik het bewustzijn verloor, was dat Konrad Fanebust naar de deur van het terras rende. Het terras waar de burgemeester zijn gasten gewoonlijk het uitzicht over de stad liet zien. En ik zag wat ik misschien al veel eerder had moeten begrijpen. De zware beenbreuk die hij tijdens de oorlog had opgelopen, had zijn sporen nagelaten. Hij hinkte duidelijk met zijn linkerbeen.

Voorbijgangers zeiden later dat hij net een grote vogel leek, toen hij zich naar buiten stortte. Zelf lag ik drie weken in het ziekenhuis, voor ik naar huis mocht.